D1206371

jak se dělá

chlapec

LUDVÍK
VACULÍK

ATLANTIS

ISBN 80-7108-074-8

Ludvík Vaculík

JAK SE DĚLÁ CHLAPEC

I.

/ ZÁŘÍ 1986 / Chodím po zahradě, češu jablka, jsem zničený. Nevěřil bych, kdybych se o tom sám nepřesvědčil, jak přesně člověk může domněnkou zasáhnout pravdu. Na tom silvestru předloni si Xenka opravdu vybrala kluka, scházela se s ním a spala s ním. Stalo se to loni, ale já se to dověděl před čtrnácti dny. Spala s ním poprvé, právě když jsem z Prahy utekl sem, abych byl sám a dopsal svůj spis k jejím narozeninám. V tom týdnu byla mi nevěrná, nebo spíš bych měl napsat „byla si věrná"! Odnesla se na noc do jeho brlohu s noční košilí, šminkami a s vínem téže značky, které píváme spolu. A s toutéž hondou přesně, která sama nepovažuje nic za zakázaného. „A to si piš, že bavit se budu dobře!" pravila, jak jsem pak opravdu zapsal v tom dárku pro ni. („Chléb náš vezdejší", rkp., str. 127.)

Rozmýšlím, co udělat. Mohl by někdo říct – proč tolik dělám z jednoho starého případu, odeznělého. Neodezněl! Trvalo týdny, měsíce, kdy ona s tím zápasila: tu zimu a jaro vloni měli jsme zlé. Měli jsme mlčenlivé Velikonoce, ba rozcházeli jsme se i na cestě určené ke spojení, o dovolené. Nálady a hněv s ní klátily, pořád na totéž téma: abych s ní víc byl! Nebyl to snad ani zápas mezi dvěma muži v ní, nýbrž mezi dvěma jejími stránkami. Mohl jsem to rozhodnout pro sebe hned, kdybych udělal, co chce: rozešel se s manželkou.

Začnu asi zase psát? Abych si ale velice rozvážil, co napíšu, když zatím se už zas potvrdilo, že si vždycky píšu dopředu svůj osud. Všechny mé lepší stránky se obrátily proti mně: má vůle k důvěře v ni, můj soucit s ní i při hněvu na ni, moje přílišná odpovědnost za ni. Ale hlavně má věrnost Marii v tom, kam mi až ustoupila a co na dně našeho manželství zůstalo jako nerozpustný kámen: Xenie o něm ví, řekl jsem jí o něm hned na začátku, přijala mne s ním. Jenže ji celých osm roků tlačí, tuší jeho ohromnou cenu, a jako by mě chtěla donutit odhodit ho, rázem, místo aby pochopila, že si životem se mnou může složit svůj. Ale k tomu – začínám mít to přesvědčení – musí člověk už jinak začít svůj milostný (pohlavní!) život.

Také ona se diví, proč z její „příhody" tolik dělám: je to prý už dávno! Ano, ona je možná nad tím, ale já jsem pod tím. Asi budu muset bez ní být. Toto je jen začátek jejího vývoje. Přijde to brzo zas. Často jsem se sám sebe ptal, může-li mne to minout. Nic mě nemine! Všecko se ti jednou musí stát, každý člověče! Ale když si umím tak představit pokračování, kéž mám sílu odejít, abych se zachránil, než se rozpadnu.

Ona o tom píše knihu, už druhý rok. Má první verzi, teď ji přepisuje. Celou tu dobu říká, že ji píše hlavně pro mne. Že je to o lásce, jak mě má ráda. Rukopis tedy leží celý ten čas na jejím stole, všelijak rozložený. Někdy práci na čas přerušila a sklidila ho: nevěděla prý, jak dál. Pokračuj, pravil jsem pokaždé. Samozřejmě jsem se do rukopisu nikdy nepodíval. Dojímala mě ta její pilná práce vpřed; vadí mi jen ten zakouřený prostor po jejím psaní. Věděl jsem, že kniha už má skoro pět set stran. Xenka několikrát poznamenala, že se dokončení knihy bojí: co se pak stane? Neodejdu od ní? Polila mě vždycky úzkost. Představil jsem si však jenom, že se nějak vypořádává se mnou, s mou „nedostačující láskou", že tam bude urážet Marii a prozrazovat moje nedokonalosti, trapnosti, směšnosti. Bál jsem se, že mě tam zprůměrní na šablonovitého mluvku, dá mi slovník své generace a prostředí, v němž dospívala. Že se tam bude zabývat nějak i mým prožíváním pohlaví, toho jsem se také trochu bál. Ale to všecko mi patří: nikdo není takový, za jakého se má, ale jaký vniká k druhým lidem. Komu se dávám, toho pohled platí. Na počátku tohoto léta pravila: „Nevím, jestli smím tak psát, když všichni tě budou k narozeninám oslavovat." Neoslavoval mě pak nikdo, nevzpomněly si poznámkou ani časopisy, které mě venku tisknou, a nedělal jsem žádnou slavnost. Lezla na mě naopak tíha. Být pryč, zmizet!

Nedávno se prý radila s Emou: může o mně tak psát? Ema jí řekla, ať to riskne: bude-li to dobré, může tak psát. – Jak? Asi moc zle, říkal jsem si. „Ty prostě na každou svou knížku spotřebuješ jednoho chlapa. Tentokrát na to padnu já," řekl jsem. Odpověděla: „Mám chuť to zahodit. Protože nevím, co se pak stane." Její rukopis, hotový už, přepisovaný s kopií, ležel pořád na stole. Když je to tak, řekl jsem, nechci ho číst první. Ať ho posoudí někdo jiný, a když bude dobrý, musím to prostě snést. „Je tam nějaká nevěra?" zeptal jsem se. Nechce prý dopředu nic prozrazovat. A mě pořád ještě nenapadlo, že by mi opravdu byla nevěrná! Zahanbovalo mě už to, že by si to pro čtenáře jen vymýšlela, když ten smutný hrdina Josef mám být já.

Ale jak Josef navštěvoval její stůl – adresář, sešívačka, lepidlo, nůžky – a zavadil o ten rukopis, nadzvedl někdy roh listu, aby viděl, kolik stran přibylo. A jednou v květnu ležely na stole sólové stránky krátkých řádek – báseň. „Napíšu ti báseň," pravila nedávno. Byla tedy o něm? Ale čekal, že bude jiná. Toto byla obžaloba: žaloba ženy, která se konečně rozhodla k činu. Z třístránkové básně vybírám jen toto, ale parafrázuju to, abych nezavadil o její kopí: right!

Po schodech dolů
vyhnané kroky
Otevřeš se strachem
prázdný byt
a hledáš důležitou změnu
čekanou:
chybí kufr
máš co jsi chtěla
o jedny klíče víc
(...)
Ale teprve po adventu
budeš mít jistotu
že „návrat nežádoucí"
(...)
Co počít po Činu
když nejsou lidi?
Kde čichat člověčinu?

Je třeba jasnějších slov? Proč tu nechala ten papír tak odkrytě? Jaká čest mi ještě zbývá, než odejít hned? Ona je se mnou jenom nešťastná? Já tedy budu nejhorší mužský jejího života? – Obcházel bytem a odhadoval, co vzít, co tu nechat, stačí-li to pobrat. Ale musí si napřed koupit ten kufr. Proto hned neodešel. Čekal, co se stane, jaká přijde v poledne z práce a o čem bude mluvit, když musí počítat, že už četl její báseň, tak viditelně položenou. Nastraženou? Ten den neodešel a ani jí nic neřekl. – Když odejdu, zkazím jí psaní. Aspoň to by měla dokončit. Ale co moje dcera? Můžu odejít kdykoliv. Budu zkoušet, co unesu. Potom odejdu určitě. Do tlustého rukopisu, odloženého na stole až k oknu, se nepodíval.

Nechce mě, žasl, a přitom mě vede s sebou dál. Teď do filmování, do výměny bytu, do léta. Jednou seděli na balkoně a Josef, protože nedokázal promluvit, byl na odchod. Mírnila ho, on však ji podezíral, že si nechce pokazit film. A ten jí ovšem nechtěl zmařit. Film se jmenoval „Ať žije fronda!". Je to její starší historická hra. Dostala nápad natočit ji na video: budou v ní hrát všichni naši přátelé, tedy náš spolek, jak se po léta schází tajně. Bude to její dar k oslavě všech letošních narozenin: především Josefových šedesátin a Vinckových padesátin. Skoro všichni členové spolku pozvání ke hře přijali, aniž věřili, že k ní dojde. Pak se jí všichni poklonili: byli v kostýmech a rolích mimo tuto dobu zapsáni pro budoucnost a pro legraci. Josef hrál nehistorickou postavu současného listonoše. Za největší div považovali všichni, že je Státní bezpečnost za ty čtyři dni nevybrala.

Od května jsme začali jezdit na místo natáčení, do Josefova mlýna. Shoda jmen: Josef ze mlýna je pravý a jeho jméno nechci měnit, je mockrát zapsáno v dřívějších mých spisech. Několikrát jsme se v květnu a červnu vypravili i s dětmi na tři dni do mlýna: uklízeli jsme místnosti, lepili tapety a montovali lůžka pro dvacet lidí. Josef běhal podívat se na nás, někdy pomohl, a večer jsme všichni upíjeli bílého vína. Jednou odpoledne si Xena usmyslila vysednout na koně, Josef jí jednoho osedlal, a já se odhodlal vyslovit přání: aby na tom koni byla nahá. Řekl jsem to a ona pohlédla na Josefa. „Che, to je vaše věc," zaškeřil se. Svlékla se a on jí nastavil ruku k vysednutí.

V ty dny vypadalo všecko pěkně. Když je Xenka v duševním zdvihu, činná a úspěšná, je vlídná, přizpůsobivá, dává se víc. Josef objevil, a divil se tomu, jakýsi klidnější a souladnější způsob milování: to jest „šoustání", jak to jmenuje ona, protože nemá ráda vznešená slova. Neudržel se a jednou řekl: „Nezdá se ti, že to teď máme jináč pěkné?" Mlčky přisvědčila. Její rukopis pořád ještě neznal. Toto je žena, jež v posteli neřekne něžného slova. Měl bych určitě odejít, nejsem ten pravý, ne! Nenahradím jí klátivého Ira.

Po takovém pracovním dni v prašném mlýně umývali se ve studeném potoku a Josef jí náhle řekl, co říct nemínil: že četl její báseň a nemůže se jí zbavit. Polekaně ho začala tišit a litovat, dokonce ho hladila po tváři a po ramenou, což se v posteli nikdy nestalo, a přes paži a břicho sjela až ke studenému scvrklému amigovi. „Ale to je nedorozumění," pravila, „to je báseň obecně o stavu ženy v takové situaci!" – „Jak bys mohla tak prožít situaci, v které nejsi!" – „Inspirovala mě Jana," řekla. „Je to báseň o nás," řekl Josef, „je to tvoje staré dilema a tvoje neštěstí, kterého se nedokážeš zbavit, proto si to aspoň představuješ. Svůj Čin." Čekal protiútok: že nemá číst, co ona zapomene na stole, a že přece ví, co ji trápí, a může být rád, když o tom píše, místo aby se zabila. Ona však neútočí, udobřuje ho, to bude účelový tah, teď to nepožene na spor, co by řekla tolika lidem, které si sem pozvala na červenec ke své hře. Z potoka vystoupili ochlazeni hluboko dovnitř, oba. Oblečena, kráčejíc po hrázi ke dvoru, věcně řekla: „Pochop to. Takovou básničkou, v které se do skutečnosti vždycky přidává představa, já si pomáhám přes horší chvíle, abych se dožila lepších, jako jsou tyto, kdy se mi zdá, že jsem až šťastná." To byla nečekaně moudrá slova; však je ani neřekla. Řekl si je Josef za ni sám; nějaký východ z tísně jí přeci musel nechat. Krom toho doufá, že ona si cosi takového právě myslí a jenom zevní tvrdost jí nedovoluje vypustit to. Poznal to z ní v noci.

Uvěřil, že ho teď opravdu potřebuje, proto teď od ní odejít nemůže. A co moje dcera? Ale kdy přijde ten pravý den? Jak poznáme, že máme nešťastnou ženu nechat stát? Ta se, bohužel, nemůže nechat stát: jedině je možno nechat ji odejít, když konečně sama chce. Kdy žena konečně odchází? Když jde k jinému muži. Teď tedy k němu šla, ale Josef to nevěděl, protože ještě neznal její knihu. Ale až ji pozná, co udělá, když ona ji píše jako pětisetstránkovou omluvenku? Já mám zřejmě čekat, až to udělá znovu, šťastněji. Až v ní nad pocitem viny převáží libost, jež jí umožní říct: ty jdi pryč. S takovýmto mým pochopením by si Xenka mohla ovšem šoustat každou chvíli s někým jiným, dokud její chlípna nelapne cíp spojený s mužem lepších vyhlídek. Před mužem lepších vyhlídek já ovšem ustoupím, to se od mého charakteru přeci čeká. Ale až do té doby mi má odpovědnost poroučí: nechej ji hledat, vždyť ona hledá! (A co moje dcera?)

V červenci, před Josefovými narozeninami, navrhla, aby se

zeptali osudu, nemají-li mít další dítě. V plodném období jí jednoho dne... „dáš mi semeno," řekla: to ho velice vzrušilo! Už přes rok nepoužívali pilule, protože on nechtěl, aby to moc dlouho brala, a ona v dojetí nad jeho sebezapřením pravila, že si dá zavést tělísko. Pak to tiše odsunula, až zrušila a zapomněla. Každý měsíc tedy strachy. Někdy Josef protestně stávkoval, beze slov. Pro staršího pána není šikovné předem si cosi nazouvat, když někdy určitě neví, zda vykročí. A hlavně takový manévr kazí nezamýšlená spojení vzniklá z doteku, slova, z četby v posteli. Řekl jí tedy, aby si ten plodný den vybrala sama. Spočítala si je a vybrala si hned ten první. Tři dny se rozčileně těšila: „Budeme dělat děťátko!" A do té doby mu uhýbala: musí to být plná dávka. Zhloupl z jejího půvabu v tváři i v pohybech. Měl potom skutečně pocit významného děje a ona zůstala až do rána ležet ploše na zádech, aby nepotratila ani milion. Ráno se muže ptala, co cítí: cítí-li, že je těhotná. Řekl jí kdysi, že těhotná žena voní jináč, a teď chtěla, aby to u ní zkusil už poznat. Zdola, z místa činu jí řekl, že ještě těhotná není, ale za hodinu bude. Nechtěla ani vstávat do práce.

Čtrnáct dní se do sebe kamsi vciťovala, měřila si prsy a dávala mu je potěžkat. Prsy rostly. Když se do sebe vciťoval Josef, neměl bohužel pocit, že ji trefil. Zkoumal to slovo „bohužel": platilo vzhledem k ní. Ve chvílích jiných a jinde myslel si „bohudík": když si se stahem srdce uvědomil, jak špatná to zas bude novina pro Marii. Kam dals rozum, ptal se a odpovídal si, že rozum sem jednoduše už nepatří, když byl jednou vyřazen, před několika lety. V nocích, kdy spal doma nebo tady v D., poznával s úžasem, že by to vlastně bylo mravné řešení, kdyby se mu nepodařilo Xenku oplodnit, a ona ho proto zahnala pryč. Kdo chce mít ženu, nemůže odmítat její oplodnění, je to žena! Ale nač potom absolvovali ty interrupce, nač ta ztráta času a ty spory pro dítě, jež nechtěl, jemuž však už mohly být tři roky? Teď cítil, jak nesouladně s její bytostí tehdy jednal, když se řídil myšlenkou: vždyť já bych to děcko už nevychoval!

Prsa jí rostla, zvlášť pozorováno zdola, za protyku. Pohodlné, slastné, ale náhle s úzkostí: kde vezmu víc peněz, aby si mohla platit pomoc v domácnosti a k dětem, protože psát bude chtět a muset dál, nebude přeci pořád uklízet divadlo. Odjeli natáčet. Xenie organizovala i hrála. Někteří přijeli i s malými dětmi: zařídit u nich dozor a zábavu. Kuchyni pro dvacet lidí řídila kamarádka. Josef každého rána, ještě před snídaní, vyšel s kosou na louku, aby Josefovi přisekl trochu trávy pro koně a utišil svůj pocit, že tu zavazejí a snad i ohrožují. S kameramanem domluven směr a běh, kdyby přitrhli estébáci. Třetího dne scházela Xenka po dřevěných schodech do jídelny, kde už všichni snídali, a zničeně klesla na lavici vedle Josefa. „Tak jsem právě potratila," zašeptala. Odvedl ji pryč. Byla-li těhotná, bylo to možné: z námahy a vzrušení. Ale mohlo to být také naopak: ze vzrušení a námahy se opozdila. „Neplač," řekl jí, „tak toto nebude platit, zkusíme to znovu." Hned viděl, že ji to velice povzbudilo. Miloval ji za to! Na to s ní přece je: zvedat ji, dávat jí budoucnost. Nesmí k ní pouštět svůj vlastní strach a úzkost. Vraceli se do jídelny k ostatním a ona ulehčeně pravila: „Bylo to vlastně neregulérní. Musíme znovu."

Když teď, co to píšu, vidím obraz takové Xenky, nechápu, že do sebe pustila jiný výhon. A tedy jiné s.! Ale hned to pochopím, když si ji přeřadím: mezi volné ženy, jakou byla předtím. Když si Josef uvědomil, jakou ji potkal a vyposlechl, uviděl tloušťku provazu, který si s ním nasadila. Byla to žena, která ráda opakuje vzrušující vývin situace od úvodních slov a stisků přes tajnou schůzku až k novému svlékání se: a nové hmatání mužského těla, pojímání nového ocasu v kundě také nové, ty vole, tak to přeci dělala, co se tomu divíš, tu není nic nepřirozeného, je to naopak zákon přírody. Mladý kochák třikrát za noc, také jsi ho míval!

Nastaly další plodné dny a ona se o „zkoušce osudu" nezmiňovala. „Ty už nechceš dítě?" divil se. Její rukopis ještě neznal. Lhostejně řekla: „Myslím, že to už nemá význam. Jsem na to stará. A znovu všecky ty potíže, byt je malý, zas bych nemohla psát, ty bys měl další starosti..." Neuvěřitelné! „Ale to opakuješ moje staré námitky, pro které ses na mě rozhněvala až k rozchodu." Klidně řekla: „Tak teď je uznávám. Měls pravdu." To ho omráčilo a zahanbilo. V prsou se mu šířil ošklivý pocit a v mozku špatné signály. Nemohl dělat nic, nemohl na nic jiného myslet. V noci zas ani spát. Odešel z ložnice do pracovny. Zase jsou tu ty hrůzy, které tak znám. Jak se jich zbavím? Co se to děje? Neděje se něco? A tu ho osvítilo rozluštění: „otázka osudu", ta její žádost, vždyť to mohl být úmysl zastřít možné těhotenství s někým jiným. Teď, když se obava nepotvrdila, může jeho s. zase do hadru a do pračky. Ty vole nekonečný!

To ráno, když odjela do divadla, zalistoval v jejím rukopise. Nebyly ty její poznámky, obavy a narážky výzvou, aby se podíval, co píše? Už nedokáže sama nést odpovědnost nebo vinu a nechává na něm, co udělá. Nedokáže ho rovnou bodnout; když se nabodne sám, jeho věc.

Je to zvláštní: dovědět se. Za roky s ní si Josef často říkal, jak se to asi dozví. K víře, že ho to mine, musel udělat zvláštní duševní výmyk: když se tak vyznala ze své minulosti („Chléb náš vezdejší"), měla právo a on povinnost, aby jí věřil. Ó jak rád! A psaním o tom, které jí pak věnoval, si ji pro sebe čistil. A podmínka druhá: sám být věrný! Ten spis byl také o tom, že má-li se nějaká ctnost na světě udržet, musí jí někdo dát svoje tělo. Podmínka třetí: manželka Marie. Ta když se bolestně zřekla své této úlohy v jejich životním vztahu, žádala, aby tedy jeho vztah k této mladé ženě měl všecku možnou ctnost i kázeň. Nemluvilo se o tom, ale Josef si mlčky bral záruku za Xenčinu úroveň; vždyť jaké by to jinak mělo oprávnění? Proto ho zlobilo, když ta mladá, nezralá žena si představovala, že žije v ordinérních hádkách, které by přece měl „čestně" zlikvidovat rozvodem. A to zatím nečetl, jak si to ve své knize s jeho manželkou vypořádává, ordinérně. Čeká ho utrpení nesvěřitelné nikomu.

Otevřel rukopis náhodou na místě, kde Pavla se rozhodla jít Josefovi navzdor na silvestrovský mejdan, a bylo to tu popsáno přesně tak, jak se to mezi ním a Xenkou odehrálo. Podle dohody býval na Štědrý den a Boží hod tady, silvestr patřil podle tradice starší než tato mladá žena přátelům: jeho a Mariiným dávným přátelům, u nichž se půlnoc obyčejně zamluvila nějakou debatou, a tak ten nesvátek bez úhony přežili. Jednou, jenom jednou ustoupil Xence a šel s ní na mejdan „androšů". Byl tomu rád, z této stránky, ale s těžkým pocitem viny, že naň není spoleh už v ničem. Xenka se rozhodla zas tam jít a provokativně se na to strojila: cáraté šaty na sabat čarodějnic. „A bavit se budu dobře, to si piš," řekla Xena, a Pavla to dodržela. Tady to mám: hned na prvním mejdanu beze mne si našla nahodilého mužského... a jde si to s ním udělat? Jmenuje se Adam. Ne, teď hned spolu ještě neleží, musím listovat dopředu... Papíry se Josefovi sypou z rukou, nemůže to najít, nechce ani.

Odložil rukopis a vyšel na balkon podívat se, jaký je svět, je-li týž. Kde to jsem? Jsem tam, kam jsem vlezl. Proč se divit? Vždyť věděl, jaká je, cítil, jak se k čemusi takovému blíží, až to nakonec poznával na dálku: jak do sebe kohosi pouští. Co uděláš, až ji přistihneš, ptal se sám sebe, když vstal od psaní dárku pro ni a šel se projít podél řeky. Dokážeš se důstojně ztratit? staral se tehdy. Teď se mu chce příšerně ji zmrdat, s fackama. Ale ona je v práci. Mám na ni čekat, či odejít? Vynesu do kontejneru před domem všecky svoje krámy. Pomalu, pomalu, měj rozum. Dej jí napřed slovo. Ale co řekne, jak ji znáš: „No tak jsem si jednou zašoustala, no!"

Adamovi je osmadvacet, je tedy o sedm roků mladší než Pavla. Podle knihy spala s ním jenom jednou, což jí však bude věřit jen hlupák, proč by tedy Josef nevěřil. Literárně povýšené a tím jakoby oprávněné běžné její souložení, jež ale Josef nemohl nalistovat. „Jsi krásný," říká Pavla Adamovi. Ta jednoduchá, krátká a jasná věta Josefa zchladila: co chceš, ani nejsi krásný. Ne, to mu neřekla nikdy, asi nemohla. Takto zchlazen díval se do rukopisu knihy věcnějším pohledem.

Osou knihy, jak mi Xenka dřív naznačila, je Pavlin zápas s fízlem. Z toho je udělaná pointa i katarze. Teď se divím, že jsem se neptal, jak by tahačky se Státní bezpečností o cestovní pas a nějaké výslechy mohly mít takový dějetvorný význam. Kniha je o tom, jak hrdinka, dohnána k tomu morálně nedostatečným partnerem, jmenuje se Josef, jde protestně na silvestrovský sabat, narazí si tam mladšího mužského, ale trápí ji svědomí... to přeskakuju, a dovídám se zřejmě to hlavní: Pavla si z jakéhosi důvodu myslí, že estébé se to dověděla, začne ji vydírat, nebo to poví Josefovi. A tak naše Xenie začne psát knihu. Zda ji píše i Pavla, nevím. Kniha je, má být, pádnou omluvou za její provinění. – Ale ano, to může být. Máme, my umělcové, takové náboženství: napiš dobře, cos udělal zlého, a máš rozhřešení i odpustky pro další psaní. Ema jí poradila správně.

Josef je v knize hloupý a protivný: mluví v chlapáckých klišé džínových pijáků rumu. Zatímco oni nosí slipy, on má manželkou zašívané trenky jako já, rodinu buď výchovně tyranizuje jako já, nebo ji polévá odpornou blahovůlí pupkáče jako já, jemuž bylo dobře uvařeno jako mně. – Mohl bych se uklidnit: to přece nejsem já. Jenže všichni očekávaní čtenáři vědí, že Xenie píše ze života, a s kým žije, také vědí.

Uvědomil jsem si, že tu leží dokument o tom, jak ona mě vidí. Co napsala, to není pokus změnit nebo zamlžit mou podobu, to ona se mě naopak snaží vystihnout! Nemůžu popřít, že Pavla toho Josefa – váhám před slovem miluje: ona ho chce. Tento odpudivý mužský typ vychází z autorčiny vůle nejmilostivější! Takže k autorce ode mne dochází toto, tato mělká vlna? Z mého úsilí duševního i tělesného, po mých starostech s ní, po všech úvahách a po tom, jak jsem se snažil být k ní pravdivý, dostávám tuto ozvěnu! Co si vlastně ode mne bere? Když tady, v autobiografickém vyznání a výkřiku, sečítá samé hrubosti, plytčiny a sobectví?

Josef se zhrozil, že kniha bude špatná! To navrch! Ať v knize s ním už zachází, jak potřebuje. Bude to ovšem jen tak, jak umí. Když už neuměla chytit trochu jeho ducha, vtip, strach, jeho boj se světem a jeho smíření s ní, Xenkou, proč tam nepřiznala ani to, co chápe: jeho oduševnělé zvíře?

Vidím, že já jí vlastně nesmím dát nic znát. Zničil bych jí práci, a to kdybych udělal, obrátí se to proti mně. Také ji musím vést výš, nikoho jiného na to nemá. Ale kdy jí potom řeknu: Ty kurvo! Listoval jsem, zda se aspoň dočtu, že jsem jí to potom udělal líp než ten Adam. Ale to tam nebylo. Vlastně tam nebylo ani, co ten mladý býček s ní. Lehli si spolu, stáhla mu kalhoty pyžama, tma. Nebo světlo? Dovím se, jaký byl? Zeptám se jí. Ráno od něho odcházela – ona tam byla celou noc, a kdy? – s myšlenkami, že už nepřijde. Ale o pár stránek jsou spolu zas, zas ten androšský dialog sobě rovných. Androši se pěkně ušklíbají, když si kecám písemně statečné rozumy! Nemůžu mezi ty lidi, už nikdy. – Ale už se stalo, už jsem mezi nimi byl.

Přišla z práce. Josef se držel kamenně, aby neřekl nic. Neuměl se rozhodnout, co platí víc: zda to, co četl, či co právě vidí. Viděl Xenku unavenou z práce, kterou vždycky pořídí „fofrem“, jak se těší na to, o čem mluví: na zítřejší cestu do Ostrova nad Ohří, kam je pozval

Olbram na výstavu svých soch. Na ten výlet se zastávkou v jejích milých Karlových Varech. Několikrát mu hlas už naplnil ústa, ale zmuchlal ho v zahučení nebo obrátil v jiná slova. Nepoznala na něm nic. Ale dcerka, když přišla ze školy, řekla: „Ty seš nějakej smutnej, tati!" – To mu dalo radu: bude mlčet. Totéž asi odvolalo Xenku od Adama zpátky domů.

Když přišla z divadla, šla se nejprve osprchovat. Ona vždycky stojí, nehýbá se, drží nad sebou růžici vody na jednom místě, pusu pootevřenou v myšlenkách: to už píše. Ale než se s tím dostane ke stroji a k papíru, musí proklopýtat několika úkoly a dělá je svědomitě. Sprchovala se s jednou nohou ukročenou, pouštěla na sebe vodu, jež jí dole z visících chlupů vytékala kravsky. To na Josefa působilo tak, že hned měl chuť vbodnout se do ženy… ale k této pocítil odpor. Hleděl na ni, ona na něj, neviděla ho však; psala? Leskla se jí prsa, břicho měla nevinné. Je toto moje žena? Je a není. Můžu, že je, a můžu, že není. Bylo mu jí líto. A co když je to vymyšlené jenom pro knihu a ona nepřekročila chuť lehnout si s mladým chlapem? Tak promluvíš? Mlč! Nejspíš s ním opravdu už nespává. Nebo si upravila vztahy mezi námi dvěma samci tak, že dosáhla normálního chování doma, včetně těchto klidných cecků. Hluboký v srdci žal, na piči výraz pokerového hráče.

Odpoledne šel Josef s dcerou, v Xenčině knize se jmenuje Lucka, na nákup a trochu kolem. Její starší dcera šla na angličtinu. V knize se jmenuje Magdaléna. Večer klidný, řeč o zítřejším výletě. Potom ona v pracovně si něco dělala, Josef psal v ložnici toto, co zde psáno o pár stránek dřív. Přišla, až slyšela, že Josef se v koupelně chystá na noc. Leželi, četli. Pak ona knihu odložila, on chvíli četl dál, pak zhasl. Byl pln napětí a bral jako urážku, že ona to necítí. Usnula, a Josef, protože neměl ke komu být napjatý, když spala, se dusil, kroutily se mu nervy v nohou a tlačila ho prsa. Odešel si lehnout do její pracovny. Byl tam špatný vzduch, do nosu mu začpíval popelník s vajgly. Jindy by ho šel vynést a vypláchnout, teď se mu hodil: aby si uvědomil svou neslučitelnost s tímto vším, s nimi všemi. Konečně usnul, když v kterési hodině přišla a řekla mu, aby šel k ní. Řekl: „Nechci s tebou být, přečtl jsem si v tvém rukopise, žes mi byla nevěrná."

Je zvláštní, jak rychle jsem všecko zapomněl: nevím, co jsme si říkali a co se stalo. Co tu napíšu, mohlo být řečeno jindy, později. Vím, že mě nějak tišila. Odstrkával jsem ji, ale moc mě netišila. Víc poukazovala na to, proč se to stalo. Řekl jsem, že to se stát nesmělo. V čem potom je náš vztah? Ten není v manželství a v zápise, ten je v rozhodnutí. Žádný spor takové její jednání neopravňuje. Vždycky budou nějaké krize, to je chce vyřizovat takto? Příčina je v něčem jiném, ne v tom, že... nevím, jak jsem to řekl, obsah mínil jsem tento: ne v tom, že neopouštím Marii, která je nevinná. „To je pro tebe jenom záminka, kdežto příčina je jinde: toužíš po jiném typu muže, po svém klátivém Irovi!" – V jejím rukopise se pořád objevuje jakýsi vysnívaný klátivý Mr. Higgins, zrzavý Ir. Píše jí básně a ona jemu, sní o něm, čeká ho, vidí ho kdesi mimo mne: drsný a něžný typ, muž přicházející a odcházející, jakýsi hemingwayovský hrdina, jakého hledala jednou s kamarádkou v hospodě u Glaubiců, teď v Adamovi, nenašla ho, a bude ho hledat dál? Já mám čekat, až si přizná definitivní neúspěch, v jehož trpkosti mě bude koupat?

„Myslel jsem, Xenko, že mi budeš věrná." – „Já také," řekla úsečně. „Udělalas ze mě Láďu." – „To byl jiný případ, jeho jsem si nevážila." – „Jsem rád, že si mě takto vážíš." – „Už se to nikdy nestane," řekla. „Zítra s tebou nejedu nikam." – Řekla, že to nepojede také, ale že bychom o tom měli jednat ráno.

Josef nevěděl, jak dočkat rána. Jako by světlo mohlo přinést objasnění s úlevou. Probudil se po krátkém spánku s velikým bušením bolesti v hlavě vedle smrdutého popelníku. Děti chodily tiše za dveřmi a ona jim pravila, že tátu bolí hlava, protože nemohl spát. Každý člověk chce v rozbití svých věcí začít něco dávat nějak dohromady. Dcerka mu přišla dát pusu: „Ať tě přestane bolet ta hlava." Pomalu začal vědět, že na výstavu pojede. Byli všichni přihlášeni na místa v autobuse. A k ničemu víc ho to nezavazovalo. Nabídla mu, že spolu ten rukopis venku někde spálí. Řekl, že to je hloupost, knihu musí dodělat.

„Přísahám, že to bylo naposled!" řekla. Bylo mu to směšné jak z televize, ale nakonec, jakých slov měla užít, i když to mínila doopravdy?

„Uděláš to zas, kdykoli dostaneš chuť na neznámý ocas." –

„Ale to nebylo proto! Kdyby sis to aspoň přečet pořádně!“ – „Ať půjde o cokoli, ocasu se chytneš vždycky nejdřív.“

Poslouchal překvapeně, jak mu jdou z úst slova, jichž nikdy neužíval jinak než jako citátů. Vůbec mluvil víc, než se mu líbilo. Čekal od sebe spíš tichý důstojný hněv ukončený rozhodnutím. „Tak mě zmlať,“ navrhla mu jednou, „ať to mám vyřízeno!“ – „To neudělám,“ řekl.

V noci řekla znovu: „Pochop, že jsem to udělat musela!“ – „Tak teď udělám já, co musím,“ dal jí facku, až se rozeřvala. Začal se oblékat a ona na něj mluvila všemi možnými chytlavými slovy, jen aby ho zadržela pro tu vteřinu, než najde další slova, a pak už se odejít nedalo, a začínalo mu jí být líto víc než sebe. Co to dělám! Co víc může mi říct? Věta „co bych bez tebe byla“ vyhrkla jí nekontrolovaně a zařízla se do něho jak nůž: poznal, že dělá hřích. Nesnesl, aby se ponižovala, a kdo ji bude chránit, když ne on? Nač ho má? Mírnějším hlasem, lítostivě jí řekl, že z něho udělala paroháče; to banální, k čemu nikdy nechtěl dojít. Udiveně začala říkat: „Ale to přeci je něco jiného… já jsem… no tak jsem s ním spala, už jsem si to odtrpěla, jenže ty se to teprve dovídáš…“

V autobuse ho držela za ruku, hladila ho po noze, šeptala mu slova. Nevím, jakou váhu mají tyto projevy žen, nikdy jsem v takové úloze nebyl. Když cestou pořád mlčel, prosila ho, aby na to už nemyslil. Sama však se k tomu co chvíli vracela: opakovala, že ten rukopis zničí. Dostal divný pocit, že vlastně nejde o život, ale o psaní, jak obyčejně. „A jaký aspoň byl?“ zeptal se. Tím se jejich věc dostávala do debatní polohy. Nabídl jí, aby to přiřadili k jejím dřívějším zážitkům s muži, o nichž se smí mluvit. Nesedla na to. „Už nevím, bylo to hned pryč, já jsem to od sebe odvrhla. Myslím, že jsem to ani nevnímala. Věděla jsem jenom, že to dál nejde.“

Uvědomil si, že už začíná pracovat s její verzí: stalo se to jen jednou, je to pryč. Ohromovaly ho však souvislosti: jak si s kamarádkou vypracovala dorozumívací systém, protože ten muž jí telefonovat nemohl. Udělala to s týmž důmyslem, s nímž se kdysi ucházela o Josefa. Tehdejší krásno měnilo se v pošklebek: nejsem nic zvláštního, ona stejnou vůli a důmysl věnuje každému příštímu. To si uvědomil ke svým ztrátám navíc: že ty zavřené oči, paráda rozpuštěných vlasů, rty vychlíplé jak lůno… to všecko může kdykoli ukázat jinému. Sklapávání kabelky.

V Karlových Varech, když vystoupili z autobusu a šli ulicemi, opakovala větu „já jsem to udělat musela“ a Josefa popadl vztek. Co to znamená „musela“? To znamená, že v kritické chvíli před vším, před ním, dá přednost sobě, svému pocitu, bez ohledu na následky? Bodne ho, a omluví se slovy: Já jsem musela. Nikdy nebude vědět, co mu ještě udělá, protože „bude muset“. Utekl od ní a od dětí a chodil po Varech sám. Byl na výstavě jakéhosi italského malíře, ale neviděl nic. Vedl dialog o významu slov „já jsem musela“.

Ve chvílích únavy zvadala mu její nevěra do nevýznamné příhody, jaké jsou v manželstvích i nemanželstvích běžné. Měl by svůj vztah k ní nechat spadnout v cosi míň závažného: starat se o ni a o děti, pomáhat jim, a jináč si vzít volno. Jenom si přijít pro to, ano, když mu to dá. Když ne, hledat si něco takového, jak si umí najít ona. Jaké mají všecky ženy rozkoš? Kolik jsem zbádal klínů? Musí to být Xenčino „fajn“, mít ženskou jenom na to. Která nechce nic dalšího než to, protože jen toho jí doma pochybuje. – Ale všecky tyto horké představy mu chladly při pomyšlení na Xenku, na její smutek, opuštění a možná i úžas, že tedy už i on. A že tedy není na světě opor.

Jednoho dne jí řekl i toto: že na ni byl hrdý, byl s ní rád mezi lidmi, kteří je vidí, berou jejich spojení vážně, třeba jim i závidí. Chci, aby žena chránila mou čest, podporovala mě, pamatovala na mne. A to dělala, ano, krásně, dokud neudělala, co „musela“. V tom máš ten háček, hochu, běž pryč. Jsi vyměnitelný čep, všichni toho byli svědky. Ona říká, že o tom nikdo neví, že ten kluk mlčí. „Proč by měl mlčet. Naopak, ten bude vykládat, že spal s mou ženskou.“ Zas cítím, že to nesnesu. „Buď mi hned řekneš, jak se jmenuje, nebo jdu pryč.“ Řekla mu jeho jméno i adresu. To místo našel, ale on už v tom podnájmu nebydlel. Co by mu řekl? V jejím rukopise je scéna, jak se Adamovi kdosi na tom mejdanu varovně posmívá: „Na které budeš stránce?“ – Řekne mu: „Jste na stránce 260 a vaše soulož na stránce 264. Přišel jsem vám říct, že se s ní loučím, nehodím se k ní, vy se k sobě hodíte líp.“

Proč vlastně o tom myslet a mluvit tak odsudivě? Co když ona už brzo nahmátne svého klátivého Ira? Vždyť ona ještě může mít životní lásku! Mně je tolik roků! Můžu si snad myslet, že ona by mě na stáří ošetřovala? Kdosi mu pravil: Ta se tě zbaví včas, dokud chodíš. Syn mu řekl, že když ho ve stáří opustí, přijde ji zabít. Co by mu řekl, kdyby se mu svěřil, co ho potkalo teď? Bylo to tu už, aby se otec ptal syna, co má dělat se ženskou?

Jednou za tmy beze spánku Josef objevil, že kdyby si Xenu přeřadil do jiné třídy, že by to i mohl: souložit s ní po něm. Mohli bychom ji dělat oba naráz! To mě přeci dávno láká, takový výjev. – Je mi jasné, že toto je náš konec. Cítím ošklivost při představě, že bych s ní ještě měl něco mít. Nevím ani, kdy jsem s ní naposledy spal. Toto píšu už čtrnáct dní, střídavě tu v Praze a v D.

V noci tam i tam spal špatně. Budila ho myšlenka nebo tzv. pohlavní úd: ten se vztyčil a nešel rukou ohnout. Zlý muž ho potřeboval někam vervat, viděl jakési anonymní divoké pyskoviště vyšklebující se z chlupů: a když mu napadla Xenka, jeho tzv. pohlavní úd se hned složil. Pádné znamení!

Popíjeli spolu často večer, červené víno s medvídky, a Josef myslel pořád na jedno: Jaký jsem to přece jen blbec v pošťácké peleríně, zpívám si, a šoustají mi ženskou! „A jak to udělal… stříkal do tě?“ zeptal se. Zrudla. „Tehdy jsem ještě brala pilulky.“ To stačilo. Další otázky odvážil se až jindy: „Kdy potom jsem tě…,“ zamítl slovo miloval. Zrudla, chápe: blbý Láďa, jehož si nevážila, udělal jí to fajn večer téhož dne, kdy mu odpoledne byla nevěrná. „Ten den ne. Nebyls v Praze. Přišels až v neděli večer.“

V její knize se píše: Nakoupili spolu a šli k němu. Měl zatopeno v kamnech. „Kolikrát jste to dělali?“ Odpovídá: „Jednou, a potom ještě jednou…“ Divil se, že na takové otázky odpovídá, a v koutku duše zatušil, že už za to bude jí muset odpustit. „Tak si to aspoň přečti celé,“ řekla smutně. Nedokázal to, měl z té kupy papírů strach jako z neznámého nebezpečí. Přece však, když odešla uklízet divadlo, nahlédl dál: dověděl se, že ho na ulici Adamovi ukázala zezadu. Málem se s ním srazil v divadle, když jí Adam jednou pomáhal uklízet a on jí přišel do divadla naproti. A budu-li s ní snad ještě někdy spát, nikdy do ní, přinejmenším, nevpustím. Dneska s ní, jak je jisté, spát zas nebudu, zítra a pozítří jsem v D., protáhnu to na týden, měsíc, dva, čtvrt roku. Odjedu někam nadlouho!

Napadá mu další věc, horší: Když se s ní začal scházet, povídala mu. Vyprávěla o své rodině, o práci, o tatínkovi, o dědečkovi. Když se milovali, vyprávěla: o svých mužích, o zápletkách a průšvizích svých i svých přítelkyň. Co asi vyprávěla Adamovi? Jak mu odůvodnila, že ho potřebuje? Jak mu Josefa podala? Řekla Adamovi, že žije v paneláku jak v kleci a že se nemá nač těšit? Jestli mlčela, o což ji prosím, žasnu nad ní. Dělá večeři, já pořádám děcka, vzpomenu si na něco a jdu se jí zeptat: „Vymýšlel jsem si já někdy jídlo, které máš dělat?" Vrtí hlavou a neví, proč se ptám. V té básničce si libuje, že už nebude muset čistit sporák. Neví, proč se ptám na jídlo, ví však, že to není dobré, proto odvádí řeč. Povídá, že je napjatá na ten náš film, který se už stříhá. Já se mu vyhnu. Zpívající blbec v peleríně, uvádějící na stolec šlechtice. Hele, on si zpívá a neví...

„Kde je, Xenko, ta mez, kdy chlap má od ženy odejít, když se vyspí s jiným?" Jsem zvědavý: měla by odpovědět, že nemá odejít. Odváží se stanovit mez? Prozradila by nepřímo, kolik si ještě povoluje a vyhražuje. – A já teď nevím, jak odpověděla! „Nestojí to za naše trápení, nechej toho už," prosí. „Tobě to stálo za prožití. V které košili bylas?" – „V takové bílé, hned jsem ji vyhodila pak." Zničila prý i fotky z toho silvestra, na nichž byla s tím klukem. „Proč sis toho Adama nenechala, tajně? A na mě mohlas být hodnější, asi bych nic nepoznal." Na to ani neodpovídá. V knize stojí, že Pavla Adamovi napsala dopis: ten se ztratil a Pavla myslí, že ho mají estébáci. Xenka říká, že si ho vymyslela, žádný dopis neexistuje. Napsala ho, ale rozhodla se nedat mu ho. Pavla od té chvíle žije v hrůze. Zrádná kamarádka, která jí dělala spojku k Adamovi, podepsala estébákům spolupráci a teď na Xeně – pozor, ne na Pavle! – žádá, aby jí v tom pomohla: dohodnou se vždycky, co jim řekne. Tento příběh je skutečný: Xenčina kamarádka to opravdu udělala. A když Xenka její žádost odmítla, pohrozila jí, že na ni ten tajný vztah vyzradí. Xena myslí, že ho chtěla vyzradit estébákům. A já jsem si vzpomněl: jak mě ta kamarádka jednou telefonem žádala o rozhovor prý v mém zájmu. „Je nebezpečí, že Xenku ztratíte," pravila do telefonu. Odmítl jsem.

„Víš, jak jsem vždycky trnula, s čím přijdeš od výslechu?“ – „Proč jsi mi všecko neřekla sama, vždyť to muselo být příšerné.“ – „Když jsem to neudělala hned, už to pak nešlo. A pak to skončilo, o tom je právě ta kniha, pochopíš mě.“ Myslí si, že její souložení je materiál nutný k práci? A najednou se Josef diví, proč to nebere jako její svůdný rys: protože do toho vpletla jednu soulož v podsvětí bez něho? Předloni, nevěda nic, vymyslil si fotografickou novoročenku, ale nestačil ji udělat: Xenka klečí a opřena o lokty píše na stroji, Josef ji odzadu dělá a přes rameno jí čte, jak to popisuje. Perpetuum mobile Xeny Spisovatelky. PF pro ně dva.

Ještě několikrát nahlédl do jejího rukopisu, který mu teď nabízí celý, ale on ho nechce. Pak to nevydrží a podívá se tam a sem, až se mu příběh knihy spojuje. Třetí část však přeskakuje a čte zvědavě konec: jak se Pavla vypořádá se svým fízlem. Pokoří ho a polepší. To dělá Josefovi starost. Ptá se Xenky, zda jí opravdu někdy vyhrožovali něčím. „Ne.“ – „To tedy riskuješ,“ říká. „Copak mi neuškodili dost? Nenechají mě normálně žít. Já mám dneska mít za sebou několik vydaných knih, mně se mají hrát hry, já nemám mít tyhlety pitomé starosti, tenhleten mizerný byt, a mám cestovat. Já jsem ti nevěřila, když jsi mi před lety říkal, že to tak bude pořád. Já myslela, že spolu pojedeme do Anglie.“ Podala si několik inzerátů na výměnu bytu, marně, ale když se to podaří, prasknou na to peníze, které Josef šetřil na dobu své nemoci a jako nějakou jistotu pro dceru, kdyby nebyl.

Chce se mi nebýt. Ne zabít se, nic dramatického. Zrušit svou existenci jednoduše. Josef z jejího románu je osoba primitivní. Mluví nudně, a nevím, proč musí být z Moravy. A když je, proč má chyby v jazyce a já je mám ještě opravovat, sakra? Večer chce ten hlupoň od televize hned do postele. On snad ani nepíše, co ten člověk vlastně dělá? Musím se podívat. Kdyby mu tam aspoň dala parádní postelní číslo: k závisti mužů, k úžasu žen.

Xenka začíná řeč: „Jestli ale chceš to dítě…“ Já? Já ho chtěl pro ni, ne pro sebe. Teď nechci vůbec nic. Já se vzdálím… A konečně jsem jí řekl, co jsem viděl nerad: pointa je špatná. „Pointa románu musí být z téže látky jako drama, jaká to tedy je pointa bez Josefa a s fízlem, který se v knize objeví až dodatečně? Ona ta Pavla taky píše knihu, že.“

„Ano. A přišla jsem na bezva titul: Milý Josefe! Ona to píše jemu. Jako já tobě."

„A on si to přečte?"

„Ona mu to míní dát přečíst."

„Tak ať to raději objeví on a přečte si to sám, jako já. A odejde od ní."

Překvapeně mlčí.

„No ona pořád čeká nějakého klátivého Ira, Josef se naštve a odejde, protože to byl on, ten Ir, ale ona ho nepoznala, byla blbá."

Mlčí, pak říká: „Ale to je výborné! No jasně! A je to taky překvapení, to tedy ona nečekala. A celé to podnikala zbytečně. A to mi dovolíš?"

„Xeničko! Já se odosobním a udělám všecko pro zdar tvé knížky. Ale co nakonec udělám pro sebe, za to neručím."

Sedá si mi na klín. „Ale nechceš odejít, viď že ne, miláčku," posmívá se: svému strachu.

Ona to přežije. Když je nouze nejvyšší, chytne ocas nejbližší. Pak se to vyvine. Nejhůř přečkat advent.

/ŘÍJEN 1986/ Když se Josef rozhodl, co udělá, ulevilo se mu: pojede krajinou neznámo kam, bez času a bez mapy. Jeho duševní křeč polevuje. Dvakrát ho chytla křeč žlučníková, přestože žlučník údajně nemá. Když se přestává vzpírat hlazení, dostává se mu hlazení hodně. Pavla je teď sladká žena, poddajná, jakou ji pamatuje z první doby. Pořád jsou spolu, ona dělá, co chce on, a obráceně. Je to normální? Když je, jak mohla být tak nenormální? Děti mají zlaté dny vlídných rodičů. Magdaléna je nepochopitelně hodná a pomocná, protože chápe. Její maminka je milostná v každé pozici a funkci: u sporáku, u stolu, s dětmi. Josef kolem ní nedokáže projít neutrálně, má na ní ruku desetkrát denně. V jeho dosahu se žena bez následků neshýbne ani nevzepne. Josef to žije, houpá se s tím, vidí to a myslí to. V noci jí musí šplíchnout aspoň na krajíček, když nechce do hloubky. Ona přijde z úklidu a: „Neuděláme si děťátko, přece jen?" A přivine jeho hlavu k oblečeným ňadrům.

Děláme, řekl bych, děťátko pokusně už třetí měsíc. Bez vyhlášení, v zápase. Xenka mate kalendář, smlouvá o dny. Trvám na tom, aby to byl jeden určený den. Položili jsme přece otázku osudu. „Když tě budu nalévat denně, je logické, že jednou to chytnout musíš. Urči si jeden den!“ Byla ale opravdu, až podivně, jako kus přírody rozhněvaná, když jí ve rvačce oderval žílu a bílou krev pustil do háje černého. „Co to děláš!“ ječela. „Toto! Se mnou žádná mladá ženská mávat nebude!“

Kdysi se jí zmínil o svém chlapeckém přání mít mikroskop. Dala mu ho k Vánocům, ač takové přístroje nebyly toho času k dostání. Antikvární, dost drahý. Teď chce vidět živé mužské bičíky. Josef také. Z podezření: má nějaké? Přiřadil k okuláru vhodný objektiv, jímž zvětšil vlas do tlustého lana. Silnější objektivy však neukazují jaksi nic, jen nehybné stíny a praskliny v čočkách rakousko-uherského přístroje. Xenka stojí vedle něho, tak v ní nahmátne prstem ranní látku, nanese ji na sklíčko: nevidí nic. Zřejmě neumí připravit preparát. Když ho dá jenom na jedno sklo, brouzdá čočkou v mléčné mlze. Když ho dá mezi dvě sklíčka, nedostane se dost blízko pro tloušťku skla. Xenka je zklamaná.

Onehdy zas velice honem couval. Byl dole, chytla ho pevně za zadek a natiskla se k němu silou mladé uklízečky. Dostala, co chtěla, spadla a dlouho držela pánev vodorovně. Josef to poroučí už Bohu, zda ho nechá žít dost dlouho, když to dopustí. Bude-li z toho chlapec, žehnám mu každým pohybem a myšlenkou na jeho mamince a přeju mu dobrou ženu, hlavně!

A toto je ta mejdavá jebanda ze světa herců a kytaristů? Cizoložná? – To si snad jenom vymýšlím, je to dílo mých rozdrážděných představ. Proč to psala? Nevěděl bych nic, a dobře dnes. Ale psaní je jí nade vše. Rád by se jí zeptal, ale ovšem nezeptá se zrovna teď, zda cítila, když jí to dával Adam. Naučila se totiž cítit to. Teď prý o tom vždycky ví… nebo se naučila správně mluvit: „Teď jsem to cítila!“ Snad si myslí, že jí zas věřím jako dřív. Dřív se uznale divila, jakou volnost jí nechávám. Nežárlil jsem, a bylo snadné nežárlit: vždyť si mě vybrala po nějaké už zkušenosti! Kdežto teď, když ráno jde do práce, ptám se jí, kdy přijde, a stydím se za to. Když přicházím večer já, zeptám se uboze: „Kdys přišla?“ Magdalény se ptám, byla-li máma doma, když přišla ze školy. Prohrávám, ale chystám se nad sebou vyhrát: až se vydám na cestu. Dlouhou cestu: budu se rvát o každý týden!

Ona začíná vyzvídat: kam pojede, na jak dlouho. „Napiš mi na cestu básničku," prosí ji, protože její dosavadní psaní je všecko proti němu. „Dám ti talisman," odpovídá. Talisman je bezpracná náhražka, chtěl bych básničku, ale už to neřeknu. A přijedu, až se za ni přimluví její múza. Ta je pořád proti mně jako její matka, jako kamarádky, jako její emigrovaná sestra. Ta jí napsala na tento rok horoskop, který je výzvou ke šťastnému odtržení se ode mne. Mám ho v šuplíku a sleduju ho.

Jedné této říjnové noci – v jedné noční říji? – udělal si na ní libidissimo. Nebudu to přesně popisovat, totiž popsal jsem to, ale při zpracování tohoto rkp. to vynechávám. Pavla se z toho zhroutila, a když se trochu zvetila, vystrkal ji na sebe a hučel do ní přitom: „Nebudeš mě mít, odejdu a nebudu."

Příštího dne vytočil Adamovo číslo. Ozval se ženský hlas a zněl opuštěně. „Dobrý večer, je doma pan..." – „Není a nevím, kdy přijde." Vedl krátký prohraný boj: „Kde pracuje?" – Několik dní se odhodlával do toho antikvariátu zajít a neodhodlal se. Zeptal se Pavly aspoň, má-li Adam plnovous. Uhádl.

Dostali od jednoho přítele, ona ho v knize nazývá Vincek, pozvánku na oslavu jeho narozenin. „Jdi tam, já budu s dětmi, přijdi, kdy chceš." Řekla, že bez něho nepůjde, ale že to bude blbé, přítel si to vyloží špatně. Řekl: „Já nemůžu jít, protože tam ovšem bude jistě on." Odpověděla, že tam spíš nebude, nepatří do užšího kruhu té společnosti. Odporoval jí: bude to kruh velice široký, a Adam tam bude, když ho pozvali i na toho silvestra; neřekl, že odtamtud má jeho novou adresu.

„Co bys udělala, kdyby tam byl?" – „Nic. Nevšimla bych si ho." Zůstal na ni hledět. „Ty si nevšimneš někoho, s kým jsi spala? To je pěkné!" – „Tak co bych měla udělat?" – „Říkám ti, jdi tam sama."

Touží po tom, je to podnik přesně pro ni: sto lidí, ruch, hovor, známé osobnosti, neznámí noví lidé, příjem mužského zájmu celým tělem, její spisovatelství, alkohol, a když tam bude někdo, při kom pocítí malé O, to jemné trnutí na okraji vulvičky, a kdyby jenom měla jistotu, že já naprosto bezpečně někde dlím a určitě se nikdy nic nedovím... udělá si fajn! Další fajn potom bude mít, když potom já. Ten koktejl! Co rád mám! S očima smutně velikýma řekla: „Udělám, co chceš ty.“ Sáhlo na něj narození. – Co to s ní děláš, ty surovče! Vzpamatuj se, byls hodný dřív! Nemáš ji už rád? Natáhl ruku k její a řekl: „Půjdu tam s tebou.“

Ostatně, není to jedině správný způsob korektury? Budu s ním mluvit, neřeknu mu nic. Xena se však rozhodla nejít tam. Navrhl jsem, abychom si udělali podzimní výlet, každoroční, a Vinckovi se omluvili. Napadlo mi místo, kam jezdívala s rodiči: prožívala tam svou lásku, z níž má Magdalénu. Zaradovala se a navrhla k tomu jeden nocleh na Ještědu: byla tam s otcem Magdaléniným, ale nic s ním neměla, protože byla v osmém měsíci. Hm, se mnou „měla“ den před porodem Lucky. Není to všecko výborné? Řekl jsem, že ten muž mi nevadí, žila.

Při odjezdu, ještě v Praze, chytl Josefa žlučník. Museli se zastavit u její maminky, kde to přečkal. Když jeli dál, přišlo to znovu, a příšerně, zastavili se u Zdeňka. Josef se třásl jak pes. Potom jeli dál do města, kde měli objednaný první nocleh. Byli v kině na Angele. Večeřeli v příjemné restauraci, nevím už co, já. Xenka mě pořád pozorovala, jak mi je, a bylo mi pěkně: byla moje mladá žena, byl jsem tu viditelně jediný její milovaný muž. V posteli se bála, že si hnu žlučníkem, který údajně mám vyřízlý, řekl jsem, ať to nechá na mně. Druhý den jsem se pohyboval v napětí z jemné zlověstné bolesti v játrech či slinivce a příjemné bolesti o patro níž. V České Kamenici jsme poobědvali v poměrně slušné restauraci, která se prý vůbec nezměnila od doby, co tu Xenka byla naposledy s tím a s dalším mužem. My jsme tu seděli zamilovaným, ale už dost moudrým párem, všímal jsem si všeho, co mi říkala, chtěl jsem o tom vědět víc, přibližoval jsem se k ní.

Ještěd se zdaleka falicky ohlašoval v osluněné chladné krajině. Zblízka pak bylo vidět, jak z ochozu vysílací věže startují rogala jak draci. Měli zamluveno apartmá. Xenka měla radost z široké dvojpostele v jakémsi francouzském dekadentním stylu. Josef poznával, že jeho vysílač se začíná bát. Byl proto rád, když navrhla, aby šli ven. Slunko válo po hřebeni hor dost chladně. Žasnu, jak už teď, za pár dní, je to všecko jak zašlá vzpomínka, a nepamatuju si, co jsme si říkali, hrome, nevzpomenu si ani na jedinou věc? Jak jsem to vlastně vnímal? Vnímal jsem to jako cosi, co je naposledy, hleděl jsem do sebe, jak to s tím míním, a na ni, aby to nepoznala. Připadal jsem si záludný. Když si Xenka odskočila do křoví, poznával jsem, že budu v pořádku. Vzpomínám si na olámané holé trosky stromů, zničené vzduchem. Xena se ptala, nejsou-li jenom tak opadané už. U primitivního stolu stlučeného z desek jsme mluvili o tom, kam asi půjdeme s dětmi o zimních prázdninách. A o tom, že mnozí němečtí turisté jsou bývalí obyvatelé tohoto kraje a je to pro ně jednoduchý nedělní výlet. A my nemáme pasy a nebudeme mít nikdy. Napadlo mě, zda by si polepšila i politicky, kdybychom se rozešli. Nedělá a nepíše politiku. Byl ledový vítr, ale ona popírala, že je jí zima. Mně byla její zima. Když člověk nemá čas ani vzpomínat, události zanikají, a nač je žil? Rušný život je tedy plytký. Toto byla důležitá procházka, která se ve mně bude vracet, až se stanou věci dnes netušené a jakékoli. Dostávám strach z neštěstí. Nejhorší by bylo, kdyby ta životachtivá Xenka onemocněla. Musím si někde zapsat, jak si už dlouho představuju její cestu do ciziny: do Španělska nebo Řecka, kam ji to táhne. Bude to povídka. Jí se, až se teď vrátím z D. do Prahy, musím zeptat, nač ona si vzpomíná z této naší procházky po Ještědu.

Večeřeli v pokoji nazí, pili veliké španělské červené víno. Řekla, že už jistě můžou, tak ji napojil na svůj krevní oběh. Noc byla příjemně dlouhá, přerušovaná probuzeními, jež zhodnocovala možnost spát dál. Jednou řekla, že by mě chtěla potkat před dvaceti lety. Řekl jsem, že jsem škaredý. Odpověděla: „To není pravda, jsi takový – chlap.“ Před dvaceti lety, hm, to bych ji rozedral, kdybych už měl ten dnešní názor. Před dvaceti lety si bohužel myslel, že je povinen zapírat se. Dělal to kvůli cudné manželce, jež mu před nějakou dobou však řekla, že se zapírala. Je to neomluvitelné.

Ráno vstali nečekaně brzo, už v devět byli dole na snídani. Cítil takovou blahou únavu, jako když se člověk vyspí jen na kufrech v čekárně, ale na šťastné cestě: přijdi všecko, co přijdeš. Vincek, když se mu přišli omluvit, s dárkem, že jedou bez dětí na výlet, pravil: „Ano, takže vy, hm, hm, si děláte takovej sexuální víkend, že ano. To je správné, jistě. Škoda."

Když ve světě, jak se zdá, ohlašuje se únava ze sexu a populární bude zas chvíli ctnost, když ta literární móda končí, přicházím teprve se sexem já? Přijdu a řeknu: to všecko, co jste vy všichni sepsali, neplatí, platí toto! Prostup nejsilnějších lidských orgánů jako terén duše. Vznik vzrušení, zkratky činů, fantazie možností, meze a konce, účin znaků, estetika chlípného. Otázka proč! Změť násilí a něžnosti zachycená ve změti údů, tvarů, stínů. Papírové zpodobení plastického mokra sliznic, zkropené lůno ženino: není to jejich společný portrét? Bezeslovně mnohovýrazová tvář muže splynulá s jednoznačným výrazem ženských rodidel: není to výmluvné nade všecko? Když z kompletního obrazu postav ženy a muže odebírám po částech pořád něco a co nejvíc, aby však zůstalo přesně tolik, z čeho zas vzniknou celí, zbývá mi z ženy ta zhnětená brázda a z muže ani tolik, jenom pěna v té brázdě. Muž zatím může už někde viset, žena bude rodit.

Xenka dělá všechno, co jí poručím. Takto zblízka ano. Má ji ten, kdo s ní pořád je. Budu jí z cesty psát. Ne moc často. Pravdivě jí řeknu, jak mi bez ní je. Nebudu ji vyzývat k věrnosti, ani ji předpokládat. Naopak, ať si promyslí sebe a nás. Bude-li mi věrná, tedy zbytečně: nebudu jí věřit. Zkusím s ní nebýt dlouho, tak dlouho, až se něco ve mně potvrdí nebo vyvrátí. Nejmíň do adventu.

Na její inzeráty o výměně bytu nikdo vhodný neodpovídá. Škvorecký oddaluje vydání její knížky. Napsal jsem jednomu příteli, aby zakročil tam, kde tisknou její věci a nepošlou ani korunu. Sbírka povídek leží v Indexu a slyšel jsem, že to kdosi zabrzdil prý s ohledem na mne: že je to moc „delikátní", řečeno delikátně. Napíšu tedy Müllerovi. Chápu, že ji nebaví dělat bez výsledku. Bez výsledku, případně, můžu psát já: toto například. Vždycky jsem si psal. Nic se nedá dobře zrekonstruovat dodatečně. Teď to má účel jiný, hlavní: napsáno, vyřízeno. – Ano, ale jen pro ten den.

Její kniha, o které toho vím jistě málo a jen to horší pro mě, bude brána za mou podobu. „Když to má být z mého masa," řekl jsem, „nevybírej si jen některé. Proč tam není, že Josef se zhroutil se srdcem až do nemocnice?" Řekla, že to nesouvisí s obsahem. „Jaktože! Vždyť ona ho trápí! Tys to tam nedala, že sis to nechtěla ve svědomí přiznat!" Zahanbeně řekla ano, že to dopíše. Podíval jsem se za pár dní do rukopisu, co udělala: Když Josefa odvezli se srdcem, Pavla šla do skrýše, vytáhla čínskou bačkůrku od Adama, rozřezala ji, spálila nad klozetem a škvarky z ní spláchla.

Žádná snaha ani zájem pochopit toho muže. Tak už to zůstane. Leželi jsme, potmě, a já jsem pravil: „Máš takový způsob, že popisuješ situace a děj, žádné pocity a duševní stavy. Rýsuje se ti osobitý styl a metoda. Kdo ji nepozná nebo nepřijme, bude ti vytýkat povrchnost, lehkou čtivost, nedostatek psychologie a morálky. Ale i když ji tam nepíšeš, ty ji musíš mít. Děj a sled událostí musí ve čtenáři ty pocity, o nichž nemluvíš, vyvolat. Proto tvoje metoda musí být přesná, musíš na ní pracovat promyšleně jak na psychologii, aby účinek byl jistý. Když říkáš, že píšeš instinktivně a ve spontánním proudu, tak to je jenom polovička úkolu. Když poznalas svou metodu, užívej její výhody promyšleně a kontrolovaně. Musí spojit vědomé a nevědomé. Musí to mít strukturu, kompozici. Nadání dělat příběh musíš doplnit úsilím dát mu vyšší smysl bez prohlašování. To by bylo něco nového u nás, zvlášť od ženy." Mlčela, za chvíli řekla: „Ty jsi jediný, kdo to o mně ví." Řekl jsem, že totéž jí přece už řekl jeden kamarád a ještě jeden, oba literární kritikové. „Ale tys mi to teď řekl hezky." Řekl jsem, že proto tam ten Josefův srdeční záchvat patří: je následkem Pavlina jednání, mezi dvěma fakty probleskne nenapsaně jiskra. Pravila, že už to tam napsala, a že přeci se můžu kdykoli do jejího rukopisu dívat. Přála si to prý se strachem od začátku, abych se dověděl.

Odpoledne, druhý den, mělo se jít pro Lucku do školky, rozmýšlela se, nemají-li si ještě lehnout, a za chvíli měla přijít Magdaléna ze školy. Svalil ji, co se budeme bavit, když chce, a pustil do ní samčinu v minutě. Jako by chytla v letu hrazdu, aby se nechala odhodit na druhý břeh, švihlo to s ní, zkroutila se. Rozpálená pánev tak zasyčí, když se do ní vhodí syrové maso. Vstal, jako by ničeho nebylo. Otevřela udivené oči. Potom si malátnými pohyby před zrcadlem vkládala prsy do podprsenky, natáhla kalhotky, a když si přes hlavu spustila šatečky a urovnala trochu vlasy, půvabně hotová stála u dveří: „Tak jdeme?"

Šli jsme. Děcko? Lucka je láska, kterou jsem rozškrtl mezi jejíma nohama kdysi a postavil ji na ulici, tam už letí.

V neděli ráno, dospává-li, žena leží zády k muži, ten se na boku ohne podle jejího tvaru, ona trošku vyboulí zadek, nechá ho vtlačit výčnělek do prohlubiny. „Můžeš, když chceš, ale já spím," zahučí do polštáře. Ale potom se vydutě vzepře najednou proti němu, ruku opře o stěnu a kňučí si. Přišla Lucka, vlezla k nim: „Vy si tu houpáte?" Vysedla si na její bok, počkala na konec, myslela si, že to pořádají pro ni. Byla to rozkoš rodiny. „A můžete vstávat," řekla.

„Ty tam máš," řekl jsem onehdy, „jak jdou spolu nakupovat, pak jdou k němu, mluví, v kamnech hoří, svléknou se, a nic. Potom ona ráno vstává." – „Ale to já jsem právě psát nechtěla, už kvůli tobě." – „To přeci nemůžeš: kvůli mně. Kvůli knížce musíš, co tam patří." – „A patří to tam? Nebyla by to pornografie?" – Uvažoval jsem o tom. „Byla nebo nebyla. Je to úkol. Popisuješ, jak z regálů v samoobsluze brala to a to. Je to jen popis, ale ať to víš či ne, tím dělalas napětí. Bylo z toho znát, jak Pavla uvažuje o rázu toho večírku. No, a jaký byl potom? Ta ženská zatoužila po jiném mužském, něco od toho čeká, dáváš si práci s tím, abychom věděli, proč to dělá, a teď nevíme, zda dostává, co chtěla." Řekla: „Ale vždyť odešla a nemínila to opakovat." Nevím. – Nechci z ní jenom tak vytáhnout, jaký byl?

Přečetl jsem si to místo znovu, jindy, s nechutí. Je tu díra, z důvodů neliterárních. Řekl jsem jí to. Jako by někdo psal o vášnivém lovci, jak se na lov chystá, a potom – že nic nepřinesl. Ale co se tam, sakra, stalo? Řekla: „Ty mně to ale děláš hrozně těžký! Já vím, že se mi bude psát čím dál tíž. Ale tak to snad má být."

V tramvaji procitnu: Vole, už to s ní projednáváš jako literaturu. Pamatuj, že požádala o soulož jiného muže, a udělá to zas, když tě bude chtět potrestat či až jí nepostačíš. Co dělají mladší ženy starším mužům? Vždyť to jednou řekla přímo, můžu to nalistovat: „Chléb náš vezdejší", rkp. str. 54: „Ty si myslíš, že když muž nebo žena nejsou doma najezení, mají právo dojíst se jinde? – Samozřejmě. Když to tak potřebují a ona jemu nebo on jí to už nemůže dát… – Ale to tedy nepočítáš s láskou… – S láskou… s láskou, jako by nevěděla, jak s tím slovem v této situaci naložit. Ale pevný charakter ji neopouští: S tou to třeba nemusí mít co dělat! Když si to on či ona nedokáže zařídit tak, aby toho druhého uspokojil, tak co...?" – Konec citátu. Byl jsem jak probodený, a to mě ještě nebodla. Nůž ovšem už do ruky vzala.

„Jsem ten proslulý paroháč!" Dívala se nechápavě: To nechtěla, to snad musí být ještě něco jiného! Já jsem si jenom něco vzala, a ty hned, že zlodějka! – Počkej, až já řeknu: Jenom jsem tě nechtě zabil, proč jsi hned tak umíněně blbě mrtvá? Jí nejde, jak pravila, jenom o ten ocas, jde jí o všecko ostatní. Tak proč to „všecko ostatní" zas hledáš přes ocas? A proč já jí místo všeho ostatního, co u mne tedy nenachází, strkám svůj pičipáč? – Po úvahách tam a zpátky Josefovi vychází, že by jí měl dávat, co může, a sám nic nečekat a nežádat. Když chce svobodu, jeho láska má jí ji dopřát. A to udělám, rozhoduje se na ulici. Co mám ale dělat, když chce také milování?

Být pryč. Být kdesi, možná nebýt, a odtamtud jí všecko sesílat. Měl bych ji vypravit do zahraničí. Lucku jí ale nedám, a bez ní nepůjde. Kdybych najednou ohleduplně umřel a ona brzo našla lepšího muže a s ním všecko, co chce: peníze, dům, cestování, společnost, úspěch... poznala by, že jsem jí to poslal já? Jaké znamení jí dám? Tyto řádky?

Josefovo trápení mizí jak mávnutím proutku nebo injekcí, když si ji ze svého života silně odmyslí: má tři syny, člověka manželku Marii, rodný kraj, cesty k poznání, možnost psát. Měl by existovat prostředek, po kterém by člověk procitl, rozhlédl se a řekl: Kde jsem to byl? Vzpomněl by si, co dělal, než se do toho dostal, a pokračoval by v tom. Já bych se vrátil s klukama ze Stromovky, žena Marie by spala na boku stočená, na zemi kniha, která jí vypadla z ruky, na stole byl by pekáč s masem, už vychladlým, „už jste doma?" řekla by, „já jsem asi usnula." – „Já jsem se probudil," pravil bych já. A blahořečil bych snu, že mi dal nahlédnout dopředu do života s touto ženou Xenií, a dal mi tak výstrahu. A večer, kluci by si cosi dělali a já bych psal nějakou pěknou knížku. Která by se mi však, jak by noc stoupala, začala kazit slovy: „Dokážeš si vzpomenout, o čem jsme mluvili při procházce na Ještědu? Cítím ten vítr, slunko, uvědomuju si vzácnost času, a jsem zničený z toho, že jsem ztratil, co jsme si říkali." – „Mluvili jsme samozřejmě o šoustání taky. Říkals mi o první milence, že už jste to dělali málo, a druhou jsi přirovnal k půvabné místnosti, ale že ty potřebuješ žít v domě s mnoha různými pokoji, abys nikdy neměl jistotu, žes už byl ve všech, a ten dům, že jsem já. To se mi líbilo." – Jestli toto jsem říkal, tedy to slyším prvně.

„Jsem asi nemocný. Kdybys věděla, v jakém stavu jsem byl v tom týdnu, ani bys tomu nevěřila. Teď, když jsme spolu, zdá se mi to vymyšlené. Jenže až budu sám, přijde to zas." – „Snad nebudeš pryč dlouho." – „Co nejdýl! Napíšu ti nebo zavolám, kde budu v příštích dnech, abys mi mohla poslat dopis poste restante." – „Ale snad tu budeš na premiéru našeho filmu!" – „Nemusím být." – „Ale byl to můj dárek k tvým narozeninám." – „Zpívající blb v poštovské peleríně?"

Cítím, že dnes už nebudu psát; poruším si souvislost. Říkávám, že život má přednost. Ona nechce ještě jít do postele, chce si povídat. Odcházím tedy prudce do koupelny, čistím si zuby, chystám si sklenici vody, beru si svou srdeční piluli. Jdu do ložnice, lehám si na postel holý, je horko. Slyším ji, jak se sprchuje. Přichází, stoupá si nade mne, noční košili v rukou. Beru jí ji a odhazuju na zem. Ležíme tiše souběžně a Josef říká:

„Bylas tam celou noc. To jste to dělali jenom jednou?" – „Ano." – „Prosímtě, a proč! Není to blbost? Neměl zájem?" – „On chtěl, dělala jsem, že spím." – „Já to nechápu. Proč?" – Směje se a ukazuje k jeho břichu: „Hele, debata ho zajímá."

Po dvou hodinách soubytí praví: „Ale žes mi už odpustil." – „Neodpustil."

Znovu se skládají, venku už hrozí šero. Nejsou vůbec unaveni, ale ona má jít do práce. Pravím: „Takovéto noci znám z mládí. Je to noc beze spánku, a přece strašně utíká, nic se neděje, a vzrušení trvá." – „Kdys to měl?"

Neodpovídám, abych ji nezklamal, protože moje první taková noc byla o něčem jiném: když jsem potmě skládal indiánskou píseň, nemohl jsem vstát a rozsvítit, usnout jsem nemohl, byl jsem vzhůru až do rána a ráno jsem se potácel nadšením. Druhá noc takového šíleného rozčilení byla o tom, že zítra se mám nad mlýnem u studánky sejít s přednostovou dcerou a stane se toto: už kdosi jde po hrázi pod obrovskými lipami ze světla do stínu a zas do světla, jak po žebři stínů se blíží a zvětšuje – už je to ona! Stalo se však toto: nepřišla. Silný dojem!

Xenka si hladí pahorek a praví: „Já to hned někomu řeknu.“ – „Ještě nemáš co. Nic nemůže být, nejdřív v neděli.“ – „Tak v neděli ani nevstanu.“ – „Dělá mi starost, musím ti to říct: aby tě nezavřeli. Za to, jak o nich píšeš. Aby postihli mě, když mě si zavřít netroufají.“ – „Těhotnou mě nemůžou zavřít.“

Ale není těhotná, a kdoví, jestli může být, ode mne. „Říkalas mi jednou, že každý chlap se tě vždycky zeptal, jestli může. Adam se zeptal?“ – „Nezeptal,“ odpovídá jistě. – „Jak to, že si to tak určitě pamatuješ.“ – „Protože jsem si toho všimla.“ – „Jak si to mohl dovolit?“ – „Asi myslel, že kdyby nemohl, že bych mu to řekla.“ – „Nezlobíš se, že se tak ptám? Tím se to pro mě mění jen v jednu tvou příhodu.“ – „Je to jenom příhoda.“

Sednu si potmě, mlčím. Sáhne po mně a stáhne si mě na prsa.

„Jsi můj chlapeček.“ – „Lísáš se jen proto, že chceš děcko. Proč jsi do toho šla, když už nebylas v trucu proti mně. Silvestr byl dávno pryč!“ – „Tak. To už jde samo. Asi jsem si potřebovala ověřit, že ještě můžu. Víš, ono mu bylo jen šestadvacet. Já mu v té knize přidávám, aby to nebylo tak...“

Je to zvláštní, jak dlouho mě o tom nechává mluvit. Možná to na ni působí, jako bych se o ni ucházel, což jí dlužím od začátku. Poprvé jí prozrazuju, jak na ní visím. „Jednou v noci,“ připomínám jí loňskou noc, „jsme leželi, byl jsem velice sklíčený a tys mi řekla, dobře si to pamatuju: Řekni mi, co tě trápí, já to odstraním. Byla bys to udělala?“ – „Nevím,“ odpověděla. Odstranila by to jak: přiznáním, nebo zapřením? Po chvíli řekla: „A jednou ses mě taky takto, jak ležíme, ptal: Nechceš mi něco říct?“ – „Pamatuju si to moc dobře.“ – „Měla jsem nachystanou jednu větu. Ale nemohla jsem.“

Včera večer řekla: „Tys ke mně změnil postoj? Jsem doma už půl hodiny, a ještěs na mě nepoložil ruku.“ – „Píšu přeci,“ a pokládám na ni ruku. „Co to píšeš, něco proti mně? Nechceš mi v posteli pak z toho kousek přečíst?“ Směju se: „Píšu proti sobě.“ – „Ale už jsi mi to odpustil, ne?“ – „Neodpustil, ale chci tě.“ – „Nepřeháněj to, není ti už devětapadesát!“

Někdy o mne má strach a jindy, když je proti mně, odmítá mě a jenom dělá, jako by o mě měla strach.

Dnes ráno jsme se oba naráz vzbudili téměř pozdě, sotva jsme stačili vypravit děti. Já jsem odvedl Lucku do školky, Xenka šla do práce. Je půl dvanácté, a není tu ještě. Vracívá se za tři hodiny, když nemusí zaskakovat na cizím rajoně. Když pak přišla z práce, a je to už včera, lehli si. Josefovi to připadalo až trochu směšné: jak nastavila klín a dívala se na zapouštění. „Teď by asi mnohý náš přítel vykřikl: zadržte!" pravil. „To by byl jistě Ivan," řekla a spočinula zadečkem v nalezeném místě postele. „Také Mirek by vyslovil nesouhlas," řekl. „A co Zdeněček?" zeptala se. „Ten by se odvrátil, ohleduplně." Brala, prohýbala se. „Ale tvůj kamarád Josef, tomu by se to asi líbilo," řekla pochvalným hlasem. Bylo mu, jako by dělal něco jiného, sice také užitečného, ale dost neutrálního, sice rád, ale pro cizí potřebu, bez vlastního zájmu. Přivedl do jejího hospodářství svého býčka, a ten se hned sám, bez sedlákovy námahy, má k práci. Pavla byla u toho rozkošná v obličeji: jako při něčem, co dělá ráda. Toto ani není žádný sex! napadlo mu. Co to bylo? „A co Ema by, myslíš, řekla?" zeptal se. Soustřeďovala se k odpovědi už s námahou: „Nechápala by to... asi... proč ty starosti všecky... zase dokola... ale já si to nenechám od nikoho zkazit," vzdychla a zavřela oči. Vzal ji za vlasy, natočil si její tvář k sobě a v pravé chvilce, těsně na jejím začátku, řekl: „Otevři oči, otevři oči!" Otevřela je, ale sám musel vzepnout vůli, aby je nezavřel. Tak se viděli. Ležela potom vedle něho a byla pohoršlivě dál silná: hlavu opřenu o loket hleděla na něj s divným úsměvem, pobavená, možná dojatá? Musel si zakrýt oči, nevydržel ten nadřazeně uspokojený, přitom ale i humorně dojatý pohled: jako by viděla něco nového, co se jí líbí; a co by rád, aby si pamatovala, jestliže nebude muset této chvíle litovat. Řekla tiše: „Myslíš, že to je?" Zasmál se: „To nebudeme nikdy vědět přesně, ledaže bychom to od teďka nedělali." – „To bych neriskovala," řekla a smáli se tomu.

Byl tak zničený, že večer nedokázal ani číst, nic. Šli ležet snad už v osm, ale Josef nemohl skoro ani ležet, jak ho divně bolelo celé tělo, každý sval a kloub. Čím to bylo? Jako by tentokrát přimísil ještě jinou životní látku. Také Xenka si lehala do postele tak unavená, že se jí srdce prý jakoby zastavovalo. Ze všeho nejhorší by bylo to nejméně čekané: že by onemocněla nebo dokonce mladá umřela.

Včera psala dlouho do noci, dnes od návratu z práce do tří odpoledne. Chce knížku dopsat, než se vrátím z cesty, pak si ji mám přečíst a po Novém roce chce skončit.

Ráno se probudila a hrabala se na něj. „To je práce, pořád!" postěžoval si a nechal práci na ní. Chtěl se zdržet, ale když viděl, jaké blaho si ustloukala, chtěl jí ho navrch přizdobit, jenže mléčí už nešlo přivábit, a museli vstávat. „Tak až přijdu z práce, jo?" řekla. Přišla za tři hodiny, začali hned, smáli se tomu, Josef si připadal jako nástroj, dobrý a k dobrému účelu, průnik skvělý, držba v pořádku… jen žádná živá voda! „Sakra, co je?" divil se. „Asi na to moc myslíš. Hele, teď pojeďme do té Prahy, a večer! Já už se těším. Jak Hemingway jedné své čtenářce poradil, aby četla raději Faulknera, protože než to dočte, on zatím napíše pro ni něco dalšího." – „Jak to souvisí?" Kouzelné! „Tak jsem si na to vzpomněla."

Jeli jsme do Slavie, kde já jsem měl schůzku s Ivanem a Milanem, předtím jsme se však v nemocnici zastavili u Jiřiny. Zeptal jsem se, co těhotná smí a co ne. Usmívala se, řekl jsem jí tedy, jakou máme akci: „Ona na mně chce pořád kluka, tak jí dávám tento měsíc možnost." Jiřina pravila: „Tak to vám řeknu, jak se dělají kluci." A začala vysvětlovat, že otěhotní-li žena semenem, jež je v ní už předtím, bude to děvče, protože chlapečkové mezitím „vychcípali". Kdežto přijde-li semeno na místo v době, kdy je plodná, chlapečkové doběhnou k cíli dřív. Divili jsme se, že by to bylo tak prosté, ale zdá se to dost logické. S tím jsme odešli do Slavie. Xenka měla na sobě nové šaty. Ivan si jich nevšiml, Milan jí je pochválil.

Večer jsme se dívali, já nerad, na poslední díl seriálu v televizi. Přemýšlel jsem o jeho škodlivosti. Budu o tom muset napsat. Žijí pak deset cizích životů intenzivněji než svůj jeden. Pořád se srovnávají s postavami seriálu, mají sklon řešit své otázky podle nich. Xenka by to měla Magdaléně zakázat, vždyť jsem jí to už kdysi vyložil. Lucince to prostě nedovolím hned od začátku: chodí spát hned po Večerníčku. Před usnutím jí Xenka něco čte nebo já s ní zpívám. Lucinka dovede už sama udržet melodii vedle harmoniky. Harmoniku beru na cestu s sebou. Připravoval jsem si věci do kufru, a když to Xenka viděla, dostala smutek. Umiňoval si zůstat pryč tři týdny. Ležet šli hned po filmu. Chtěla být zas nahoře: tvrdí, že Lucku si udělali v té poloze. Po chvíli jí poručil lehnout si pěkně dolů: přece jen, pro ten cíl, má ten děj víc ve své vůli. Ráno se Lucka vlekla s výpravou do školky, Magdaléna ji protivně napomínala, Josefa popadla zlost, šel Lucku plácnout. Měla potom nadutou hubičku. Pavla mu přišla ukázat, jak jí po stehně teče mlíčí. Bylo to zvířecky rozkošné, ale připadal si jak blbec na potřebu.

Jel do města a zašel do Myslíkovy ulice. Chtěl Adama uvidět. Když ho Pavla od setkání s ním odrazovala, myslel, že ho chce ušetřit údivu, s kým se to spustila. Uviděl však, že ho naopak chtěla asi ušetřit nemilého poznání, jakého si to vybrala efektního muže: Je skoro o hlavu vyšší než Josef, má temně hnědé vlnité vlasy až na ramena, bohatě nakadeřený plnovous, příjemný hlas. Je ramenatý. Musela ho uvidět okamžitě, jak vstoupila do rušné společnosti, a říct si: „Tento to bude!“ Vyčníval z celého silvestra nápadně. Měl pak její hlavu někde pod svou bradou. Jeho čep jistě je mohutný. S takovým jednou odejde definitivně. Ona je na veliké silné mužské.

Chodil mezi regály starých knih a pozoroval ho. Koupil si Šustovu „Světovou politiku“. Platil pětistovkou do jeho ruky. Adam Josefa ovšem poznal, pozdravil ho hned, jak vešel. Nedal na sobě nic znát. Předtím si Josef představoval, že Adama možná pozve na kávu či víno a promluví s ním: rozumně, o Pavle. Co si o ní myslí a jestli by ji chtěl natrvalo. Teď by to pořád ještě rád udělal, pro sebe; může to však udělat jí, když je prosebná až k nevině? „Nestojí to za to.“ Dobrá, třeba to už za to nestojí, ale takto ona vždy bude léčit své rány? Je to normální? Podle televize ano: každá z postav seriálu šla se vyspat s jiným, když ten její ji urazil. Nikdo nechce dnes trpět a mučit se, každý to hned musí někomu jinému vrátit. Jen teror tohoto režimu snášejí všichni výborně. Opakoval si, že se Pavla rozešla s Adamem sama, bez jeho vědomí. Trápila se svou vinou a tím, že se Adama vzdává. Proč se ho vzdala? Kdyby se nezhrozila dne, kdy se to dovím, a měla jistotu, že se to nedovím nikdy, vzdala by se ho? Bál jsem se jít hned za ní, potřeboval jsem setkání s Adamem nějak odrazit, zašel jsem k Olbramovi. Nalil nám po sklence moravského vína. Rozmýšlel jsem se, nemám-li mu všecko povědět. Řekl jsem jenom toto: „Xenka ode mě vymáhá děcko. Ale drasticky.“ „Drasticky? To znamená krásně, ne?“ Couvl jsem.

Cestou sem, k psacímu stroji, mi napadlo: bude-li těhotná, už to zůstane tak, až do příští její krize, slabosti či potřeby. Nebude-li, neměl bych ji rovnou nechat takovýmto mužům, jací se jí líbí? Spokojila se, těžce a bolestně (bolestněji, než líčí v svém románě, protože se dost vzpínala a svíjela, aniž já tehdy věděl proč, když jsem neznal ten rukopis), s mužem horším: slabším, starším. Spokojila se se mnou pro několik vedlejších okolností, vlastně pro překážky ve volném chování. To mám považovat za své vítězství?

To dítě by nemělo být! Sváže nás k sobě zase povinně, já budu hynout pod starostmi, ona nespokojeností se mnou. Vešla do té veselé společnosti a poznala rázem, jakého muže chce. Když to teď vím, jaký u ní můžu být? Nevím, mám-li jí říct, že jsem ho viděl. Pokusím se neříct. Nikdy?

Přijel jsem, vařila oběd: koprovou omáčku s knedlíky a vejci. Připravoval jsem si zatím věci na cestu a balil vánoční dárky: nevím, kdy se vrátím, říkám jí, protože nechci říct, že nevím, jestli se Vánoc dožiju. Do obálky jsem pro ni připravil peníze na Vánoce. Obědváme, a nemluvíme. „Ty se na mě už zase zlobíš?“ zeptal jsem se. „Jestli nepřijdeš na Vánoce, tak nechoď už vůbec.“ – „To vím,“ řekl jsem. „Víš co, netelefonuj mi z té cesty,“ řekla. – „Dobrá, nebudu.“

Šla do pracovny, lehla si a zamotala se do deky. Lehl jsem si v ložnici, vzal jsem Hrabala, ale nedokázal jsem sunout oči po řádcích. Co ti je, co blbneš, říkal jsem si. Odpovídal si: Ne, to není proto, co se stalo, to je strach z budoucna, nenapravitelný. Udělala to, protože jsem s ní nebyl pořád. Ale já ani nebudu! Já mám ve vesmíru na odpovědnosti ještě jednoho člověka: nemůžu ho nechat odplout bez váhy ode mne jako od Země. Je nevinný! Stal se jim jakýsi tuctový nesmysl: pro smyslnost mužskou stekl se Josef s cizí smyslnou ženou a ten spojený proud odnesl ho, kam on ani nemínil. Jako do cizí vymyšlené země, kde k jeho úžasu všecko bylo pravé, radost i trápení. Také jeho žena Marie zůstala pravá jak maják na skalách, takže za neskutečného, vymyšleného považoval někdy sebe.

Tady v D. češe Josef jablka, Marie hrabe ořechové listí, on je potom pálí, hledí do kouře, vidí Marii a uklidněn tím, že ji vidí, může se bezstarostně trápit starostí o Pavlu; totiž o sebe u ní. Když potom ryje záhon, vymýšlí o ní ironickou povídku „Irena jede do Španělska". Na noc chodí do postele, jež běží k západu, kdežto Mariina k východu a uprostřed je lampička, pod níž společně čtou: každý něco jiného a povídají si o tom.

Ráno se Josef vzbudil – až v půl desáté! Bylo mu velice dobře. Marie už byla v zahradě. Vyskočil z postele a byl překvapený, skoro dopálený… když před něj se hned bujně postavil jeho kůň. A jako starostí zbavený pravil: Nechceme se na tu trapičku už vykašlat? Nepůjdeme konečně jinam? Vždyť je to tam už strašné! Holil se a myšlenky se mu vracely k Lucince. Včera jí plácl na zadeček, protože neposlechla Magdalénu: ta uspokojeně přihlížela a mlčela. Když dostává Magdaléna, Lucka ji brání a pláče!

Několik dní skládá do kufru, nač v představě cesty přijde. Pavla ho zastavuje: postaví se k posteli jak kobyla, a když k ní kůň přistoupí, mezi svými stehny mu spodem praví: „To se má do té chudinky vejít?" Brzo se natiskne prsy k posteli, sténá, a vtom Josefa rozbolí srdce: nic. „Nemůžu," říká. Klisna nechápe, stojí v pářicí póze. Srdce mě nebolívá vůbec nikdy, nevím, co se to děje, dosud jsem o tom jen slyšel. Ani loni to nebyla bolest: jenom se třepalo, takže mi bylo mdlo. Na cestách si odpočnu. Z předsíně se ozývá zvuk; Magdaléna přichází ze školy. Matka polekaně chce vstát, ale Josef ji chytl za boky, přidržel si ji hrubě a vstříkl do ní.

To už je úplně proti Jiřinině radě: má v sobě směsku dní a nocí, z níž chlapečkové rychle „vychcípávají". Psal jsem svůj měsíční článek: o herectví, namáhavě, v noci. Proboha, my budeme mít děcko? Já přece nepotřebuju! Xena neví, že o mně ví třetinu: z té o mně píše. Vidím její život a cítím ho. Vím, že ho nevidím celý, a počítám s tím. Počítá ale ona s tím, že to nejtěžší ve mně nezná? Ví jenom sebe. Když nebyla v jedenáct doma, začal jsem ji z balkonu vyhlížet. Jsem rozumný mužský, skoro všecko vím, a zbytek, co mě čeká dovědět se, už nepoužiju. Proč vybíhám každých deset minut na balkon? Je přece nesmysl, co si představuju: jak v divadle, v některé lóži, otvírá rodidla jistotnějšímu býkovi. Prohlížím seznam věcí, které si mám vzít na cestu: rádio nakonec vyřazuju. Vojna a mír zabírá půl jedné brašny. Řekla, že mi dá na cestu talisman, ale nedává mi nic. Nebudu o tom mluvit. Básničku mi dá tu, kterou napsala do své knihy. Dala mi ji přečíst: je vtipná, cosi v tom je, ale zdá se mi to účelové – do románu. Nepsala ji z vřelého citu, ale ze smyslu pro skladbu svého díla.

Viděli jsme náš videofilm. „Můj první film!" říkala a trémou se jí dělalo špatně. Byli jsme u toho jen my a režisér Andrej. Premiéru oznámila na dobu za dva týdny. Film – je špatný, technicky. Strašlivé poruchy zvuku, nerovnoměrný obraz, nepochopitelné střihy. Většina půvabných žertovných scén vypadla. Písně buď vypadly také, nebo jsou zmrzačeny. Zvlášť lituju její písně, velice pěkné: „Už zvony bijí na věži". Osobně mě mrzí, že tam není můj zpěv její vdovské písně. Napadlo mi, že jednou ji bude vnímat jako vdova po mně. Musím režiséra donutit, aby ji tam vrátil. Xena, která vždy vidí, co chce, a ne co je, nepoznala, jaká je to hrůza. Režisér je nevinen: točil na kazetu už použitou, asi nekvalitní, a záběry, které při střihu přetáčel na jiný materiál, se mu na původním hned kazily, takže je nemohl přetáčet znovu. Režisérovi jsme však práci téměř pochválili. Neodvážil jsem se na Xenku ani podívat, aby nepoznala moje zklamání.

Už konečně přichází, vidí mě na balkoně a zvedá pěsti ve vítězném gestu. Všecko se podařilo! V předsíni se na mne tiskne: „Natočím film o Martě Kubišové, nikdo na ni nevzpomene, a taková zpěvačka a charakter." Byla už za ní, proto se zdržela. Jdeme do kuchyně a chystáme si studené jídlo, vykládá mi obsah filmu o Martě. Krom toho má v hlavě ještě jeden film, podle své hry o Alexandru Makedonském. „Dva filmy, to je den!" jásá. Potom jdeme do ložnice. Připravuje se na svou roli na našem plátně a vypráví mi přitom obsah toho druhého filmu, ve kterém budu zas hrát. „Miláčku, já vím," praví a vystupuje na postel. „Ten pošťák, tobě to asi bylo líto, mně tě také bylo jaksi líto, když jsme to viděli. Ale víš, já nechala obsazení na Andrejovi. Ono by to taky bylo trapné, kdybych pro tebe vymáhala Vinckovu roli. Stejně to ale bylo celé k tvým narozeninám. To přece víš, miláčku?"

To pravíc, s potěšeným úsměvem nasedá na Josefova koně a pohodlně si jede a ze své výšky dolů mu vypráví obsah toho filmu a Josefovu roli. Bude hrát generála, jenž má být popraven.

/ LISTOPAD 1986 / Jsem tu už třetí den. Josef mě čekal. Topil tři dny teplometem v malém pokoji nad stájí: tu jsme bydleli se Xenou při natáčení. Tlumili jsme své pohyby i zvuky, za tenkou přepážkou byli jiní. Dostal jsem od ní dnes už dopis. Píše věcně a vtipně, přitom je v tom milost. Jenže mě dnes o trochu víc než včera zlobí srdce: tlukot a slabost. A přitom si připadám silný. Chce se mi cestovat a psát.

Rozloučili jsme se nakonec nasucho. V noci jsme oba byli unaveni a ráno Xenka už byla rozčilena tím, že musí mluvit s Andrejem o tom, aby zkusil film spravit. Ani pořádně nevnímala, že se loučíme. Vzal jsem kufr s prádlem, brašnu s aparátem, s filmy a dalekohledem. Další brašnu s knihami: Vojna a mír, španělština. Obálku s fotografiemi Xenky, Lucky a Magdalény. Jednu z fotek tu mám na dveřích a Josefovi se líbí: sedíme se Xenou na gauči, ona s nohama zkříženýma pod sebou, v ruce drží pohár vína, a já vedle ní se jevím jak černý stín čerta nebo zvířete, s rozmazaným temným obličejem, protože jsem po zmáčknutí spouště sotva doběhl. Je to obraz události a obraz událost. Pro mne je to i vzrušující zpráva. Vztah a jeho zpodobení. Co se to tu děje, a kdo je kdo? Náhodný okamžik přesahuje svůj význam.

Josefovi je smutno. Jak k němu jezdíme, mám pořád pocit, že není vhodné ukazovat se mu šťastní. Touží po přítelkyni, s níž by mohl mluvit, sedět, jíst… Kolik toho Josef se ženou ještě umazlí, nevím: vyjadřuje se o sobě posměšně. Mluvili jsme o ženách, mně pořád přitahovaly řeč. Umiňuju si, že mu o Xenčině nevěře nepovím. Má ji rád.

Ten den, kdy jsem přijel, svítilo krásně slunko. Proto Josef naplánoval, že dalšího dne pojedeme ven a že mi něco ukáže. Nakoupili jsme v Neveklově různé věci a jeli, kam mě vedl. Na louky mezi háji, odkud měl být pěkný rozhled, byla však mlha, vidět bylo sotva na sto padesát metrů. Čekali jsme tři hodiny, jestli slunko, jehož mdlý kotouč visel nízko nad stromy, prorazí, a mluvili o posledních třiceti letech. Slunko naopak zaniklo, museli jsme odejít, Josef měl na poledne vypouštět koně.

Je velice unavený a mrzutý. Nikdo z členů oddílu mu prý nepomáhá. Chce toho tedy konečně nechat. Chtěl by malovat a dělat fotky. Začal jsem číst Vojnu a mír, ale nemůžu se do toho zabrat. Moje myšlenky jsou jinde. Kreslím urážlivé obrázky pro Xenu: například sedí nahá s roztaženými stehny, ale před klínem má rozevřenou pamětní knihu, do níž se jí chodí zapisovat muži: s tvrdými péry přicházejí, se zplihlými odcházejí. Šramotí tu někde myši. Budu se na chvíli zabývat španělštinou.

Ale nezabýval jsem se jí včera, padla na mě únava. Šel jsem si lehnout, četl Vojnu a mír, ale nebavilo mě to. Nakreslil jsem další obrázek pro Xenu, deviantní: Muž a žena jsou v normální pozici 69, on jí, blbec, poctivě líže rýhu, ona však jeho semeno vypouští do popelníku. Chá! Zhasl jsem a potmě si zpíval do titěrného magnetofonu písničky, které si zpívala moje maminka a tatínek. Chtěl bych je zanechat. Myslím přitom na Marii a veliké chlapce. Jsem zvědav, když nebudu měsíc v Praze, jestli si mě estébáci budou k výslechu chytat někde na cestě.

Ráno mě budí vždycky Josefovo nadávání dole pod oknem. Nadává koním, které poklízí, nebo psovi, nebo komu? Už jsem tu čtvrtý den! Vlezl jsem do potoka, ačkoli jsem cítil vratké srdce, ale ať: kdybych měl žít jako kripl, raději nechci. Napsal jsem to i Xence; osobně jí to říct bych asi nedovedl. Napsala mi dobrý dopis, jeho tón ukazuje zralejší vztah ke mně: cítí mě víc a vědomě mě ošetřuje. Uvařil jsem si čaj a snědl koblihy koupené v Benešově. Josef dole naložil koně na auto a odjel s nimi na Pecínov, kde se tradičně koná hubert: hromadná jízda krajinou přes přírodní překážky. Bývalo u toho až čtyřicet koní a jednu „přírodní“ překážku jsem několikrát chystal já: na zúženém průchodu stěna plamenů z hořících balíků slámy. Proskočili všecky koně. Vypravil jsem se na vycházku. Chůze do kopce mi nedělala potíž. Až když jsem v lese přelézal křoví a kameny, ucítil jsem nebolestivé pohyby srdce. Na kraji lesa jsem si udělal oheň a opekl klobásu. Je to divné: proč jsem tu? Šel jsem dál. Žluté traviny, holé trní, na pustých jabloních červenají se opuštěně jablíčka. S tatínkem neposbíráme. Dědím? Vypuštěný rybník. Bude brzo zima letos. Nebe je šedivé, není znát, kde je slunko. Jdu dál, a zjeví se mi pár střech, „které by cizí huláni mohli v kraji přehlédnout a nevypálit je“, říkám si v duchu a uvažuju o násilí, síle, obraně, oplodňování žen. Psaní? Myslím na Xenku, blížím se k chalupám, k obci, která začíná smetišti se slepicemi, ty kdákají, děti se válejí na strašlivě nepořádném dvorku, hromady starého kamení, zdi se sesouvají do kopřiv. Kde dřív lidi chránili úzká políčka na terasách, je změť trní, v němž ty kamenné terasy vypadají jak nesmysl a omyl. Fotografuju si zvoničku s dřevěnou cibulí. Uvažuju, zda je možné, že bych už nikdy nebyl silný: nač bych byl? Neměl bych jí to ani psát.

Když jsem si dnes ráno poslechl natočené tatínkovy písničky, byl to i tatínkův hlas, můj. On byl ve světě mamince věrný? Jestli byl po mně, jak si radil vzdálen od ženy? Nejde přeci jen o to zbavit se napětí, jde také o to mít něco v rukou a v nozdrách. Já žiju, maje vždycky ženu na dosah. (Na dosah prošáhu; na došleh býče; na dostřik; na slovo.) Jsem dobrým mužem? Co to komu znamená? Mít rád a uživit? Uživit a dobře udělat? Umět s dětmi? Když jsem si dnes ráno bral z kufru dlouhé spodky, našel jsem na jejich rozparku připíchnutý odznak s červeným srdíčkem a s nápisem „Vrať se mi…" – Talisman.

Josef mě pozval k sobě na večeři, šel jsem. Po večeři vytáhl promítačku a ukazoval mi své čerstvé diapozitivy: západy slunka, snímky potoka, traviny, lístky napadané na hladinu… bylo to pěkné a dobré. Nakonec záběry z léta: Xenku nahatou na koni. Když se její postava objevila na plátně, pocítil jsem závan – nechuti, strachu, nepříjemnosti. Řekl jsem: „Zvláštní, když ji vidím, mám na ni vztek. Nevíš proč?" – „Che," zasmál se, „a tři dni mi tu o ní už básníš." – „No vidíš!" – „To bude nějaká mrzutost v podvědomí, něco proti ní máš." Uvažoval jsem, nemám-li mu říct: co jsem sám ještě nevěděl, když tyto snímky se v létě odehrávaly. Obrázky Xenky s koněm jsou většinou moc statické, a které mají pohyb – když je na zemi a zápasí s koněm na uzdě – jsou to dvě pěkná zvířata. Řekl jsem mu, že jsme minulý měsíc položili otázku osudu a ona si myslí, že je těhotná. „Měsíc je málo! Měsíc? Dejte tomu volný průběh!" – „My jsme se domluvili, že když to nebude tento měsíc, je to znamení, že už to být nemá." – „To je blbost!" Uvědomil jsem si, že tehdy mi ovšem ještě nenapadlo, že bych neměl být zdravý. Nic jsem necítil. Teď mám strach: ne o svůj život, ale z následků své smrti. Xenka řekla: „Kdybys umřel, šla bych na potrat!" Překvapilo mě to, ale neřekl jsem nic: že bych čekal, že si to právě nechá na památku. Vyprávěl jsem Josefovi, jak si Xenka zvedá pak zadek rukama, aby podržela semeno. Smál se tomu a pravil, že se mu ale chce z té krásy plakat. „Jak je to samozřejmé!“ pravil. Řekl jsem mu o Jiřinině teorii na dělání chlapců. Zaujalo ho to, ale pochyboval: musí v tom prý být ještě něco jiného, protože kdyby to bylo tak prosté, objevili by to lidé už dávno. „Jaký má život smysl?“ zeptal jsem se ho. „Žádný,“ řekl.

Ráno jsem se vykoupal v potoku, je dneska tepleji, a měl jsem hned chuť rozběhnout se po jízdárně. Hladina potoka se zavlnila, vzpomněl jsem si na štiku: pravil Josef, že tu jedna veliká je. Vzpomněl jsem si také na sardinky, které nemám rád, a šel jsem je hned sníst, abych byl zdravší. Potom jsem šel telefonovat Xence: nerad, s děsem. Nebude doma. Vzala to Magdaléna a já čekal větu: „Máma není doma. Odešla včera večer, ještě nepřišla.“ Ale byla doma a měla vlídný rozkošný hlas.

Po dvoře chodila děvčata s kbelíky a zdravila mě. Josef byl ještě doma, šel jsem mu naproti. Od mlýna se stájemi je to ke dvoru, kde bydlí, necelý kilometr prázdnou silnicí bez chalup. Potkal jsem napřed jeho psa, pak Josefa pískajícího si. Ruce v kapsách lehkých gatí, přes krk Praktiku na řemínku. Teď už, v těchto letech, nezeptal bych se ho, jestli s některou z těch mladých dívek něco má. Došli jsme k sobě a on pravil: „To není tak samozřejmé, jak říkals.“ – „Co.“ – „Že spermie s mužskými chromozomy musejí dorazit k cíli dřív. Existuje taky nějaký výběr.“ – „Jaký. Kdo ho dělá.“ – „Ta ženská přeci! Jistě v sobě má něco, co přitahuje jedny víc.“ – „To jistě,“ připustil jsem, „je v tom samozřejmě chemie.“ – „Hovno chemie,“ pravil Josef. „Myslím jemnou ženskou chemii,“ opravil jsem se. Josef řekl: „Půjdeme na tu štiku?“ – „Nech ju žít!“ – „Ale ona ti stejně scípne, až vyžere v potoku všecko,“ řekl. Štiku bych s Josefem lovil, ale nesouhlasím s elektrikou, zabila by všecko. „Co všecko,“ namítl Josef, „tam už nic není, ta štika to požrala.“

Potom Josef pravil, že pojede s nákladákem do lesa nasbírat dřeva na topení. Tím mě nenásilně zval, a já uvažoval, můžu-li to zkusit: srdce. Nechtěl jsem to Josefovi prozradit. Šel jsem, srdce nic, ale nákladák se zapasoval mezi pařezy tak, že si Josef zuřivě urval vzadu dole držák na rezervu. Dřeva tam bylo hodně: tlusté části kmenů, haluze borové, dubové, lipové. Půl auta jsme toho nabrali, bez pily. Zval mě pak na oběd, nešel jsem.

Odpoledne vysvitlo slunko. Chodil jsem okolo potoka, ke splavu. Hráz je zavátá zkrouceným uschlým listím jasanů, pod nimiž jsme v létě měli hostinu. Listí chřestilo pod nohama. Díval jsem se na opuštěné prostory, jak zvláštní síla je čas: jak všecko je pryč a nikdy se nic nevrátí. Jaké by to bylo, kdybych musel jet dál a dál, protože bych se tak rozhodl? Klátivý Ir. Máš ho mít! Je to věc rozhodnutí: když se myslí obrátím jinam, nemám žádnou Xenku, vždyť déle nebyla, nežli je! Mám však od ní Lucku, to je vážnější. Ale ta mohla ke mně přijít, abych ji měl, a nechat Xenku tam, v předporodí. Jenže není nijak myslitelné, že by spolu nesouvisely. Musí být hrozné – mít děcko, které ztělesnilo lásku k ženě, jež se však přimkla k jinému.

Obědval jsem mléko a chleba s máslem, večeřel klobásu s chlebem. Josef mě zval zas na večeři, odmítl jsem, aby nemyslil, že jsem počítal se stravováním u něho. Jenom jsem ho tedy šel zas doprovodit po odbočku ke dvoru. Před námi nad východem stál bílý úplněk, vpravo nad holými olšemi blyštily se dvě velké hvězdy. Řekl jsem: „Byla ti někdy žena nevěrná?“ – „Tahleta manželka?“ – „Tahle nebo ta první.“ – „No s tou první jsem se proto rozvedl. Sbohem, měj se dobře.“ – „A stalo se to jen jednou, či víckrát?“ – „Nevím. Jednou nebo desetkrát, to máš stejný.“ – „Jak to, stejný! Jednou to může být náhoda. Že byla opilá, že byla taková příležitost…“ Cítil jsem, že to neříkám zrovna šťastně: právě že byla taková příležitost. Josef na to neskočil. „Cože? Příležitost? Hele, jednou je taková příležitost, jindy jiná.“ Poukázal jsem na souhvězdí Labutě přímo nad námi, ale neodvrátil jsem nic: „Když to udělá jednou, udělá to třeba desetkrát. A i když to neudělá, nikdy už nevíš!“ Dělalo se mi špatně od srdce, přitom jsme stáli. Pravil jsem: „Ale jednou, to je poklesek, náhodný. Kdežto když je to desetkrát, tak to už je nový vztah, a to znamená, že váš vztah je pryč.“ – „Nó, a desetkrát, pokaždé s jiným, to je váš vztah v pořádku?“ Rozešli jsme se, a Josef ještě zdálky volal: „Tak nechceš jít na toho kohouta v rizotu?“ Odpověděl jsem: „Až ho sníš, přijď, máme tam ten Kékfrankos!“ – „Ten už taky stojí za hovno, ti Maďaři už to taky pančujou,“ volal. „Vem něco lepšího, jestli máš,“ volal jsem už přes olše. „Leda tu borovičku!“ odpověděl.

Dole podupávají potmě koně. Belina je březí. Josef jí do ovsa přisypává vitaminy. Jednomu valachovi pořád nadává, protože si vezme do huby ovsa, obrátí hlavu na stranu a oves mu padá do slámy. Na Josefovu nadávku vstrčí kůň zas hlavu rychle do žlabu. Xenčiny prsy připadají Josefovi malé, pravil mi. „A také už trochu visací, že," řekl jsem rychle vstříc, aby tak daleko nemusel. „Ale mě takové mateřské prsy víc vzrušují než ty dívčí pupeny," pravil jsem, „a krom toho ona, člověče, je má větší, menší, podle periody. Když se jí blíží menstruace, dostává krásné nafouklé cecky, toho sis nevšiml?" – „Já? Copak jsem u toho?" – „Myslím u nějaké jiné ženské." – „Nevšim. Nebo všim, sakra."

Zítra pojedu opravdu dál. Chce se mi i nechce. Ale nemělo by smyslu trčet na jednom známém místě. Pode dveřmi táhne, zakládám tam pytel. K pití mám jenom minerálku, když Kékfrankos jsme teď s Josefem dopili. Přišel po večeři, černá Dita se ke mně divoce lísala, napomínal ji, ale já ji chápal víc. Vyptával jsem se ho na její rodokmen, ale on řekl, že se nebudeme bavit o psech, bavme se o holkách prý. „My, sakra," řekl jsem, „jsme se nikdy tolik nebavili o ženských jak tentokrát. Proč?" – „Protože jsi tu vždycky s nějakou byl." Kékfrankos nebyl tak špatný. Josef pravil:. „Tys to druhé děcko měl s ní mít hned tenkrát." – „Proč," zeptal jsem se, ale věděl jsem, že je to pravda, ale jak to může vědět on? „Nevím proč, ale měls."

Když se do sebe zaposlouchám, zdá se mi, že těhotná není. „Zbouchneš mě, a odjedeš si!" vyčtla mi, smála se však té větě. Co by udělala, kdyby ji byl zbouchl on, Adam? Tajná interrupce? Či nechala by si to a čekala napjatě na výsledek? Ovšemže by mě hned svedla, abych to pokryl. Když jsem se jí ptal, kdy potom spala se mnou, řekla, že za dva dny. To už by jeho chlapečkové vychcípali a můj by některý mohl jeho děvčátka předběhnout. Jak prostě a klidně odpovídala na všecky otázky: jako by to brala za součást pokání. Chce být čistá. Když vypláchla z pochvy sperma, cítila se zas jak věrná. – Hele, báseň, krásná!

Nevím, co se mi zdálo. Před usnutím jsem četl koňařskou detektivku od Dicka Francise. Hrdina je mi sympatický. Ráno jsem se nešel koupat. Naložil jsem všecko do auta a počkám, až se zvedne mlha, jinak bych neměl z krajiny nic. Nevím, co se mi zdálo, ale než jsem usnul, přemýšlel jsem, kdybych na té cestě potkal ženu, která by byla zajímavá a zajímala se o mne... Sáhl bych na ni? Před nějakým časem moje odpověď byla jistá: ne. Myslel jsem si totiž, že věrnost mě chrání před její nevěrou. Jsou to blbosti: Xena je dávno za tím, teď se věnuje svému počatému děťátku a má mě hrozně ráda. – Kde je Josef? Chtěl jsem, aby mě vyfotil pro Xenku, jak lezu z vody, v mlze.

Když jsme mluvili o nevěře, jak mu první žena byla nevěrná, hned jak se to dověděl, šel za známou holkou a vyspal se s ní. „Od ženské ti nejrychleji pomůže zase ženská," pravil. „Ale když tu první furt chceš a máš ji rád?" – „To nevadí, chceš ji, a stejně se ti do toho dostane jiná. Hele, víš jak mi tenkrát utekla tato manželka i s dětmi a musel jsem si pro ni dojet. Utekla, protože mě podezřívala, že mám něco s tou instruktorkou. A víš dobře, že jsem neměl." – „No, nevím, Josefe," dráždil jsem ho. „No neměl. A co. Přišel jsem v poledne domů z učiliště, manželka pryč i s dětmi. Tak jsem šel zas dolů, nasrané, a instruktorka povídá: Já jsem ji viděla odjíždět, ale nechtěla jsem vám říkat. Viděla, že jsem celý zničený, chodila beze slova okolo mě. Večer jsem šel do sprch a ona s takovou samozřejmostí vešla pod tu sprchu ke mně. Pak povídá: Nechceš zůstat dneska u mě? A bylo to." Řekl jsem mu: „Tvoje manželka to prostě věděla dřív. Ona to jakoby vyfotila, ty s instruktorkou jste to jenom vyvolali." Smáli jsme se.

Přišel a měl na krku aparát. „Byls v té vodě?" ptal se. „Nebyl, čekal jsem tě." Svlékl jsem se a vlezl po našich letních schodech do potoka. Vylézal jsem, Josef udělal obrázek, a pocítil jsem ohromné živo a radostno: že můžu do tak studené vody, a je mi tepleji. Chodil jsem po břehu a cvičil. Josef dělal brrr! Pak pravil, abych si stoupl vedle toho stromku: byl to takový olámaný pahýl. Potom jsem to pochopil: suchý strom, vzadu mlha, starý nahý chlap. Připomnělo mi to Sládka:

Co je po tom v světě komu,
že si zpívám v šerém hvozdě,
chorý pták na suchém stromu!
Zpívám proto, že je pozdě!

Včera byl úžasný měsíc. Obloha soustředně kolem něho byla nakadeřena jemnými obláčky. Vypadalo to jak na poetické stylizaci zemské atmosféry: nic tak krásného nemůže být jinde než na Zemi.

Josef mě ještě zval na oběd, když počkám, až nakrmí koně. Sakra, bude poledne. Já se neodtrhnu? Počkal jsem, fotil, šel s ním na oběd. Potom jsem mu řekl nazdar. Jedu do neznáma, známou zemí. Bylo mi divně: smutek, radost, hněv a síla. Akorát že by to mělo být na koni!

Znovu jsem pocítil omamnou rozkoš volnosti v krajině: pomalé kroužení silničkami. Vlevo od hlavní silnice je spleť cest, vesnic je tu hustě a jsou neuvěřitelně starobylé: polohou, půdorysem, a navíc stavebně zaostalé za průměrem v Čechách, na Moravě, a co teprve za dnešním Slovenskem. Je tu to, co jsem si představoval, co jsem čekal a věděl: dostaví se zvláštní omámení pohybem, kroužením krajiny kolem auta, vlněním polí, kroucením cest, změnou kulis. Některé vstupy do návsí braly mi dech. A ta jména: Jinošice, Ouběnice, Kobylí, Střženec. Chudlaz! – Ale nemohl jsem tam, nevymotal bych se odtud. Čelivo! Stál jsem na rozcestích, váhal: pak zajel jedním směrem a z příští vesnice se vrátil a jel jiným. Slunko třepalo suchými travami. Sytě zelené ozimy, na nich se pásly ovce. V dálce se cosi třpytilo: to jak pětiradličný pluh obracel zem, leskly se brázdy!

Jel jsem zhruba k Blaníku, podle pocitu, do mapy nechtěl jsem se dívat, není to daleko. Dojel jsem pod horu a zastavil. Bylo čtvrt na čtyři, když jsem začal stoupat do kopce. U první značky byla tabule s textem tohoto smyslu, pro mne výsměšným: Změř svůj tělesný výkon! Rozběhni se, kráčej zvolna, měň tempo a změř si čas, za který dosáhneš rozhledny. Tam se dovíš více.

Udělal jsem první kroky a dával pozor, co se bude dít: nic. Umínil jsem si, že půjdu tak, abych prostě odvrátil vždycky to bouchnutí nad srdcem těsně předtím, než chce přijít. Dařilo se to výborně! Kopec měl sklon až třicet stupňů, ale vrchol nebyl daleko, asi kilometr. Takto já konečně jdu na ten Blaník, rytíř! V druhé měšťance hráli jsme vlasteneckou hru „Blaničtí rytíři“, hru s mnoha zpěvy, já hrál vodníka a měl jsem nejkrásnější sólo. Bylo to v prvním roku německé okupace, hra byla odvážná, děj jsem zapomněl, ale Hillawothová měla jít prosit k blanické skále, aby se otevřela a vypustila rytíře, už je čas. Hora Blaník od těch dob zdá se mi slavná a veliká. Je malá. Ale Mařák ji uměl vymalovat z té nejfotogeničtější strany: strmou, skalnatou.

Kráčel jsem rytmicky, rytmicky dýchal, a dělaly se mi, ejhle, veršíky: Zmyslila si moje žena / chci být jednou převalena / mladým pěkným chlapem naznak... Zastavil jsem se před bouchnutím a ohlížel se po rýmu: když můj milý starý zázrak... No, moje cestování bude dlouhé dost, to dopracuju. Značka opustila cestu a vinula se mezi balvany. – Zavírá mé myšlenky / jak motýly do sklenky. – Nahoře se mezi křížením stromů černalo už mohutné těleso rozhledny, teď zavřené. Listí seschlo do chrastivých trubiček, chřestil jsem nohama optimisticky vzhůru. – Aby o mé pěkné půlky / bily jednou mladší kulky. – Ale to je ohromné, jak mi to jde! A byl jsem nahoře.

Vrchol hory, krytý lesem, je rozeklané skalisko. Skála se sune a sype, a v jedné té prasklině je tajný vchod, za nímž spí rytířové. Rozhledna má konstrukci nevím z čeho, obložena je šindelem, stěny i střecha, takže vypadá starobyle. Je výborně udržovaná, černý nátěr ještě voněl. A ze strany, odkud jsem se blížil, viděl jsem, že na několika stupních stojí z tří kamenů složený oltář – vtesané znamení kříže na čele. Došel jsem k němu, a strnul jsem až zbožně: na plochém kameni ležel stříbrný meč. Volně? Odvážil jsem se naň sáhnout... byl z papíru, lehoučký, a přece jsem nebyl zklamaný: legenda, přeludy, báseň a sen. Je úžasné, že ten meč sem položil kdosi jeden, a kdosi, jichž bylo moc, ho tu nechal. Následovalo ještě několik skalních stupňů, z nichž prý byl odlomen kámen do základů Národního divadla, vylezl jsem tam, a na té nejvyšší skále, na její oblině uprostřed – vyrůstal strom! Bylo to úžasné. Postavil jsem se, začínalo už šero, slunko zmizelo v mlhách nad krajinou, rozhlédl jsem se a zvážil, že tu kromě mne už nikdo jiný asi nebude, a zazpíval jsem svou tehdejší píseň, na plné měchy:

Vždyť všichni jedné matky děti jsou
a jistě chtějí šťastni být
a všichni svorně zvolna k hrobu jdou,
neb nelze přece věčně žít!

Turistická tabule říkala těm, kdo sem vyšli, toto: na čáře času najdi dobu, za kterou jsi sem vystoupil, na čáře věku najdi svůj věk, oba body spoj a protáhni k čáře výkonu: uvidíš, kolikanásobně je tvé tělo schopno zvýšit svůj výkon. – Uposlechl jsem, a můj výkon končil hluboko pod tabulkou kdesi v listí. Při svém věku měl jsem to dokázat maximálně za 23 minuty, já to lezl 40.

Ale to mě ani nermoutilo, když vím, že předtím, a za pár dní zas, dokážu to jistě v mezích tabulky, jen co dám cosi do pořádku. Scházel jsem dolů, a teprv teď mi napadlo, co podvědomě bylo u mého rozhodnutí a přání jít na takovouto cestu: Heineho cesta Harzem a jeho výstup na Brocken. Četl jsem to před třiceti lety a uložilo se mi to do skladu tužeb. Jdu sem sám, a to také možná bylo rozhodnuto už tehdy, před třiceti roky. Protože – proč vždycky sešlo z výstupu na Blaník, když jsem sem měl jít s někým jiným? Měl jsem sem jít sám, vidím. Ale chci se sem vrátit se svou dcerou, tak něžnou a zpěvnou, a ukázat jí bránu k rytířům.

Ano, bylo šero, sotva jsem viděl na kameny a kořeny, když jsem docházel k silnici, rád, že všecko tak výborně dopadlo.

Tu ve Vlašimi je vedle hotelu zajímavá malá prodejna s osobní obsluhou, koupil jsem si mléko, sýr a rohlíky, nechtělo se mi do jídelny. Je teprv půl deváté, a já mám napsáno! A teď – co? Vojna a mír, nebo Dick Francis? Na španělštinu jsem se dosud ani nepodíval. Přečtl jsem sotva dvě stránky Francise a usnul. Zdálo se mi, že mi někdo moc velkýma nůžkama stříhá nehty u nohou, a pak jsem měl v ruce velice tuhý prs, visel shora nade mnou, a mělo to znamenat: vidíš, už se nalévá. Je to ale originálně ošklivý pocit – představa Xenky tančící těsně mezi stehny jiného mužského, a všichni kolem to schvalují! – Věděla, než skončil tanec / že to bude jeho válec / už je karta taková / který v sobě pochová. – Jsou to teď jako kdyby dvě ženy: ta, kterou jsem si přisvojil až ke splývání našich buněk, a ta, která se může kdykoliv nastavit jinému. Která to je, co před mýma očima teď vydouvá bílou prakouli života, do níž je mi temně poroučeno? Chci ji vidět rodit! Tento ještě poslední pohlavní děj chci také dostat.

Proč já tak vlastně jedu pryč, opravdu a upřímně vzato? Myslel jsem, že to bude za trest: ať si má toho klátivého Ira. Vlny mé nechuti a lítosti ať se vyšplouchají cestou, a co mi zůstane v duši a okolí? Neuvědomil jsem si však, že mě už za týden začne trápit potřeba. A teď při mé vlastní potřebě i touze odporněji cítím svou urážku: před mýma očima plní se její dutina mazlavinou jakéhosi Lumíra… Potom mají chvíli klidu, cigareta vleže, toho se mnou neužije, a když pak vstane, jde… jako když jde mokrá ode mne, tak je to stejné. Nejsem nic zvláštního. A jsem si odporný. Já nejsem prostě zdravý.

Přiznávám se nerad, že mě Josefův důsledný postoj nemile překvapil. Já mu pak ani už nemohl říct, co se stalo. Na jedné straně ona mi předvádí, že pojmout dle chuti jiný pyj je normální jednání, a na druhé on, že taková žena má se normálně odstrčit. Dnes je kolikátého? Za dva dny mělo by se poznat, jestli jsem jí to udělal. A když ne… je volná! Neboť co s ní dál a nač mám čekat? Mým původním úmyslem bylo zjistit na této cestě, jestli dokážu být bez ní, odmyslet si ji od sebe, a poslední týden už na ni nevzpomenout. Ale co by se muselo stát, abych k tomu došel? Zní mi nepochopitelně, neuvěřitelně, když někdo řekne, že o těchto věcech už neví: že už to má za sebou, ženy. Co si o mém odjezdu myslí ona? Jak si ho vykládá: že si chci prostě oddechnout?

Vysprchoval jsem se, oholil. Sbalím a půjdu do města. Vidím, že budu potřebovat ještě jednu rezervní košili. A na poštu. Obhlédnu obchody, co v nich stejného jako všude vtipně jako všude nabízejí. Nějaké drobnosti k Vánocům bych ještě potřeboval. Potom vzhůru do Pičína! – Včera, prohlížeje mapu, našel jsem nedaleko odtud vesnici toho jména a u ní rybník jménem Marianna. Tu musím vidět!

Pičín je nevýznamné místo, jež si nezasluhuje to doporučující jméno: pár chalup bez kraje i prostředka. Mariannu jsem našel, ale nepřijímala: má zimní čmýru – plná zelených bahnivých mazlavin. Přijdu určitě někdy v létě! Opodál je skupina osamělých domů, jmenuje se to tam Jitro, a jeden dům, žlutý, jednopatrový, vypadá i vyjímá se jako lázeňská vila z minulého století. Jak se lidé dostávají do takových domů? – Mít takový dům, být v něm spisovatelem! Marianno!

Odtamtud jsem jel z Věžnice do Bedřichovic: vedlejšími cestami, až nakonec lesními, kudy mě poslali dřevaři. Místo jako Lipina: nevěřil bych, že uprostřed dnešních Čech můžou být tak ztracené vísky, s chaloupkami, v nichž lidé žijí snad bez potřeby změny, růstu, zvětšení. Skoro jak ze slabikáře, Alšova. Jsou to rezervace, neúmyslné. Vyfotografoval jsem si několik domů a kostelíků. Kroužil jsem pořád okolo mlžného Blaníka, vydouvajícího se jen mírně a ploše jak prs ležící ženy, s temným tlustým špuntíkem na vrcholu. Už jsem chtěl odsud, konečně se rozběhnout rovnou silnicí mezi lesy, a tu mě cosi prudce zabrzdilo: směrovka s nápisem Býkovice. Proč se něco jmenuje Býkovice, když ne právě proto? Jak takové hnízdo může vypadat! Zacouval jsem a sjel úzkou cestou lesem do otevřené kotlinky. Zas taková ustrnulá obec: co je jejich podstatou? Původně obživa lesem a chudými poli, teď jsou úplně stranou ekonomických zájmů státu a politické ctižádosti dnešních funkcionářů. Některé chalupy už mají měšťáci, co toto milují, ostatní obyvatelé jsou zas tací, že jim vyhovuje žít tu takto. Možná se charakterovým výběrem vytvoří druh obyvatelstva, jež bude ke svému spokojenému žití hledat právě toto – odloučení dost daleko, aby na ně nedosáhla silážní jáma nějakého družstva, ale zas dost nablízko obchodu, poště, doktorovi. Byl tam ovšem i rybník. Zastavil jsem, ale pak se rozmyslel: u čerta, musím dál! Není to deviace až psychiatrická – návrat do plodové vody? Proč deviace – normální! Ve vodě cítí člověk prostředí silněji než na vzduchu. Voda mu hlasitěji říká: jsi. Mohl bych se nechtě utopit.

Dojel jsem do Pelhřimova. Mám pokoj za devadesát korun, se dvěma postelemi, balkonem, sprchou, rádiem. Rád jsem hodil rance na pohovku, rozžal malou lampičku a natáhl se oblečený, obutý. Takto sám jsem v hotelu nocoval naposledy… páni! Snad před osmnácti lety na své poslední reportážní cestě. Jinak vždy se ženou. Několikrát jsem se v poslední době přistihl na vteřinu při pocitu, že ženy nejsou: jsem ten chlapec, co neví o svém pohlaví. Život mu chystá skutečná dobrodružství mužů. Později, jako mládenec, ve věku idejí, jsem prostě odstříkl, co mě dotěrně rušilo, a nevpouštěl jsem to do svých plánů. Ba ani do své lásky! To byly dvě věci: pohlaví a láska. Zatoužil jsem po takovémto nevinném stavu: neblížím se k němu? Není už zas na něj čas? Netlačí mě Xena tím směrem?

Rozložil jsem si věci, sešel dolů a požádal paní recepční, aby mi zatelefonovala dopředu: do Staré Říše, pak do Nové, a kdyby tam neměli pokoj, tedy až do Třebíče. Dal jsem jí dvacetikorunu, sedl do auta, našel si na mapě rybník u Nemojova a jel se do něho ponořit. Plavat – to jsem se neodvážil, když jsem tu byl sám. Vrátil jsem se a dověděl se od recepční, že mi zamluvila pokoj v Třebíči. To bude na mé cestě zatím jediné město, kde jsem nebyl.

Šel jsem na náměstí, nahlédl do knihkupectví, plno lidí a nic zajímavého, do vinárny, plno kouře a mládeže, do obchodu s košilemi, ale žádná se mi nelíbila. Tak jsem si zašel na čaj: bylo tam čisto, klidno, jen jakýsi refrigerátor hučel z chodby až sem. Polovička stolů byla obsazena, naproti mně seděli dva muži, ten co byl tváří ke mně, měl v ústech jenom dva zuby, ústa přitom držel pořád pootevřená, pohyboval malátně rty, jako by chtěl mluvit, ale mlčel, a hlava s rudou tváří se mu klátila jak idiotovi. Nemohl jsem poznat, zda je to idiot, nebo něco takového předvádí svému kamarádovi naproti. Ten se zasmál, otočil se, a měl zas plná ústa továrně jednotných zubů. Při pohledu na toho „idiota", ale asi jen příliš starého mužského už, snažil jsem se představit si ho jako chlapce létajícího zdravě tu po Pelhřimově, pak jako pěkného mládence, pak manžela a otce... Cítí člověk sám sebe správně? Ví, jak vypadá při tom, co je? Já vypadám jak maniak, protože jsem. A to proto, že zápasím s mladou ženou. Já mám dávno být klidný manžel, jemuž to pomalu uhasíná a roste mu prostata...

Čaj byl výborný a stál jenom korunu sedmdesát! Zaradoval jsem se, že jsou ještě i levné požitky. Mám se dobře. Jsem tu sám, skládám odvetnou „básničku", fotografuju zajímavé domy, vidím krajinu... krajinu za velice výhodných poměrů: holé stromy neruší obrysy staveb a profil půdy. Těším se dál. – Jen bych se potřeboval vtělit do ženského klínu. – Do toho určitého? Zkoumám to, že ne. Do takového, co by mě netrápil. Marianna!

Dočetl jsem Francise a nevyhnu se už Vojně a míru. Někdy v noci mě vzbudil Josefův hlas, který volal „Ludvo!". Je půl osmé ráno. Venku hučí město, hotel je na křižovatce. Tlačí mě oči. Na protější stěně je reprodukce Tichého „Kouzelníka" s kartami. – Když tak karta padá / pojme býčka ráda. – Kdoví, to žádná ještě nepopsala nebo jsem to nečetl, jak žena vnímá to vyvření. Když má žena celá léta vlastně pořád v sobě nějaký zbytek mužské látky, a pak on zmizí, nevznikne v ní nějaký signál nedostatku, který pak mění směr jejích myšlenek i kroků? (Zeptej se své manželky! O co, že se nezeptáš, zločinče!) Xena ovšem nezměnila své kroky z takové nouze. Šla ze zlosti na mne: vyhověla své potřebě sáhnout si na svou možnost, ucítit své mládí. Prožít po dlouhé době vzrušování dotekem a slovem, blížit se váháním. Vyzývat mužskou výzvu. – K Adamovi touha rve ji / Adama do touhy její.

Já jsem se jí ještě nezeptal, kdo hodil to první slovo, jež vedlo k tomu, že se k němu nastěhovala na noc. Její matce řeknu: „Až ti zas bude Xena v mé nepřítomnosti strkat děti, že chce psát, to bude chtět s někým souložit, tak si ty děti klidně vem." A teď jsem si s leknutím vzpomněl na strašnou věc: „Kdybys někdy šoustala s někým jiným, chtěl bych u toho být," řekl jsem kdysi. Z jaké chuti vzniká takové přání: mít slast z toho pohledu, jak to dělají, jak ona se má, jak odpovídá? – Cítím při tom rozkoš?

Takto jak teď sem svítilo do pokoje ranní slunko v Bratislavě, kde jsem spal s Danou. Před osmnácti lety. Vzbudil jsem se, byla už oblečená, načesaná, její velké tělo se promodelovaně pohybovalo na stoličce před zrcadlem. Měla v devět kdesi být. V poledne jsem na ni měl kdesi čekat. Otočila se, uviděla, že muž je vzhůru, usmála se a řekla, že musí jít. Vzala kabelku a popošla k posteli. Sáhl jí na nohu a jel dlaní vzhůru, tiskla stehna k sobě, vtlačil jí tam ruku a druhou ji za bok shodil na sebe, bránila hlavně svůj tvrdý účes, donutil ji kleknout si na něj, říkala ne ne, mě čekají lidi, ale aby to tedy aspoň bylo rychle, strpěla, že se do ní zdola nahoru vpíčil, skučela a rudla, její kalhotky ho libě dřely, takže do ní vedmul chuť na ni. Zničeně na něj spadla a zasypala ho svým šatstvem a vlasy. Tak už jdi, řekl jí, zvedla se a měla skvrnitou tvář, třásla se, sotva převlékla nohu přes moje tělo. Padla na stoličku před zrcadlo: všecko znovu. Odešla. Dana se zpočátku dlouho nezmínila, ani nedala nijak najevo, že by jako do ní něco teklo, o čem ví. Já jsem vždycky myslel, že se to v ženském vnitřku jaksi diskrétně rozmaže a zčásti vstřebá. Až jsme jednou seděli proti sobě na posteli a já uviděl, jak jí z dolních pysků cosi bílého leze. Nahoře povídala o literatuře, a ze zmrdané hondy utíkala jí býčina. Ženo, ženo.

Xenka je rozkošná, jak to své sperma chová. Už jak je bere: jako třetího účastníka našeho setkání. Vyvinula mě výš: ke slasti z vědomí, že je to na děti. „To se vám to šoustá," pravila jednou, „když ženská nemůže otěhotnět. Bylo to od tebe k té Daně tehdy sprosté, nemyslíš?" – „Cože?" žasl jsem, nebavil se však o tom dál.

Jsem v pěkném pokoji hotelu Slavia v Třebíči. Dojel jsem ještě před šerem, náměstí živé, protáhlé domy udržované, hotel je nový, exteriérem přizpůsobený okolí: má střechu rozdělenu v několik menších, aby vypadal jak řada menších domů. Pokoj je skvělý! Zas dvě lůžka, toaletní stolek se zrcadlem, na stěnách akvarely. Balkon vede na náměstí. Zapnul jsem rádio a vyladil si krásnou hudbu z Vídně. („Rakušani, ti si hrají!") Rozžal jsem všecky lampičky, bodové světlo namířil sem na psací stroj, na stolek dobrovolně položil Vojnu a mír a šel nakupovat. Mlsně jsem lozil okolo regálu s vínem, nic, ani žádnou sladkost jsem si nekoupil, jen rohlíky a salám. A obrovský sladký brněnský rohlík. Ale ráno tu půjdu na snídani, je tu pěkná kavárna. Xence jsem koupil kalhotky, přidám je k dopisu odněkud. Na pokoj vzal jsem si tonik a minerálku.

Z Pelhřimova jsem se dnes vykutálel až v deset hodin. Co nejmenšími silničkami jsem skrz lesy mířil zhruba na Telč. Několikrát jsem se musel vrátit. Slunko dnes od rána svítilo skvěle! V lese před vesničkou jménem Sázava jsem musel zastavit u osamělé chalupy, tak mě vzrušila: omšelá, pustě vypadající, zavřená jak chaloupka loupežníků, kteří si chytli pannu a mají ji tam. Opatřena však vysokou tyčí, skoro nadlesní, a anténami nastraženými do všech stran. Kam se ti lidé dívají? A vidí, kdo se blíží? Jel jsem dál, přijel do Staré Říše, to jméno mě dávno baví. Šel jsem nejdřív do hospody zeptat se, nemají-li volný pokoj. Mají, ale jsou v rekonstrukci. Zdá se mi, že to říkají všude, kde v podstatě nechtějí žádného nocležníka. Dal jsem si čaj, ač jsem měl chuť na kafe, a byl dobrý. Snad jednou bude pro čtenáře zajímavější než co jiného v mém psaní, že čaj ve vesnické hospodě stál korunu šedesát. Včera v Pelhřimově kachna se zelím byla za patnáct korun. Dršťková polévka ve Vlašimi předevčírem dvě koruny. Kalhotky tu v Třebíči za dvaadvacet.

Obešel jsem Starou Říši, hledaje dům, kde Florian vydával svá Dobrá díla. Zeptal jsem se školáka jdoucího právě ze školy, měl by to od učitele vědět, co ví o slavném muži, který tu měl tiskárnu knih před válkou. Omluvil se: „Já su z Markvartic." V obchodě mi pověděli, kde ten dům najdu. Je to rázovitá vila podobná hrádku, branka zatknutá jen kolíkem, vešel jsem a volal, až do otevřených dveří domu jsem vešel. Objevila se stará paní, pozvala mě dál a ukázala mi knihovnu, pracovnu i tiskárnu. Pořád tu žijí Florianovi příbuzní. Nakonec mě požádala, abych se zapsal do návštěvní knihy, čímž se mi ulevilo: návštěvy jsou tu běžné. Chtěl jsem platit, ale byl to omyl.

Krajina dál začínala monotónnět a byla zemědělštější. Podél cesty na místech silného zimního větru byly už po deseti metrech zaraženy tyče s červenými konci. Za mnou se krajina zas zavírala, a zavírala i, proč jedu dál a dál. Přestával jsem to jakoby vědět.

Před Třebíčí jsem vletěl do mlhy jako do páry v prádelně, rázem se udělalo chladno, a je chladno. Lampy na náměstí mají kroužky z mlhy. Mám chuť na kávu nebo na víno. Je však lehké odřeknout si to, vlastně je to normální. Co dřív u nás? U stařenky když měli na něco chuť, na šporáku byl hrnec s vařenými hruškami. U nás doma maminka? Ani nevím. Budu číst. Takové dvě krásné postylky! Ale nemůžu číst a krásná hudba mě rozčiluje.

Jdu spát: s Mariannou.

Spal jsem špatně a bolí mě hlava. Náměstí je šedé a prázdné. Lidé jenom rychle přejdou do práce či k autobusu. Dívám se na tu druhou postel, nepomačkanou, a na toaletní stolek se zdviženým zrcadlem. Připadá mi, že už mám být sám. Jsem z ní unavený. Chtěl bych něco volnějšího, zábavnějšího. Básnička, kterou mi dala na cestu, je mozková konstrukce, dost důvtipná. Uvádím ji zas ve svém nerýmovaném, nedokonalém „překladu":

Počátky a konce
v kružnici závrati
ze ztráty.
Bojím se nebát se
a nebojím se bát
smát se.
(...)

Mne už neodtrhneš
ze stopy bez krve
a když tak se svým masem
k němuž přisátá
jak záplata srdce
jizvou budu křičet:
já jsem!

Hesla a slova, to samé znova, chce dělat báseň, cítí jen já jsem. Dává mi něco, abych byl zticha a ona to měla vyřízeno. Nikdy není nízko přisátá, jenom ví, že se to cení. Ale já se jí nedivím, také se nemám rád. Utrpení pitomého Werthera.

Navazuju v Ivančicích už, a čtu si ty verše znovu: jsou to dobré verše, jenže stvořené uměle. Necítila je. Měl bych si její povahu rozložit na části. Jedna je nevábná: to snadné souzení lidí. Jenže je to skvělá žena. Báseň sestavila z toho, co do ní patří, ale nic ji v ní nebolí. Utrpení, o němž mluví, není cítit.

Krajina, jíž jsem jel, je mírně vlnitá, prázdná. Široká nová silnice se před člověkem viditelně dodaleka vine mnoha vlnovkami. Kde se od původní staré cesty odloučí, vzniknou cesty dvě. Proč starou nepromění zas v pole? Asi aby se měly kde míjet tanky, kam odstavit transport. Jel jsem pomalu a bylo mi lhostejno. Jméno Hrotovice mi připomnělo, že tam maminka jako děvče sloužila na velkostatku. Stoupla na vidle a dostala růži, která ji trápila celý život. Jedno „šlápnutí vedle"! Já také. Vzpomínala často na kuchařku, která ji dost drezírovala. Citovala její oblíbený výrok: „Já su dobrá stvora, bár su zlá." – Vesnice tu nemají nic, žádný výraz, žádné nadání. Jen jednotlivé selské domy mají půvab. Ivančice byly mi odevždy nesympatické jménem. Když jsem se dověděl, že Xenčin otec a jeho rod je odsud, divil jsem se. Mají trochu zajímavé náměstí. Když jsme tudy projížděli před dvěma roky s Xenkou, pálilo tu bílé slunko. Napsal jsem jí teď dopis.

„Drahá…,

dneska si odpustím jedovaté kresby a výňatky ze svých horších úvah, protože Ti píšu v pokoji číslo 1 u Černého lva. Hodiny na kostele odbily zrovna čtyři. A už je šero. Vrátil jsem se právě z návštěvy u ‚vašich', ale zastihl jsem tam jen dívku, která už ani nevěděla, že ten dvůr měl vaše jméno, oni to koupili od Beránků. Šel jsem tam jen pro vzpomínku na Tebe: jak jsi mě tam vedla, jak jsme tou úvozovou cestou šli do pole, a nevím… nebylo nic? Když ne, mělo být! Ale my jsme na té celé cestě měli disonance a nechybělo moc…

Dorazil jsem sem přesně v jednu, krajinou mlžnou a okolo Dukovan až strašidelnou: cesty vedly pod pletením drátů tažených všemi směry, od země se zvedaly obludné prohnuté kužele, jejichž vrcholy se ztrácely v parách. Já si fotím, co je zajímavé, ale tu jsem byl tak zkoprnělý, že jsem si na to vzpomněl pozdě.

Když jsem se ubytoval, šel jsem ihned dolů konečně na pivo, první alkohol na mé cestě, a poslouchal chvíli chlapy, kteří se bavili o klínových řemenech a zadřených ojnicích, a pak jsem šel do vedlejšího výčepu – knihkupectví. Starší prodavačka tam právě jedné ženě doporučovala Quo vadis, že je to o Neronovi, který byl hrozně zlý, on to všecko zapálil. Nebo Židovku z Toleda, jenže obě ty knihy mají jen ohlášené a zásilka kdesi leží, nemá pro to kdo dojet. Když se obchod vyprázdnil, zeptal jsem se jí, zda nemá něco od jejich slavného rodáka. ‚Pane, ten je přeci na indexu!' – ‚Vy jste ho znala?' – ‚Mám od něho knížky s věnováním! On musel emigrovat a tam umřel.' – ‚Ale on, paní, neemigroval, umřel v Praze a já mu nesl rakev.' – ‚Tak? To jsem ráda, to je lepší. Já znala i jeho děti, holky.' – ‚Nevíte, co s nima je?' – ‚Ta nejstarší je žurnalistkou…' Sakra, že jsem se jí nezeptal, jsi-li vdaná!

Obcházel jsem náměstí, abych si koupil něco k večeři, ale to je těžký úkol stravovat se sám, když člověk nevaří! Není co koupit. Zas mi z toho vyšlo mléko, housky, a naštěstí měli jitrnice, takže jsem se mohl vyhnout salámu. K tomu jím ještě jablka. A láhev minerálky nebo limonády, abych měl na dlouhý večer s nocí. Zašel jsem ovšem do cukrárny, abych viděl, co mají, a měli: laskonky, koňakové špičky, všelijaké rolády, žloutkové věnečky, kremrole, to všecko je moc dobré a osvědčené, ale mně nedává ani tu nejmenší námahu nad tím vším mávnout rukou. Jako nad láhvemi vín. Dále jsem si koupil žárovku šedesátku, protože tady v lampičce mají slabou, a budu ji vozit dál. Dále jsem vlezl do obchodu s dámským prádlem, už potřetí na této cestě. Budeš mít rakouské kalhotky z Ivančic. Je to takové nutkání, ale skončím s tím. Prodavačky jsou ovšem ke mně milé: když jsem si vybral ty žluté, upozornila mě dívka, že jsou vysoké. Řekl jsem: ‚Ona sice nosí bikinky, ale jedny takovéto může mít.' Kdo ona, o tom jsem ji nechal v hádankách.

Kdo Ty jsi? Spíš, kdo jsem Ti já? Asi se to ve mně zas rozpustí, až Tě uvidím nebo až dostanu ve Zlíně Tvůj dopis. Drží mě to čím dál víc a jsem už takto dolů (ukazuju pod stůl). Může mě ale zvednout jedna věc, která se teď rozhoduje. (Odbilo tři čtvrti.)

Zítra odtud vyrazím bez nějakého zdržování, cesty budou klikaté a vlhké, dnešním dnem začalo jakési mlhavé slizko. Chodě tu uvědomil jsem si, že jsme muž a žena, máme děti, tak toto je místo jejich původu. S Luckou si ale domluvím, že ona bude z Valašska. (Hodiny bijí pět.)

Chtěl jsem zabalit balíček se vším, ale pošlu Ti jen tu knihu. Musím přece, proboha, koupit ještě dvoje kalhotky, menší a ještě menší, protože holčičky by!

Tak Tě líbám.“

Nemůžu jí psát všecko. Člověk nemá na druhého navalit všecko, s čím si neumí pomoct. Je nevinná. Na věži odbilo šest a rozezněl se zvon. Mám tam jít? Ale není to mše, jenom klekání: vyhlédl jsem z okna, kostel je temný, nikdo k němu nekráčí. Měl jsem se přiznat, jak jsem na té pusté silnici ladně vpřed se vlnící dostal náladu dát si inzerát: Hledám vtipnou ženu do souloží na své cestě po kraji. No, nevím, která by se přes to slovo dostala! Kdyby tam nebylo, přihlásilo by se jich možná dost – a všecky by to slovo měly na mysli! Zvláštní. Jakým asi inzerátem našel a vytřídil bych si Mariannu? Zvláštní. Co by měla v sobě mít?

Tento pokoj vypadá za čtyřicet osm korun takto: Dveře jsou rovnou z chodby do pokoje, u dveří umyvadlo se studenou vodou, dvě postele, obdélníkový stolek, dvě židle, odřená almara, u jedné postele je na zdi polička a na ní lampička. Na zdi zarámovaná reprodukce Kremličky za sklem, zezadu proražená. Radiátor topení pod oknem. Záchod přes chodbu. Na zemi linoleum a ode dveří k oknu běhoun.

Jedna vnitřní okenní tabulka má vyražený kousek skla. Pokoj je vysoký přes tři metry a nejvíc ho asi kazí malba s válečkovým vzorkem ve třech barvách. Náměstí je klidné, proti hotelu stojí několik aut, také moje Škoda 120 L, značky ACY 22–05. Právě odbilo půl osmé. Takové přesné popisy místa děje se mi vždycky líbily, ale nevím už kde: u Dickense? V nějakých lepších detektivkách. Na tomto místě děje se však nic nebude dít. Už odbilo devět, budu číst. Až doteď jsem psal tu hanlivou říkanku, je už hodně dlouhá. – Nalezenou volnost loká / vyvlékla se času z oka.

Hodiny na věži odbily před chvílí půl osmé ráno. Prasklinou v okně táhlo mi na hlavu, cítil jsem také uhelný kouř, když se tu někde zatápělo. Hlasy dětí do školy. Vyhlédl jsem na náměstí, mlžnaté, kde stojí tři osamělé stolky s bedničkami jablek, bílé cedulky s názvem odrůdy a cenou svítí z šera asfaltu litého do čtverců. Topení je vlažné, je tu dost chladno. Co se mi zdálo, zas nevím. Cítím bolestivé napětí v kuloáru, už včera večer. To je můj pokus: nesáhnout na sebe, a co se stane samo. Jak existují chlapi bez žen? Tak mívá Xenička naběhlá prsa před menstruací: chce se jí, a bývá podrážděná. Většina našich hádek vzniká v té době. Naše hádky – nejsou hádky. Jsou to malé mrzutosti. Za šest let jsme se hádali asi třikrát. Vůbec jsem to neuměl, hádat se s ní. Připadalo mi to směšné: viděl jsem, že hádku rozjíždí schválně, určitými slovy, a když nezabírala, řekla: „Tak proč mi na to nic neřekneš? Hádej se se mnou!“ A je to pozoruhodně zdravá žena: nikdy neměla nějaké „indispozice“. Nikdy neřekla „ne“. Jen občas odřenou ji měla potom: „Pálí to, ale je to milý.“ Udělám si dvacet dřepů.

Při osmnáctém někdo zaťukal na dveře. Byl to omyl: chlapi z jakéhosi podniku, tu ubytovaní, se svolávají. Tyto hotýlky dneska slouží jen montážním četám. Jinak – kdo cestuje, a proč by měl? Já starodávný pán. Ve dvoře ve stáji mám koně, snad mi ho podomek dobře nakrmil, osedlám, pojedu: za zákonem, za zločinem, za láskou, pryč od ní, za prací, za dobrodružstvím? A proto v těchto hotýlcích není nic, co by se snažilo napodobit soukromý pokoj. Dolochov včera vyhrál sázku: vypil, sedě na okně ve třetím patře, najednou láhev rumu a nezabil se. Teď sbalím, snesu věci dolů a půjdu na poštu s knížkou a dopisem. Je čtvrt na devět, v kostele svítí jedno malé okénko. A půjdu na snídani. – Skrz džíny řek, že ji žádá / stydkými rty šeptla ráda.

Když jsem vycházel z hotelu, skládali vedle zrovna Židovku z Toleda a Quo vadis. V bufetě, kde bylo čistěji než v obdobných podnicích v Praze, dal jsem si hovězí guláš. Nedalo mi to, a vešel jsem do textilního obchodu, a tam je měli: prostěradla dvojité šíře. „Vy myslíte prostěradla na to letiště," pravila prodavačka. Koupil jsem dvě, po osmdesáti korunách. Teď mě čeká přetnout napříč všecky cesty, které odtud vedou severně do Brna, jemuž se chci vyhnout.

Vyjel jsem z města údolím, nad nímž se pne vysoký železniční most. Jak jsem ho uviděl, přepadl mě tragický pocit, jaký jsem měl, když jsme tudyto před dvěma roky jeli s Xenkou. Byl to pocit rozkladu. Beze slova jsme s ním tehdy jeli až před Olomouc, kde se teprve rozpustil. Vznikl v ní a vypukl nezjevně, když jsme se před odjezdem z tohoto města zastavili u hrobu jejího dědečka. A jéj! poznal jsem hned, když jsem pohlédl na její tvář: to zas něco bude! Xena si zřejmě vzpomněla na mou smrt.

Já až umřu, pochovají mě v Brumově, to je samozřejmé. Patřím tam, prohlásil jsem to. Vedu o to právo boj s proradným národním výborem, který mě tam nechce. Xeny se poznání, že s ní v hrobě nepočítám, dotklo před několika lety tak, že mě vyhazovala už i z postele. Byla tehdy v ročním právu; nebyla v právu životním. Vykládal jsem jí to, a byl sám překvapený, že my se k sobě nedostaneme, protože k sobě přísně vzato nepatříme. Jsem člověk s dlouhým životem za sebou: ten mám pochovat jinam, než kde budu já budoucí? Nemůžu se odtrhnout od svého dětství, od svých strýčků a staříčků: je to i moje psaní, můj „světový názor". Moje žena Marie ke mně přistoupila do hrobu včas, už jako panna. Rozloučila se se svou rodnou vískou a převedla své vzpomínky, svůj život a úmysly do mého kraje: má zřetelně i moje jméno. To musíš, Xenko, uznat, že ji nemůžu od sebe odstrčit do vesmíru: kam by padala? Tato Xena si, přes svou velkorysost, nevídanou u žen tak moc, přece jenom asi myslí, že bych měl svůj dřívější život odříznout: s ní začít nový, jako ona začala svůj. Ale já tento život s ní beru jako vývoj celého dosavadního svého života. Dělám co můžu, abych ho vpředl do celku: jednoho díla. – Mělas začít svůj život hned zkraje jinak. Máš mít muže k sobě. „Se mnou žádná mladá ženská mávat nebude," řekl jsem a ona otevřela dveře a poslala mě pryč. Ne jednou! Mám o tom hodně zápisů!

Když mě máš ráda, pokoř se, a žijme dobře. Sloužím ti.

Pahorky jsou tu většinou holé, silnice plné bláta navlečeného z polí, takže vypadají jak staré válcované hradské cesty. Jejich směr a spojení nesouhlasí s mapou, několikrát jsem se vracel. Na křižovatkách chybí vedle blízkého cíle nějaký vzdálenější. Měl jsem se dostat do Pohořelic, a místo toho jsem se pořád dostával do čehosi, co se jmenovalo „Jednotné zemědělské družstvo Vítězného února", „Jednotné zemědělské družstvo československo-sovětského přátelství". Pohořelice jsem pořád jenom objížděl. Bylo to k zlosti, ale i to bylo zajímavé. Podél cest navezeny jakési černé hromady s tabulkami: posypová hmota okresní správy silnic. Leccos ukazuje na vůli k péči a pořádku, ale ta pole bezprizorná! Velké širé rodné lány? Značka ohlašující nerovnost vozovky se na horním šroubu uvolnila, otočila se špicí dolů: ty dva hrboly jsou její cecky, když ji dělám odzadu. Ona tvrdí, že to dělali jen jednou, ale který chlap by si neskočil znovu, když by se, například, shýbla před ním pro prádlo? – Když se krásná před ním sklání / já bych skočil, skoč si na ni! – Je to dosti sprosté, hm. Ale když je to tak! Zastavil jsem, abych si to zapsal.

Nakonec, proč bych jí neměl přát to štěstí: pářit se takto s krásným mužským. Sjížděje prudce několika zatáčkami, až mi zalehlo v uších, pochopil jsem, že kdyby jela do ciziny, sama, tak se bude „milovat" s každým chlapem, který ji vzruší. Proč by to neudělala, kde je proti tomu důvod, když kromě mé osoby má všecky důvody, aby to udělala? Jednak to pro ni bylo vždycky normální a za druhé to bude brát jako součást svobodné cesty, přirozené právo svého pohlaví i své duše. Patří to k rozkošem cestování, k rozhledu a k poznávání.

Já jsem hlupák.

Já pevně vím, že bych se jí měl vzdát, není-li těhotná!

Zdá se, že jsem vjel do kraje starých stromů: holé, už z kůry odrané stromy jsou tu jak nějaká středověká zlověstná znamení války, ohně a věšení. Jabloně věkem zděravělé, s haluzemi křečovitě mrtvými. Budu už, jen co jsem byl. Ano! Ale musím vlastně, podle pravdy, dovést příběh té ženy až k její pochybnosti o tom, co dělá. A k rozhodnutí nestýkat se s ním už. – Je to však pravda? Neženu ji svým odjezdem zas k protestnímu uvádění nějakého léčebného údu do její duše?

Přejede se takový polní nevysoký hřbet, ale výrazný: za ním začíná Slovácko, u Nikolčic. V Dambořicích jsou už domky s modrou obrovnávkou. Před chalupami kvetou listopadky. U Mirka ve Zlíně mě čeká dopis: sice se z něho ještě nedovím, zda je šťastně „zbouchnutá", to slovo říká ráda, ale někam mě posune, pobídne. Na vrcholu cesty stojí dva stromy, mezi nimi železný kříž. Zastavil jsem, a četl:

Ó lásko má
můj Ježíši
buď ty vůdcem mojí duši
chraň od zlého
národ náš
ty jenž v moci
všechno máš

To jsou slova... do rvačky. Kdo je vůdcem mojí duše? Myslel jsem, že se na této cestě povedu sám. Nevede mě však ta žena? Zač mě vede? A moje duše věrně se mnou jde, kady já.

Mohl bych se stavit u kamaráda z mládí v Kyjově, ale neudělám to: byl bych zděšený. Je nápadné, v jak truchlivé a mdlé bytosti se změnili mnozí veselí, bujní a vtipní chlapci, kteří podlehli režimu: není z nich nic zajímavého, mají nanejvýš dobré platy a nic.

Projel jsem a až v Bzenci jsem se ohlížel po jídle. Hospoda Myslivna vypadá jak stará vila. Sedl jsem si k bílému stolu a rozhlédl se. Tu si k jídlu dám dvě deci bzenecké lipky. Přišel číšník a zeptal se, zda patřím k tomu zájezdu. Když ne, vykázal mě do přední místnosti s holými stoly. Zvedl jsem se a opustil to blbé město. Zastavil jsem v příští obci: Moravský Písek. Přidávání přídavných jmen ke jménu obce se mi nelíbí. Když Písek, tak sakra Písek! Jistě to původně byl Písek na písčinách řeky Moravy, dokud nevzali ohled, necouvli, nesmekli před Pískem v Čechách. Já bych ostal při Písku a tomu v Čechách ať říkají Bahno. Totéž Klobouky: proč Valašské?

Jídelní lístek mi napověděl ovarovou polévku a vařené přední hovězí s dušenou mrkví, hráškem a brambory. Jako jídlo „vhodné pro občany vyššího věku“ tu nabízeli knedlíky s vejci, za 2,40 Kčs, v závorce uvedeno 1321 kJ. Mne na tom zaujalo jejich rozhodnutí užít slova občan. Moje jídlo, a bylo dobré, stálo i s limonádou 9,80. Dal jsem dvanáct korun a jel pryč. Uherské Hradiště je jiný případ: bylo to opravdu hradiště proti Uhrům, to je důvod věcný. Podobně by se Bruntál měl jmenovat Zničený a Praha Zkurvená.

Byla jedna hodina, když jsem vjížděl do Posraného Gottwaldova. Mirek nebyl doma. To jsem trochu čekal. Šel jsem k Františkovi, kde jsem měl vzkaz od Mirka, že jel do Prahy. Co můj dopis? Zavolal jsem Xence a řekl jí, že nemám dopis. Měla hlas méně milý: unavený, možná pohněvaný. „Co je s tebou?“ zeptal jsem se. „Nic. Je to špatné. Už od včerejška…“ Mlčel jsem: ale to je dobré! Má mě ráda. „To mě mrzí,“ řekl jsem. „No co, to se dá spravit,“ řekla. „Budeš to chtět?“ zeptal jsem se. „To se domluvíme,“ odpověděla. „Jak se máš jináč?“ zeptal jsem se. – „Měla jsem ve středu velikou depresi.“ – Jak se v depresi pozná středa? Protože Frantík byl vedle, nemohl jsem nic rozpřádat. „Já se budu snažit ten dopis dostat,“ řekl jsem. „A zavolám ti zítra.“ – „Zavolej, budu ráda.“ – „Dostalas všecko?“ – „Ale jo… a ty obrázky mi už neposílej, nějak mě to štve.“ – „Nebudu. Ale jeden ještě je na cestě.“

Jsem tedy u Františka. Dopoledne jsem psal, na oběd jsem ho zval do restaurace, ale on udělal oběd sám: sekanou s bramborovým salátem. Odpoledne jsme jeli do Štípy na hřbitov, kde má pochované rodiče i ženu. Vezli jsme tam květiny. Upravoval je, pozoroval jsem ho a říkal si, nač asi přitom myslí. Umřela před osmi lety. „Běž dál a najdeš tam zajímavý hrob,“ řekl mi. Našel jsem ho: náš profesor z obchodní akademie. Žil čtyřiasedmdesát let, to bych měl ještě čtrnáct roků. „Proč to tam nemá napsané těsnopisem?“ zeptal jsem se. Pan profesor si vzal svou studentku, z jiné třídy našeho ročníku, prý byla nejpěknější cerka ze školy, mně se zdála mdlá a sladká, taková moc líbezná panenka. Pak ji nechal a vysloužil si odsudek všech svých žáků-ctitelů: protože my jsme ho všichni ctili. Byl to takový chlap, štíhlý, výrazné tváře, živé mimiky. Po válce byl jeden z prvních komunistů na škole. Byl vzdělaný, uměl mluvit, na mne moc zapůsobil. – Ale ty ženy! Každý si pro ně zkazí známku z mravů.

„Jak často sem chodíš," zeptal jsem se Františka. „Jednou za čtrnáct dní, ale dnes asi naposledy před sněhem." – „Myslíš na něco konkrétního, nebo to jen tak pokorně obsloužíš?" – „Ty máš otázky! Tož myslím na ni, na pěknější chvíle. A někdy jí říkám: tobě by se to nelíbilo, ale já to lepší nedovedu." Potom šel upravovat hrob rodičů. Cestou jsem pravil: „Vy jste si celé manželství byli asi věrní, co?" – „Tož, zas otázka! Dá se to tak říct." – „Dá se to říct, nebo jste byli?" – „Já jsem byl, a o ní to předpokládám." – „Kdybys zjistil, že ti byla nevěrná, co bys udělal?" – „To by byl konec." Nemohl jsem tomu uvěřit a zeptal jsem se: „To bys odešel z manželství? I kdyby šlo o jeden případ?" – „Musel bych znát bližší okolnosti. Kdyby to byl ojedinělý poklesek, možná bych jí odpustil. Ale nejsu si jistý, že bych toho pozděj nepoužil proti ní."

Postáli jsme ještě u hrobu jeho rodičů. Já jsem pravil: „Sládek se s první svou ženou rozloučil těmito slovy:

Když tak to bylo souzeno,
nuž, tedy sbohem budiž,
ty spíš v svém hrobě hlubokém
a víc se neprobudíš.

Tvé srdce ani vzpomínky
už lásky nepocítí,
tys zapomněla pod travou,
já zapomenu v žití.

Ta tráva nechce uvadnout.
Já dlouho plakal na ní,
než děl jsem: Navždy sbohem buď
a nikdy na shledání!

Mně se to zdá jaksi moc energické," dodal jsem. „To teda je," podivil se. Divil se i tomu, že to znám zpaměti. Řekl jsem mu, jak jsem se jednou rozhodl trénovat si paměť, když se mi zdálo, že mi slábne, a učím se Sládka. Frantík si podobně, při svých dlouhých poinfarktových procházkách lesem, posiluje paměť recitací veršů. Má rád Sovu. Citoval hned z jeho Ahasvera. Až jsme přišli domů, požádal jsem ho, aby mi to nadiktoval. Zdá se mi to vynikající:

Umluvení idioti
šlehající vášně krotí
formulkou, již našli k stáři
ke ztišení hříchů svých.
Muži drobných ideálů
ženy drobných krotkých lásek
děti obé zdědivší
chodí kolem usmívavé
(...)
Věčně musím chtít a bořit
a pak u zřícenin čekat
jaký svět se bude tvořit
za tisíciletí jednou
v kráse cudné, čisté, prosté
jak se k němu ruce zvednou
a jak v sboru zazní hlasy
krví vykoupené spásy...

Přes hřbitovní zeď byla na obzoru nad Hvozdnou vidět skupina stromů skrývající větřák – větrný mlýn. Jeli jsme zpátky do Zlína. Zavezl jsem Frantíka domů a zajel k Zikmundům, není-li doma Mirkův syn, aby mi dal dopis. Nebyl.

Zatelefonoval jsem Xence. Promluvila hláskem milým, radostným. Teď právě uklidily byt. Řekl jsem, že dopis tu nedostanu. Poslala mi další, expres, řekla. Píše mi prý v něm, jaký měla strašný sen, ale už je z toho venku. „Je mi tamtoho velice líto," pravil jsem. „Já jsem si řekla, že to je to znamení osudu, jak jsme chtěli." To mě zarazilo. Řekl jsem: „Já si zas myslím, že jsme nepokryli dostatečně poslední dva dny." Zasmála se: „To mi napadlo také. Já to mívám spíš ke konci.

Ale to jsi řek hezky: pokrýt." Estébáci si budou libovat. „Víš, napadlo mi, možná by sis měla měřit teplotu." – „To jsem si zrovna dneska myslela," řekla vesele.

Lehli jsme si oba, s Františkem, a četli časopisy, já jsem trochu usnul, on také. Je mi tu dobře! Teď, co píšu, on se zabývá svou sbírkou známek. Zná můj názor: to už není filatelie, protože to už nejsou známky, jsou to komerční předměty. Přinesl mi právě ukázat dvojlist známek s reprodukcemi slavných obrazů, samé ženské akty. „To je maskovaná sbírka nahotin, a ne známek," řekl jsem. Smál se. Před chvílí jsme zhasli televizor: dívali jsme se na francouzský film Peníze jiných lidí. Já jsem polovičkou mysli byl u naší debaty, předtím, která mě rozrušila a trochu až zdeptala.

Došlo k ní tak, že při zapisování Sovovy básně napadlo mi dát mu přečíst Xenčinu básničku. Pomalu ji přečetl, pak pravil: „Tož to se už nedivím, že od takové ženy není snadné se odpoutat." – Jednak promluvil o odpoutání, jako by to byl můj úkol nebo vůle, ale pochopil jsem, že je to odezva toho, jak o mně mluvívá, když u toho nejsem. Hlavně s Marií. Měl Marii kdysi rád, či líbila se mu; ona do něho byla zamilovaná. Mají k sobě vztah uctivý, romanticko-literární, vznešený. Představuju si, že v jejich řeči já jsem objekt hodný zákroku nebo léčení, nebo aspoň odsouzení, nebo aspoň odpouštění za nepolepšitelnost. Teď se zeptal: „A ty proti té básničce něco máš?" Řekl jsem mu, že ji psala na výzvu, protože jsem jí vytkl, že píše básně jenom proti mně: „Jako kdybych byl pro ni pevnějším milníkem na složité životní cestě, o který se může opřít a rozhlédnout se po životním obzoru, aby uviděla svůj neúspěch a ujasnila si, co vlastně dál opravdu chce."

Díval se na mě překvapeně, ale zdrženlivě. Řekl jsem: „Všecky její básničky napsané při mně jsou jedinou stížností na život a touhou po definitivním muži: takovém jako já, ale mladém a krásném." Jemně se usmíval a pozorně hledal, jak mi říct toto: „Nechci tě podrážet ani ti nic předpovídat, ale ten mladý muž jí jednou přijde." Jsem zničený. Mluvili jsme ještě chvíli, ale zapsat to musím jindy, je půlnoc, nechci už klepat. – Ale plánuje dítě! Závěr: ona na mne spoléhá pro případ, že jí už nikdo lepší nepřijde, ale nedává mi spoleh na ni. Až přijde můj den odchodu, musím ho poznat! Co jsem to udělal s Marií?

Ráno jsme vstali s Františkem brzo, po sedmé. Mně se líbí, jak mu tu bijí hodiny. Pustil hudbu z Vídně. Předvedl mi svou sestavu ranního cvičení, cvičil jsem s ním. Posnídali jsme bílou meltu, chleba s máslem a taveným sýrem, on bez másla. S chutí jsem vyjížděl ze Zlína, přes Vizovice, Polanku a Lideč na Púchov. Prožíval jsem pocit nepochopení a údiv nad tím, jak krátko jedu vzdálenost, kterou jsem chodíval tak dlouho: když jsem ze Zlína jezdil domů, musel jsem tento kus cesty pěšky, několik hodin. Doma jsem měl maminku-tatínka, to mi stačilo, s nimi a sourozenci byl jsem kompletní, nechybělo mi nic. Hlavně žádná takováto Xena! Jak k ní došlo? V Lidči šli lidi do kostela a byl tam kolotoč, nijak veselý. Když jsem přijížděl k první slovenské dědině, Strelence, čekal jsem najisto, že proti mně vystoupí esenbák a obrátí mě nazpátky. Ucítil jsem, že jedu po prázdné zadní gumě. Vyměnil jsem ji a jel dál: Já smím opravdu na Slovensko? Tak oni o mně nevědí, ztratili stopu. Nebo, spíš, přijali můj cestovní plán jako neškodný. Sám se jim přece budu z každého místa Xence hlásit!

Začalo pršet. V Ilavě jsem zahnul do Strážovských vrchů. A jako bych se vrátil o několik desetiletí zpátky: krajina zůstala v tom stavu, v jakém tehdy byla i u nás, na moravské straně. Vypásané louky. U nás je nechávají porůst křovím. A jsou ty louky a pastviska zarostlé narudlou stařinou, narudlou nevím proč. Jízda to byla krásná, až po hřeben těch kopců: když jsem sjel dolů k Prievidzi a Handlové, byla to fádní věc. Pršelo víc a víc. V jedné vesnici se i v tom dešti motal chumel lidí okolo míchačky betonu, před kostelem. Přestávala se mi jízda líbit.

Do Kremnice jsem přijel v půl druhé. Než jsem se vyptal na zotavovnu Hron a našel ji, všichni noví rekreanti seděli v jídelně a vedoucí končil uvítání a informace. Zaslechl jsem jen, že organizovaný program je nepovinný a že večeře se dává v půl šesté. Ohlásil jsem se a dostal svůj pokoj: v jiné budově, pár set metrů odtud. Už jsem i po večeři, mám napsáno toto a budu psát dopis Xence. Pokoj mě svírá, čili soustřeďuje.

„Milá...! *Kremnica 23. 11. 1986*

Tak tady mi bude smutno! A co budu dělat? Obávám se, že přečtu tu Vojnu a mír. Je to tu taková rokle, kterou vede cesta a hučí potok.

Prší, protože jsem vstoupil na slovenskou půdu, píchl a vyměnil gumu. Zítra musím do servisu. Mám pokojík s lůžkem povlečeným a s nepovlečenou přistýlkou, ale prádlo je tu na hromádce. Bylo by to jak nora dělaná pro nás. Okno vede do lesnaté stráně, kde občas projede vlak. Kaňonem v té tmě temně hučí voda s větrem v pustém stromoví, tma tmoucí, skřípot větví – jak v románě. Naproti bydlí stará paní, která se furt někam courá: podlaha a schodiště jsou dřevěné, furt tu někdo vrzá.

Budu tu týden a jsem zvědav, jakého stupně může dosáhnout můj smutek či co se s ním jiného stane. Je pravda, že dvacet kilometrů odtud tou malou silnicí přes hory je Banská Bystrica a v ní Pavel Hrúz, jehož míním navštívit.

Jsem velice rád, že jsme spolu mohli mluvit! Když s Tebou jsem, zdá se mi, že spolu budeme, když s Tebou nejsem, zdá se mi, že ne, a cítím se jak při svém předběžném malém pohřbu. Nemůžu Ti to ani všecko říkat. Náš plán je pro normálního člověka riskantní, a já se vzpírám tomu posuzovat ho jako normální člověk. Nemůžu se Tě vzdát. Když jsme si řekli – optáme se osudu – připravoval jsem se i na to, že když ne, tak ne. A když to tak dopadlo, mám veliký strach. Musím to nechat na Tobě: místo osudu ptát se Tebe!

Mluvili jsme s Františkem ve Zlíně o básničkách. Na hřbitově jeho ženy a rodičů jsme si předváděli svou paměť. Dal jsem mu číst, cos mi dala na cestu: básnička se mu líbila. Řekl, že se nediví, že se Tě nemůžu vzdát. A už to bylo. Ne, nic jsem mu neřekl o tom, co mě hryže, to bych mu přidal argument proti nám. Nevěří takovým svazkům, protože které znal, skončily odchodem ženy. Pravda, uznal, že náš vztah má asi více obsahů než ten jeden. Bránil jsem se mu takto: ‚Ale ona tomu věří, chce se mnou mít další děcko!‘ To uznal za důkaz na mé straně, ale pravil, že bych si měl život spíše zjednodušovat, než tak velice komplikovat. Nemohl jsem spát, a když jsem se zaryl sem do té rokliny, jde na mě děs. Je půl deváté večer, a už se nemůžu dočkat ranního světla, abych vyšel ven.

Vím, v čem jsem silný či silnější než Ty a v čem Tě můžu sílit. Ale v tomto, co to máme – lásku – musíš být silnější Ty, já budu pořád cítit otázku, víš jakou.

Je dobře, že jsem odjel, a řeknu Ti, proč jsem odjel: já jsem si tu cestu vymyslel, abych se od Tebe vzdálil, když se budeš zabývat Josefem: že mu to možná prospěje. Místo abych Ti později musel říkat, nebo s lítostí raději neřekl, co mi na něm vadí, nechám Tě s ním chvíli o samotě, aby sis pravdivěji uvědomila svůj vztah k němu; protože já svou každodenní přítomností určitě matu jeho obraz a ruším to nejjemnější, co mezi vámi je. A dále, abych si zkusil být bez Tebe, jaké by to bylo. Bylo by to strašné.

Nechci tady moc dlouho do noci klepat, nevím, jak je to slyšet. Volat Ti budu muset z města, tu je automat na mince, korunové, a ty bych nestačil ani tak rychle házet. Ty moje kresby – ber s humorem. Prostě se Tebou obírám, respektive obírám Tě. Vím, co pro mne děláš tím, žes toto odloučení přijala, s těmi dětmi a se svou prací.

Netoulej se a moc nekuř! (Promiň.) Dobrou noc!"

Jenom násilím, protože už je večer, sedám k psaní. Nevím, proč jsem ztratil svůj elán do cesty a kam se ztratila moje chuť do života vůbec. Že prší, to vyhovuje mému názoru.

Ráno po snídani (bílá káva, lečo s vejci) jsem hledal, kde by mi opravili píchlou duši. Musel jsem až do Žiaru. Když jsem se vrátil do Kremnice, mžilo, chtěl jsem se podívat na hrad, je však zavřený pro opravy. Odeslal jsem dopis, napsal několik pohlednic. Náměstí je travnaté, což vypadá dobře, i když je to výsledek pustoty: nejsou tu žádné obchody. Domy jsou nezajímavé. Chtěl jsem si v espresu Permoník vypít čaj, vešel jsem dovnitř, tam nebyl nikdo, ani prodavačka, jen magnetofon silně hrál tu silnou, stejnoměrnou, tesknou rytmickou hudbu. Seděl jsem tam čtvrt hodiny, nikdo se neobjevil, a když jsem v hudbě poznal zaříkávací rytmus soulože, odešel jsem. V hospodě ve vedlejší ulici jsem si sedl do kouta mezi kamny, jež mohutně sálala, a oknem, jímž jsem viděl na ulici. Tam jsem dostal čaj, poseděl a šel.

Čekal jsem, že dostanu dopis, co mi Xenka poslala expres. Nepřišlo nic. Ztrácím vědomost, proč jsem sem šel, když už bych jedině chtěl být s ní a s Luckou. Vydá to za tu námahu, kterou to Xenku stojí? I když ona říkává a hlavně to napsala ve své básni, že se mnou ztrácí čas. Ten expres asi obsahuje žádost o pomoc, možná mám posoudit její úvodní slovo k filmu. V hlavní budově začíná právě seznamovací večírek, dokonce s hudbou. Ti lidé mě nezajímají, jsou většinou staří a šedí, nikdo mě ničím nepřitahuje, muž ani žena. Paní bydlící naproti sedí se mnou u stolu. Ptal jsem se jí, zda jí nevadí to klepání. Slyší to jen na chodbě, v pokoji pořád poslouchá rádio. Od večeře vstala brzo a šla na autobus, do kostela. Když jsem z jídelny odcházel, měl jsem chuť koupit si vedle ve výčepu flašku něčeho a teď ji pít. Ale ani to nemá smysl. Napiju se možná až s Ivanem Kadlečíkem.

Ráno jsem se snažil opakovat Františkovu cvičební sestavu. Cítím se dobře: jako bych se očišťoval od kávy, cukru, mastnot. Kdyby tu ještě bylo vhodné místo na potoce, kam bych si mohl stoupnout pod proud. Vojna a mír má tak pomalý rozjezd, až si myslím, že to generace čtenářů prostě přeskakovaly. Čtu to pečlivě: na stovce stránek byly jen představeny osoby, a to ještě nevím, zda všecky.

Paní u stolu je Maďarka, tím mě zaujala. Zeptal jsem se jí na některé kletby. Řekla jojój! Ona dokonce vypíná televizor, když se ve hře začne mluvit sprostě. Poslouchá víc Budapešť než Bratislavu. Budapešť však prý mluví v seriálech ještě sprostěji. Na kletby jsem se dávno chtěl někoho zeptat, abych zjistil původ některých nezařaditelných slov z domova: Například bembek, loptoš. Teremtete! Najednou řekla, že je dnes Kataríny. Trhlo to se mnou: na Kateřinu se narodila Marie. Počítal jsem s tím, mám pro ni dárek, jenže jsem zapomněl čítat dny! Napsal jsem jí dopis, zabalil sportovní prošívané rukavice a jel na poštu. Dal jsem si zavolat Prahu, bylo to rychle. Měla pěkný hlas, chytlo mě to. „Máš krásný hlas. Připadá mi to jak ve Františkově." Už u ní byli gratulanti: naši kluci, Milan Šimečka – náhodou, protože právě je v Praze. Má hlas pořád mladý, jasný, z něhož zní prosté přihlášení k té minutě, ke dni a k osudu. Byla vždycky silná i skromná, a je. Mívá však výbuchy jedovatosti: ví, co mě zasahuje, a dělá to. To však je to nejmenší. Když jsem s ní, je mi dobře a mám klid: jsem v té chvilce spokojeně starý svými lety, když nemyslím právě na Lucku a Xenku. Pohlaví muže by mělo pomalu ustávat jako u žen. Nevznikaly by tyto nerovnosti, při nichž vždycky někdo trpí. Ale je to krásná síla – otevřít si ženu, prostoupit ji a vnutit jejím buňkám svoje!

Jda z města nazpátky do rokle, dostal jsem myšlenku, která mě polekala: jak dobře by mi teď bylo, oč radostněji by se mi teď stýskalo, kdyby Xenie v mém životě prostě neexistovala.

Ráno byl mrazík, a když se nad naší roklí rozešly páry, viděl jsem, že bude slunko. Tak jsem jel vzhůru na kopce, do dědiny jménem Krahule: to jméno mě vzrušuje. Od čeho asi je? Mohlo by to znamenat místo křičících ptáků; domácích. Naši rekreanti tam byli včera za siholení, neviděli nic. Soused u stolu otráveně pravil: pár chalup, nic, ani žádné stromy! To mě velice vzrušilo. Prázdné větrné místo širokého rozhledu. A takové i je: Chalupy rozházené bez řádu, mezi nimi se rozkřikují a mávají křídly husy, všude husy! Jsou to takové paseky nebo lazy. Tady musí být v zimě sněhu! Slunko se studeně rozlévalo po pastvinách, jež se táhly z kopce na kopec. Bylo vidět daleko. Představil jsem si rozkoš léta na holých tělech. Tu musí být smutno tomu, kdo nikoho nemá!

Jak se mi někdy ráno stává, napadla mi píseň a teď pořád běžela v pozadí každé myšlenky, vjemu i zvuku: „Šla Bětuška k zpovídání, měla pěkné šněrování…“ S tím jsem kráčel volně a lehce ke hřebeni, kam se opodál vytáčela nová široká silnice. Slováci všude stavějí silnice. Takový osamělý člověk tam pracoval a smutek nejevil. Měl oheň z odřezků bednění, do něhož byla nalita tlustá betonová zeď, jež měla chránit silnici před závalem ze svahu… a on tam skoro žádný svah nebyl. Podivil jsem se tomu. „Není jí tu vůbec třeba,“ pravil muž, „takové vyhazování peněz!“ Veliké vyhazování peněz, naplánovaných, je vidět všude: meliorace, stavby… Muž se zlobil na ty, co měli přijet s betonem a nejedou. I když nepřijedou, pravil, on si šichtu napíše celou. Je mu dvaašedesát let, vypadal zedraně, zuboženě. Důchod má tisíc pět set, a takto si vydělá dva tisíce. „Nač?“ zeptal jsem se. „Na pohřeb.“ – „Snad vás pochová rodina,“ řekl jsem. Řekl, že má šest dětí, ale žádné mu nepomůže a nic nedá, ba řekly mu, aby si šetřil: „Starý pane,“ pravil mi, „dnes je čeľaď iná, ako kedysi my sme boli!“ Byl jsem rád, že u toho není Xenka. Řekl jsem, že pohřeb je přece dost laciný. On však chce muziku. – Šla Bětuška k zpovídání…

Šel jsem ještě výš a za chvíli jsem potkal auto, jež sem z druhé strany hor šplhalo s betonem. Vystoupal jsem až k převratu, rozhlédl se, uviděl kousek níž kapličku, otlučenou a zamčenou. Šla Bětuška k zpovídání, měla pěkné šněrování, a pan páter se jí ptal... Když jsem se vracel, starý dělník na mne spokojeně mával. Pohřeb – hloupost. Dělá, protože co by jináč dělal? Pan páter Bětušce hrozí peklem a ona mu, jak známo, odpovídá: „Já se pekla nic nebojím, jen když já mám o co stojím, jen když já mám svojeho milovníčka věrného!" Při slovech „o co stojím", ucítil jsem, že mi stojí. Postavil se a opravil mi píseň takto: „Já se pekla nic nebojím, jen když čertům taky ocas stojí, vyberu si jednoho, vysednu si na něho!" S tím se mi vesele šlo dolů.

V poledne jsem šel ke svému stolu a už viděl dopis. „Aj tu vás našli," litovala mě Maďarka. Viděl jsem, že čeká, jak dopis otevřu, ale nechal jsem ho ležet. Nabral jsem si polévky a snědl ji. Potom jsem nožem otevřel dopis a nechal ho zas ležet. Až když jsem šel z oběda, cestou jsem si ho přečetl.

„Můj milý!

Deprese už snad skončila, ale připadám si jako pořezaná. Dětičky mě dost dráždí, a protože nechci, aby to poznaly, věnuju se jim, čtu jim pohádky, hraju si s Luckou na zlobivou školu a s Magdalénou koukám na sovětský film o slavné depresi Paganiniho. V románě jsem se donutila zdolat jedno moc těžké místo, ale spokojená s tím nejsem. Možná to nakonec nedám z ruky, to se poradím s Tebou. Podvědomě se asi přece jen bojím, dnes se mi zdál zřejmě z toho důvodu příšerný sen. Šla jsem s Lenkou, u které jsem včera krátce byla, je nemocná, jakoby tou serpentinou k Braníku, ale ulice se změnila v polní cestu, bylo to večer, byla tma, ale my jsme šly bezstarostně a povídaly si o Mozartovi. Najednou na levé straně byla nějaká branka, tam stál chlap, nepřítel, to jsem poznala hned. V tu chvíli už po mně skočil, Lenka utekla jistě pro pomoc, já jsem chtěla křičet, ale nešlo to, ne že by mě škrtil, prostě jsem nemohla, takže jsem se s ním dost nemohoucně prala. Ještě teď cítím, jak jsem mu zatínala nehty do kůže na krku. Hrozně mě při tom zápase bolel levý bok, asi mě mlátil. Všecko překrývala ta moje hrůza a jistota, že má v kapse nůž. Bylo jaksi zřejmé, že mě chce znásilnit, ale byla jsem zimně oblečená a při vší té hrůze jsem myslela na to, že mám na sobě hrozně těsné džíny, které ze mě neserve, to ho rozzuří, a proto mě zabije. Pořád jsem čekala, kdy Lenka přivede pomoc, ale nic jsem neslyšela a věděla jsem, že to nestihne, že nikdo v okolí nebydlí, že je tam pusto. Pak jsem se probudila. Lucka spala vedle mě, to mě trochu uklidnilo a jedna z prvních myšlenek byla, že jsem to znásilnění v první knížce popsala špatně, že tam chyběl ten strach o život, jenže to byla jiná situace, byli to mladí kluci a ona malá holka. Hodinu jsem o tom přemýšlela a pořád cítila pod nehty tu jeho sedřenou kůži. Pak jsem usnula.

Nezlob se, že Ti toto píšu, ale zdálo se mi to v noci na dnešek a teď je zas večer, takže se z toho chci vykecat, aby se mi to nezdálo dál. Ale nechci, aby tenhle dopis byl smutný. Mám Tě ráda, moc. Stýská se mi. Lucce hrozně, denně spí se mnou. Tvoje obrázky mě bolí, asi je roztrhám. Nechceš si vypočítat další vhodné dny a přijet tak, abys je ještě chytl? Nechceš? Děkuju za punčošky, vůbec k ničemu se mi nehodí, ale můžu je nosit doma pro Tebe, jo?

Jdu spát. Líbám Tě…“

Dopis mě uklidnil divnou jemnou mocí. Je to dokonalý dopis, navíc skoro bez překlepu. Její dopisy jiným lidem jsou vždycky vylepšeny jakýmsi dobře míněným lhaním, aby byly zábavnější. Tentokrát její lež, vlídná, je možná v tom, co nenapsala.

To můj poslední dopis ji teda nepovzbudí. Sám jsem se ještě nevypořádal s tím, o čem jsem jí psal: „Počítej, že ten mladý muž jí jednou přijde. Já vím, jsi silný chlap. Ale – pět let ještě? Za pět let ona bude žena…,“ udělal šetrně jen malé gesto rukou na stole. „Na to právě myslím,“ řekl jsem, „a to mě moří. Proto jsem odjel a nevím, s čím se vrátím.“ – „Tak to teda vydrž a nevracej se dřív, než chceš.“ A to jsem mu při svém svěřování neřekl tu jednu věc! „Potom tě to stejně čeká,“ dodal. Pravil jsem: „Já si myslím a počítám, že nebudu zkomírat pomalu a uboze: padnu a hotovo.“ – „No ja, to je sice reálný plán, ale nač potom to další děcko?“ Bylo to nesnesitelné. Byl bych mu rád řekl: Proto tak myslíš, že už jsi zasažený, ty ses už rozloučil. Řekl jsem však: „Já ji chci mít!“ Díval se na mne brýlemi, jemná ústa se mu chvěla zadržovaným výrazem. Viděl jsem, jak se mnou cítí. Byl také asi velice překvapený a zasažený mým stavem. Hleděl velice dlouho do stolu, než řekl: „Tož dobře! Ale jsi tu snad také pro jiné lidi.

Pro nás, pro své syny... Snad míníš něco ještě napsat!" – „Dávám přednost životu před psaním!" řekl jsem tónem nadávky. Poznal to a mávl nade mnou rukou.

Tu v tomto nesmyslném pokojíku, připadalo mi, že mě opouští život i psaní. To zklamání čtenářstva, co to píšu místo toho, co bych pro ně měl psát! Psal jsem jim dvacet roků, a zapsal se u nich pod nesprávnou firmou: Jako mluvčí čehosi. Tak teď mluvím, co já potřebuju. – Ale my to nepotřebujeme číst! – Dobrá, dohodnuto.

A cítím se impotentně. Jenom v noci, vždycky s kletbou, lámu zuřivý žárlivý přebývající kel a divím se, proč tu jsem. „Balada o nevěrné ženě X." se mi natahuje. – A jak z brázdy vůně stoupá / v pozadí se mléko houpá / tu mám vždycky robotu / pro půldruha kokotu! – Já to smím, já nejsem básník. Básník je jakýsi Jozef Čertík, který v Romboidu píše toto:

Len raz jej požičal
kahanec mužnosti
a potom si celý život v tme
svietila štíhlou zápalkou
dieťata.

Poobědval jsem rychle, že pojedu do Bystrice. Už jsem nasedl do auta, tu se ke mně blížila paní Maďarka: držela v ubrousku buchtu, kterou přinesli, když já jsem odešel. Poděkoval jsem. Bydlí v pokoji naproti mně, vařívá si kávu. Kde já si dám první kávu? Silnice zakreslená na mapě v terénu neexistuje. Musel jsem se vrátit a místo patnácti kilometrů jet asi padesát. Bystrica je škaredá, krom náměstí. Je to cosi napolo rozbořeného, napolo rozestavěného. Na horním konci náměstí je kostel s nápisem v průčelí: VENITE ADOREMUS. Až do noci a ještě dnes celý den si to v duchu zpívám s melodií, o níž nevím, od koho je.

Už potmě jsem dobloudil do čtvrti, kterou všichni jmenovali jaksi jako Fončorda. Našel jsem ten dům: dotlučený osmiposchoďový panelák. Vyjel jsem do nejvyššího patra a hledal shora dolů. Došel jsem k Hrúzovým dveřím, zrovna když vystupoval z výtahu. Ani se nepodivil, vedl mě dál, veliký a široký jak medvěd, do bytu, kde byl pořádek taky medvědí. Žena ani děti nebyly doma. Dal mi slaninu a čaj. Zapálil si marsku, i mně přistrčil a hned řekl promiň. Vím od Ivana Kadlečíka, že Pavlovi letos vyšla po patnácti letech zápovědy v Romboidu povídka, ale nečetl jsem ji. Podal mi to číslo, požádal jsem ho, ať mi tam vepíše věnování. „Kadlečík se na mě skrz to hněvá," řekl, „ale ty si pořád ještě myslíš, že to není zrada, když někoho začnou tisknout?" Řekl jsem, že je to dobře a že by měl nabídnout „Zvuky ticha". „To je staré," řekl. „Píšeš nové?" zeptal jsem se.

Nepíše, nebaví ho to. Práce v zaměstnání ho také nebaví. Je podnikovým energetikem, a zima na krku. Furt aby něco sháněl: zítra jede vlakem do Bratislavy, tentýž den se vrací. Kadlečíka neviděl od dubna. „Přijel jsem za tebou proto, abysme se domluvili a jeli na neděli do Pukance k Ivanovi," řekl jsem. Odpověděl, že neví, jestli bude moct, ale ohlásí mě Ivanovi telefonem, ale až v pátek; aby nebyly podniknuty kroky proti. „Zaparkuj potom někde bokem," pravil, nadbytečně.

„Povídal mi Ivan, žes u něho byl před dvěma roky s mladou takovou ženou. To byla tvoje co, milenka? Či máš ji ještě?" – „Mám, a navíc spolu máme pětiletou dceru." – „Cože! Dokonce! Tak to je potom tvoje žena!" – „Chlapče, nevím. Jak dlouho ještě?" – „A! Víš ty co? Udělej jí druhé." – „O tom právě jednáme. Ale je v tom rozum?" Zapálil si další marsku, postrčil ke mně škatulku a hned ji vzal zpátky, kýval velikým trupem, díval se na mě s těžkým mlčícím úsměvem, rovné vlasy mu lhostejně splývaly po prostranném čele. Pravil: „Rozum, rozum... a je život rozumný? Teď u nás, pochovávali jsme starého, vzal si kdysi mladou. Jemu teď bylo čtyřiaosmdesát, jí je šedesát, teda jsou staří už oba!" – „To s ním pořád žila?" – „Právdaže! Ale měli děti: jedno, druhé a nevím – třetí?"

Vyprovodil mě až před dům, venkovan. „Udělals mi radost," řekl. On mě víc. „Přijeď k Ivanovi," opakoval jsem. „Nevím." – Ale tento zápis návštěvy dělám o den později, včera jsem nemohl. Nemohl jsem ani číst, jenom jsem ležel, držel Romboid a myslel na život či na psaní. Kdybych si byl něco k pití koupil! Chodím každou chvilku napít se vody.

Dlouho jsem Xenku, už jsme spolu byli, nahlodával: ze strachu, či z odpovědnosti? Psal jsem jí varovné, přitom milostné dopisy, strkal jí je do stolu, aby je nacházela až jindy, náhodou, až u toho raději nebudu. Mohla si myslet, že nemám odvahu. Ale já se bál být vinen za její život. Přitom ten život šel dál, já jí ho bral, ona mně, a dva „potraty“: ztráta sil, času... čeho všeho? Nemám prostotu toho mladého osmdesátiletého, co si vzal starou šedesátiletou. Nahlodává mě jakýsi intelekt či které prase, a to ona neocení, to ji unavuje. Příhoda s Adamem... je nicotná, zdá se mi už. Co mě týrá, že je mezi námi po důvěře. To mi měla udělat, když mi bylo čtyřicet: dokud jsme se neznali!

Ráno jsem zabalil balíček, přidal dopis děvčatům a šel pěšky na poštu. Je to dolů půl hodiny. Cestou jsem si vyfotil několik zajímavých domů. Šinul jsem se jedinou hlavní uličkou, kterou tu mají. Z malých výloh malých krámů třpytí se vánoční ozdoby. Svítí slunko. Potom koldokola náměstí, jež ani při této druhé prohlídce neukázalo nic zajímavého. Nemohl jsem dojít jinam než posledně: k espresu Permoník. Tam zas nikdo, ani za pultem, jen příjemné teplo a vrčení jakéhosi strojku za plentou. Nikdo zas nešel. Vyndal jsem dvě pohlednice a začal psát. Náhle vzadu spustila zas tatáž hudba jako minule, před kterou jsem utekl: tóny jemně praskající v rytmu svižné soulože. Objevila se dívka cikánského rázu, opřela se o pult a hleděla na mne. Ukázala na tabulku, které jsem si nevšiml: podnik bez obsluhy. Přišel jsem k ní: „Máte ten čokoládový koktejl?“ – „Nemáme.“ – „Tu ho nabízíte.“ – „Teprve ho dělám.“ – „Tak prosím čaj.“ Čaj byl dobrý, za dvě dvacet. Jeden cukr jsem si odřekl. Snažil jsem se rozluštit slova písně. Muž, jenž právě vykonával nejstarší rituál, přitom pravil: I want to hate you. – Jo, kamaráde, dokud ji šoustáš, neodtrhneš se, pravil jsem mu vlídně.

Je to hrozné, hrozné! Vrtěl jsem nad tím hlavou: nad sebou, nad poměry. A žádnou silou svou nic nevyřeším, protože nepřemůžu poměry. Smět publikovat, mít peníze – dát jí byt, kde by bylo víc sil a času na psaní – i na mne. Dát jí syna!

Ale jak v tomto stavu pracovat, jak psát? Ty ubohé moje měsíční články, co to je? Nic! A přece to musím dělat jako minimální dýchání, abych se nedostal do bezvědomí. – Tak jsem šel zpátky.

Na svém stole jsem z dálky viděl dopis. Rozřízl jsem ho a nechal ležet. Seděli jsme s paní Maďarkou u stolu sami, většina ostatních byla na zájezdě v Bystrici. „Bylo to milé, jak jste mi včera přinesla tu buchtu," řekl jsem. „To nic, ale včera vám tu ostalo pěkné pečené kurča!" – „Říkal jsem vám, že přijedu pozdě, ať si ho někdo z vás vezme." – „Jenže já jsem odešla dřív, do kostela." – „Vaši rodiče byli Maďaři?" – „Ano." – „Do jaké školy jste chodila?" – „Do maďarské." Jedli jsme „zemplínské bramborové placky", silně kořeněné, moc dobré.

Vzal jsem dopis a šel s ním ven. Pomalu jsem šel lesní stezkou a četl ho. Je to zas klidný, pěkný dopis: jako by tato vzdálená žena byla vyrovnanější a pevnější, než se mi zdává zblízka. Zatím však nereaguje na moje stíny-splíny. Při větě o měření teploty se mi dělá u srdce, jak mi u něho má být. *„S měřením začnu, hned jak skončí tohle barevné období. V románě jsem na straně 485, zbývá asi třicet stran, chci to mít hotovo, než přijedeš, drobné úpravy, které mě čekají, udělám, až si to přečteš. Moje pochyby rostou… Mnohokrát za den myslím na Amadea, na tu scénu, kdy mu naivní manželka vyčítá, proč za tolik peněz konečně nedopíše to rekviem. Protože mě to zabíjí, odpověděl. Takhle drasticky to necítím, jenom mě to vycucává a mate. Přítomnost žiju jako ve snu, jako bych byla furt mírně opilá. Jednám setrvačně, bez skutečného zájmu nebo spíš vědomí. Musí to být dobrá kniha, jinak nemá smysl to dávat z ruky. (…) Přišla vykoupaná Lucka. Nastrašila se do Tvých bot, v ruce držela Tvou aktovku a řekla: Už jsem přijel, Xeničko, ze své podzimní cesty. – Pak mi vyprávěla o tom meči v Blaníku. Teď opět usíná v naší posteli. Teď je čtvrt na devět, nejsem moc unavená, jdu psát román.* (Připsáno ručně:) *Zítra ráno si začnu měřit teplotu.*

Miláčku!"

Lesní stezka vede po vrstevnici vysoko nad Kremnicí. Když se vytočila ze stínu protější hory, nastal jas a teplo jak na jaře. Rázem se mi všecko zdálo nadějné. Nevím, čím ještě projdu, než se vrátím, ale potom budu muset tyto slabosti odložit a trénovat si už jenom důvěru. Je to silná žena, možná se o ni mám opřít víc než dosud.

Jdu spat. Vojna a mír, strana 114.

V noci, než jsem usnul, starý hrabě zemřel a dědicové se porvali o aktovku s jeho závětí. Také bych potřeboval peníze. Dopoledne jsem přepsal a změnil několik posledních stránek tohoto psaní, s kopií pro Xenku, místo dopisu. Toto celé je dopis: pro ni? Kam a na kdy? „Ten Blaník je hezkej," pravila mi v telefonu. Jel jsem na poštu, odeslal ho a nechal si zavolat její číslo. A zas: úzkost, že nebude doma, ačkoli má dávno být. Ta úzkost, kde s kým je – to už nikdy nepřestane? Až přijedu do Prahy, nepůjdu za ní hned: půjdu k divadlu čekat, kdy odchází z práce a kam jde. Představoval jsem si často, v noci, jak za ní jdu ulicemi až k nějakému domu, kam zachází, čekám, a vychází za hodinu, za dvě. Nebo jak jde do nějaké hospody, kterou spolu neznáme, a tam se schází s mužem. Podle Františka mě toto čeká jednou jistě. – Nestačil jsem ani zavřít dveře kabiny, ozvala se. Pěkným hlasem. Uvědomil jsem si, že mě většinou podělovala svým hlasem nejhorším, do otázky: Xenka? Zeptal jsem se na děti, stav a náladu: Už dokončuje román, takže některá místa stihne spravit, ještě než přijedu. „Už nejsi smutný?" chtěla vědět. „Je to lepší, napsal jsem Ti o tom něco." – „Lucka je úplně vyšinutá, ona si neuvědomuje, čím to je, ale je to tím, že jsi pryč." – „Až přijedu, musíš si odpočinout," řekl jsem. „Už se na to těším," řekla. „A už mluvíš trochu s těmi lidmi tam?" – „Trochu ano, co jsou u stolu," odpověděl jsem. Tato její otázka mě překvapila.

Byl to hovor dost dlouhý, ale zapsat z něho nevím co. Vyšel jsem na ulici jak ozdravený. Zašel jsem do obchodu, a tam měli tokajské víno. Popíjím ho teď, je půl desáté. Přes dvoje dveře voní odnaproti káva. Pozveme se s paní Maďarkou vzájemně? Už ani nebude kdy, zítra jsem tu poslední den. Potom jsem byl v sauně, udělalo mi to duševně dobře, i tělesně krom srdce: cítil jsem okolo něho nehmatnou nejistotu. Po večeři jsem šel na společný program: besedu s bývalým havířem zdejších zlatých dolů. Je mu 82 let, chodí a fotografuje, promítal diapozitivy ze šachet. Mluvil stručně, věcně, zajímavě.

Spává se mi tu dobře. Ráno otevřu okno a cvičím. Zhubnul jsem o tři kila, to je nic. Vidím, čím míň člověk jí, tím míň potřebuje jíst. Platí to také o „milování"? Teď, jak to potřebuju, kdybych mohl dojít za ní (nebo za Mariannou?) a transfúzovat ji, můj tlak by klesl. Když by začal zase stoupat a já mohl zase zajít za ní (nebo za Mariannou), myslím si, že intervaly by se prodlužovaly; a to je vlastně letité manželství. Kdežto já žiju vlastně mezi jejími stehny, sice jen v minutách za otočku zemskou, ale pořád v jejich poli. Cítím ji vedle sebe jako pohlavní ženu: když spolu někam jdeme po ulici, když vedle sebe sedíme mezi lidmi. A když sedíme mezi lidmi každý někde jinde, je mezi námi napjatý spoj, o který ostatní snad musejí zakopávat. Všecko se souvisle vlní vlnkami čím dál bližšími, až do postele. Nikdy nejsem jen člověk určitého jména, povolání, názoru, oblečení, určité řeči, ale vždy jsem přitom i muž do ženy: odsunutě, poodloženě vzrušený a připravený. A Xenka reaguje přitočením, pohledy a slovy. Samozřejmě vstane, nahá, a tak nahá jde do koupelny, namaluje se a učeše, a nahá pracuje v kuchyni, než ji napadne obléci se. Aby byla oblečená, musí se obléct. Tím se liší od Dany, jež aby byla nahá, musela se svléct. Dana měla takové – říjivé dny: když je měla, byla až útočná, což mi dělalo dobře. A pak najednou konec: nasáklá změnila se v pracovní ženu, příšerně věcnou a výkonnou. Ale já ovšem neměl žádný podobný cyklus, a když jsem pak proti ní vykročil s vytrčeným párněm, podívala se udiveně, zasmála se shovívavě, někdy i nahlas, a vlídně se nastavila do polohy nejbližší té, v níž zrovna pracovala. Vzala, co dostala, a bylo. Neuměla se nahá pohybovat jak oblečená, uměla se nahá velkolepě rozvalit: na opačném konci svého složitějšího studu. Xena se mě jednou zeptala, nač nikdy neměla: jaká byla Dana. Řekl jsem, že chlípnější. A Xena – se urazila. Kdyby se mě někdo zeptal – a nevím, kdo jiný než Gruša by měl tolik přátelského vkusu –, jaký je mezi Danou a Xenou rozdíl, řekl bych: tato mě víc vzrušuje, tamta mě líp zkonejšila. – Nevím, kam jinam než sem by takováto moje úvaha patřila. (Nepatří sem samozřejmě vůbec: je plodem odloučení a samovzrušování; a teprv jako záznam o mém stavu sem snad, přísně vzato, poctivě patří.)

Nešel jsem se Xenou na silvestra, proto šla sama a vybrala si tam muže: jaký je ten hluboký důvod? Ukájím já ji vlastně tolik, kolik si myslím? – Dostaneš děcko, a hotovo, máš pěkné vlasy.

Dopis, který mi od ní došel dneska, je podepsán „Tvoje žena“:

„Lucka už Tvou nepřítomnost nezvládá. Každý večer si s tím velkým medvědem lehá do naší postele. Je to ale krásné, skončit v noci psaní, osprchovat se a lehnout si na kousíček místa, co mi nechali.

V noci, jak se převaluje, medvěd bručí. Ráno, když zazvoní budík, zasunu teploměr, pak teprv vzbudím holčičky. Dnes jsem si oblékla ten kožíšek, ráno byla nula. Límec mi hladí tvář, je tak heboučký, všichni se za mnou otáčeli, určitě působím jako šťastná žena. Včera večer už mi bylo tak teskno, že jsem dopila naši whisku. Ale koupím novou, velikou, až přijde ten balík peněz. Musí přijít. Tak moc se těším na náš první večer! Ani o tom nemůžu psát. Tvoje obrázky už mě nedráždí, ale musím na ně vymyslet skrýš. Moc mi chybíš, ale jsi moudrý…"

Zároveň konečně došel i zlínský dopis. Je adresovaný „amigovi". Píše, abych moc nezhubnul, protože se jí „vlastně hubení chlapi nelíběj". Dál o práci, o dětech a o přátelích. V žádném dopise dosud však nereagovala na nic, co jí píšu já: zajímavé. Asi neví jak, a moudře mi místo toho píše pěkné věci. Plánuje radosti, má lístky do divadla na 10. prosince, to abych věděl nejzazší termín návratu.

Dostal jsem také dopis od Marie. Ten mě poráží zralostí člověka, jaký má být a je. Vždyť já jsem se s ní měl pěkně a nebylo v tom žádné významné trápení, než jaké jsem způsobil já.

„Milý tato,

vrátila jsem se z D. a mám za sebou první týden v Praze. Byla jsem už snad se všemi našimi přáteli. V sobotu byli kluci u Xenky a přivezli od ní videokazetu s Tebou, a taky čtení. Byl to slavnostní večer. Hořovičtí v neděli odjeli, já si četla Xenku. A Edu a další. Všecky řeči a doteky lidí se mi v mozku smíchaly a pořád se mi opakovalo, že stejně nejraději ze všech lidí na světě Tě mají kluci. Je to vazba nesobecká, ideální, silná, máš v nich stoprocentní oporu i pokračovatele. A pak ve mně. To je sice vazba mírně sobecká, ale celoživotně nezištná, předem nekalkulující, bytostná. Ti ostatní Tě mají rádi, ale hodně mají rádi sebe, a v Tobě cítí konkurenta. Myslím vůbec, že mezi kumštýři je málo silného přátelství. Plete se do toho ta touha uplatnit se. To nemyslím ani na Xenku, víc na mužské pokolení. Xenka je jistě také zajímavá vazba, ale nechci posuzovat, kolik je v tom čeho. – Čtu Beethovena: Listy o umění, lásce a přátelství. To mě právě inspirovalo ke konfrontaci s Tebou. Výjimečná osobnost přitahuje pozornost a trabanty. Nej-

více trabantky. O koho jim jde? O jeho radost? Nakonec přinášely víc utrpení než radosti. Beethoven ovšem nemohl rozmělňovat svůj život do banalit, ale moc trpěl, chtěl a toužil po svých blízkých lidech, po rodině a dobrých přátelích. Cítil, že je vlastně obětován svému géniu. Dovedl však pokorně přijmout vše, protože si uvědomoval, že je to Něčí vůle. Pokorný nebyl. Jen v těch základních věcech ano, jinak to byl ďábel, se kterým by stejně nikdo asi nevydržel.“

Hned jsem odepsal a jel s dopisem na poštu. Vyjel jsem pak za město, do kopců, a octl se v ozářené nádherné kopcovině. Už jsem na to přišel: kopce jsou tu jako nahé. Působí na mě smyslně: vidím břicha, zadky, boky, ramena. Anebo je to zároveň krásný veliký dobytek, hřbety jako koňské, načervenalé boky krav. Slunko šikmo osvěcovalo načervenalou září meze, stráně, strže, stromy a keře. Všecko bylo něžně plastické. Vyšel jsem na hřeben, a na prázdném návrší je starý kostelík se zanikajícím hřbitovem. Hroby jsou propadlé a sešlapané, kříže rezavé a rozlámané, jenom kamenné náhrobky drží slovo, a jedno bylo takovéto: Hier ruhet sanft Cäcilia Priwitzer, geb. 16. III. 1859, gest. 28. II. 1921.

Budíček je zítra v půl šesté, většina lidí musí stihnout vlak v půl sedmé. Do devíti máme vyklidit pokoje všichni. Tak, a dopil jsem tokajské. A ta Cäcilia Priwitzerová, když jí bylo třicet, si před bílou zdí starého domu klekla na nízkou stoličku, zády k fotografovi, a v hlubokém předklonu se opřela o vyšší selskou židli: takže je z ní celé vidět jen líbeznou kouli zadku, s omamnou temnou roklinou vespod, v níž se ještě slabě a jemně značí pyskatý lem té praskliny. Nad bílou koulí trčí cípek vlasů, který jí po straně padá dolů k zemi. Dívám se a ptám se: proč to ta žena dělá? Na můj rozkaz a prosbu? Néne! Ta má v hlavě i v pohlaví!

Opustil jsem tu rokli se steskem hned po ní. Nevím, čím to, ale to místo mi připomínalo atmosféru knihy, jejíhož autora jsem zapomněl, kniha se jmenovala „Via mala“. Děj knihy jsem také zapomněl, byl tam nějaký děsný zločin zaviněný snad tou roklí, jejím účinkem buď na postavy nebo hned na autora. Jel jsem údolím, jehož levá strana byla ve stínu. Stromy, keře, tráva byly ojíněné. Vznikla tak velice jemná a tenká kresba, jak drobný lept. Rád bych zastavil, cesta však byla samá zatáčka a za mnou se objevovala další auta a nutila mě pokračovat. Kde jsem mohl, nechával jsem je předjet. Jedou ven na končiny: sobotu s nedělí. Všichni se těší. A budou Vánoce. Tu musí bývat sněhu! – To nebyla nálada, vždyť se na to musela připravovat dost dlouho: počkat, až budu pryč déle než dva dny. A byla to sakramentsky riskantní věc: trapná, kdyby se nepovedla. Vzít si noční košili, osobní potřeby, připravit si tělo, uvažovat o jídle a pití. Potom si odložit, čím začít, co kam. Žena starší než ten kluk, spisovatelka, známá v jeho okruhu, moje žena. – Všichni rádi dívali se / jak se maso blíží k míse. – Přál jsem si, aby ta klidná, vlnivá a mámivá cesta trvala déle. Cítím, jak mě to opájí, začínám si vědomě dávat pozor na rychlost v zatáčkách, na vzdálenost od krajnice. Chtěl bych ujet. Dlouho-dlouho jet, a procitnout v neznámé zemi, nový muž. Ale objevuje se holý kopeček, vypadá zas jak prs ženy, trochu rozprostřený, od něho se táhne vlnovka jak břicho k temnému trsu křoví, z něhož ční dvě špičky kostela – takový je vjezd do Štiavnice.

Město, všecka jeho otřesně krásná místa, nemá cenu fotit: to prodávají na pohlednicích. To město je jak opuštěný poklad, který drží lidé neumějící ho užít. Představuju si, že v městech Evropy, v Paříži, je vidět, že tam žijí obyvatelé těch měst: vypadají na to, pohybují se tak. Tu se pohybují lidé, kteří na toto město vůbec nevypadají: jakési náhradní obyvatelstvo.

Když jsem začal popisovat svou cestu, zamlčel jsem, že mířím do Kremnice, do odborářské zotavovny. Jeden kamarád Zdeněk mi obstaral poukaz. Nechtěl jsem to prozradit: kdyby mě cestou zastavili a prohlíželi papíry. Já, na odborářskou rekreaci! Ti by mě vykopli! Zamlčoval jsem také, že jedu do Pukance za Kadlečíkem a do Lukavice za Hanou Ponickou; Lukavici však vynechám, vlastně mi u lidí není moc dobře. Až u Mirka ve Zlíně budu zas rád. O Xenčiných kundičkách ať si čtou, ji by to ještě bavilo. Ale to tedy museli o jejím úskoku vědět i oni! Schovávali si to?

Ivan zestárnul viditelně. Za dva roky mu bude padesát. K té příležitosti by chtěl vydat knížku „miniatúr a rapsódií“ v zahraničí. Ptal se mě na riziko. Řekl jsem, že žádné, jen výslech, který může odbýt slovy, že za to můžou nějací kamarádi, což hned zařídím. Potom na půl hodiny odešel hrát na národní výbor k vítání novorozeňat. Mezitím jsem mluvil s jeho ženou: řekla, že Ivana by vydání knížky v zahraničí velice povzbudilo, je špatný, smutný. Já myslel, že váhá z ohledů k ní a k dětem, studentům.

Spal jsem u nich. Po večeři Ivan hrál na rozladěné piáno. Jeho dcerka, jedenáctiletá, přibíhala na otcovo zavolání, aby nám podala: džbánek s vínem, chleba, knihu, tužku... Ivan podle zítřejšího pořadu vyhledával a zkoušel si písně do kostela. Potom se ptal na Xenku. Ukázal jsem mu Lucčinu fotografii a řekl mu, že Xenka chce mít další děcko. „A v čem je problém," zeptal se. „Za deset let mi bude sedmdesát," řekl jsem. „A děcku deset," řekl. On je otec – pán rodiny: žena mu tu jeho úlohu nechala a drží ho v ní. Zpívali jsme si. Na čtení do postele jsem si vzal z jeho knihovny knihu „Sex a vydatá žena". Ale dostal jsem zase ránu! Autor říká, že člověk má právo ukojit se pohlavně, s kým kdy chce. To neruší jeho vztah k manželovi či manželce, protože člověk může mít současně různé stupně a druhy lásky k různým lidem. Děti – ano, rodina – ano. Pro sex ukájený jinde není třeba manželství rušit. – Xenka je pokroková, já jsem zaostalý?

Ráno – snídaně prostřená jak na recepci. Potom se manželé chystali do kostela. Ivan, tmavý oblek, vázanka, přehrál si na piáně ještě cosi a šli jsme. Stál jsem na kůru u varhan za nimi: jeho žena mu chystala noty, prstem ukazovala řádky odpovědí na knězovy propovědi. Ivan hrál, jako by poháněl koně v pluhu. Má pro tuto službu zvlášť modulovaný hlas: bučí jak trouba, aby ho bylo slyšet, aby provedl lidi dole melodií písně. Zpíval jsem s ním, jak jsem stačil sledovat noty. „Děcko," pravil potom, „jaké zaseješ, takové bude. Však co, ona na tom už tolik nepokazí." – „Ale o to nejde," pravil jsem. „Teda o co." – „Aby ten chlapec si mě vtiskl dostatečně, když nebudu dost dlouho na světě." – „Máš na to důvod, cosi takového povídat?"

Po obědě zase jeli se ženou do jiné obce hrát na mši, mají několik obcí. Odjel jsem, nerad. Musel jsem: tady ta klasická patriarchální rodina, s patriarchou, jehož tvoří jeho žena, moudrá, a mne čeká volný sex? Xena to, aniž cosi takového četla, dávno pravila: když se nenají doma, má právo dojíst se jinde. Vzal jsem si tu knihu na další cestu:

kdyby aspoň do širého světa! Ale on se brzo stáčí zpátky, je to pro mne koryto. Sedím v hotelu Rozkvet v Levicích a piju Kadlečíkovo dobré červené víno.

Ještě v Kremnici jsem Xence rozepsal dopis: že balím a odjedu, že jí už nebudu referovat o svém blbém bludném psaní. Že je dobrá maminka. „*... Jsem rád, že Ti práce jde, a samozřejmě si ji přečtu. Bez trápení není díla, netrápíš se zbytečně. Píšeš, že Tě to zároveň mate: v čem? Dnes mi prvně napadlo, že až Tvůj román vyjde, všichni se to o mně dovědí. Ne o Tobě, o mně. Ty můžeš žít, jak chceš, ale mne to jen potkalo. Na Tvé straně je akce, jaksi zdůvodněná, na mé jen hanba. Musím nějak...*“ Nedopsáno, nechtěl jsem to vyslovit.

Teď v Levicích jsem dopis doplnil:

„*Před chvílí jsem dorazil sem. Nový hotel, vana, horká voda. Zas dvě postele, balkonek, příjemný pokojík. Včera jsem dojel k Ivanovi a strávil v jejich rodině den: jeho sváteční povinnosti, všední. Dopoledne jsem dnes byl na mši, kde hrál a zpíval. Je to zahájení adventu. Ten sis dala v květnu jako mez k vyléčení ze svého kvokání: Dvě ranní vteřiny / kdy nevíš proč / jsou jenom zvykem těla / které ti do života / už kvokat nebude / po adventu už ne... A pak se něco stane, nejsi přece blázen! / Počinek po Činu / čicháš, čicháš člověčinu...*

Tak výraznou báseň není možné zkonstruovat nasucho, to je Tvůj živý pocit. Je to o tolik lepší báseň, než cos mi dala, že tu bych Františkovi číst nedal. Protože tu psalas za sebe. František by mi řekl: Vidíš, však ti to říkám, ten mladý chlap jí přijde, vyhlíží ho. O báseň se žádat nemá. Požádám Tě tedy, Xeničko, o něco jiného. Ivan mi půjčil knihu ‚Sex a vydatá žena‘ od Eustace Chessera. Je to Angličan. Vezu Ti ji, protože je to to nejzajímavější, co jsem o tom zatím četl. Podle autora by se člověk měl umět správně zařadit do sexuálního typu, svého partnera také. Z rozdílů nemusí vyplynout nic nešťastného, ale můžou si dalekosáhle vyhovět. Já Tebe i bez něho dávno zařazenou mám. Natoč do stroje list a zařaď mě. Je Ti třicet pět let už, víš, co potřebuješ. Piš to jako pro nějakou laboratoř, jako bych to nikdy neměl číst.

Až přijedu, nebudu se už k ničemu vracet. Budu brát všecko jako znovu. Ivan nevidí v děcku žádnou otázku: ‚Ty urob svoje, a ináč... veď to ani nie je tvoja vec!‘ Ale víš, jaký on je ortodoxní otec. Takže až přijedu, budu se muset podívat do toho dalekohledu, je-li tam vůbec nějaký chlapec ve hvězdách, třeba už žádného nemám...“

Vzal jsem však do ruky tu knihu, a popadla mě zuřivost, v níž jsem připsal Xence další list.

„Četl jsem si v té knize, nechce se mi ani jet domů. Autor říká, že lidé mají sex pro radost, bez něho nejsou zdrávi psychicky ani společensky. Nemá se dogmaticky spojovat s láskou. Když se láska a sex sejdou na jedné posteli, je to dobré, ale nemusí to být. Odestřeme si závoje bludů a předsudků a přiznejme si: sex pro sex je privilegium člověka oproti primátům, kteří nemají orgasmus.

Zdrcený jsem z toho, že já, člověk v této chvíli sexem inspirovaný, se cítím zdrcen u srdce. Je to Tvůj svět, ne už můj. Musím, možná, hledat rovnováhu. Jsou ženy – pro sex, i pro můj. Ale autor i tam, kde v posteli leží jenom sex na sexu, předpokládá něžnosti, mazlení, něžná slůvka. No a kdy já jsem nějaká slyšel?

Já zuřím. A zase Vánoce, po nich silvestr. Do pekla!“

Probudily mě vrány. Zdálo se mi toto: Byli jsme se Xenkou v nějaké venkovské chalupě, byli jsme tam bez dětí. Přišlo nějaké děvčátko ze sousedství a podalo jí kus jakéhosi prádla, neviděl jsem, co to bylo. Chtěl jsem vědět, oč jde, temná v tváři mi řekla, že udělala asi blbost: půjčila komusi moje trenky, kdo si chtěl ověřit míry, což může být užitečné estébákům... Teď, probuzený, za denního světla vím, co to bylo: vyspala se s někým zas a zapomněla tam kus prádla. Přečtl jsem si přidaný list dopisu a rozhodl se neposlat jí ho. Jenom jsem stručně podal zprávu o tom, co se dál v knize praví. A připsal jsem jí něco jiného, co mi napadlo v noci: ať mě nemá za tatínka, jsem dávno její chlapec, nechci být moudrý a odpovědný.

Podívám se ještě po městě a pojedu. Cesta povede přes Topoľčany. Tam jsem jednou byl na prázdninách u strýčka. Moje jediné prázdniny mimo domov za celé dětství. Zastavím tam a rozhlédnu se: zda najdu ulici nízkých městských domků, kudy jsem s tetičkou chodil na trh. Divná, neznámá vůně paprik, které jsem nesnášel. Tetička vařila i kukuřici! To se nedalo jíst. Řeka, řeka! Věděl jsem z mapy, že to město leží na řece Nitře, nikdy jsem neviděl řeku. Jednou mi tetička vyhověla a šli jsme tam: veliké zklamání nehnutým pásem vody mezi lány kukuřice. – Ale než odjedu, musím dopít to Kadlečíkovo červené víno, s tím se nemůže už dál žbrundat.

Mohl bych tu ostat další den. Pokoj s koupelnou stojí 70 Kčs. Nad postelemi visí obraz, olej, maloval ho jakýsi Josef Mžik. Je na něm ulička, spíš náves, v popředí ženská postava. Sundal jsem obraz a obrátil ho: stál v roce 1968 přesných 595 Kčs. Když jsem dopil víno, cítil jsem příjemné vlnění. Tak nemůžu jet. Šel jsem dolů na snídani. Číšník byl stydlivý. Personál hotelu mluví maďarsky. Šel jsem na poštu a poslal pár pohlednic a ten dopis. Pak jsem hledal náměstí, ale ono tam žádné není: jen jakási bezcharakterní plocha. Z města jsem musel namáhavě vybloudit: přeložené cesty, výkopy, objížďky. Být to lepší město a mít tam nějakou blízkou duši, byl bych zůstal. Nic by se mě netýkalo, mluví se tam maďarsky. Nebo Mariannu.

Když jsem byl zas v pohybu, bylo mi dobře. Lehce a volně jsem hladil vlnovky silnice a každého, kdo o to měl zájem, jsem nechal předjet. Mám rád za sebou volno. Ale divím se vždycky, že mnozí řidiči, když mě předjedou, tak se přede mnou táhnou, místo aby se touže rychlostí, kterou se za mnou objevili, ráčili zase přede mnou ztratit. Říkám jim „vole“, dokud nezmizí. Krajina je to nudná a obce škaredé. Na celé trati až do Topoľčan je v každé obci stejná betonová budova, odsazená trochu od cesty, na jednom konci je potravinářství, na druhém hospoda. Všude je nově založený hřbitov, neohrazený, který se ani nenamáhá doplazit ke kostelu či kapličce. Vypadá to jak odkladiště mrtvol. Škaredo všude! Na čem se tu může vyvíjet zrak dětí? Ani v krajině není milého zákoutí. Přemýšlel jsem o závěru své mstivé balady. Něco mi napadlo, zastavil jsem a zapsal si to.

Topoľčany… jsou pryč. Místo nich je jiné město jménem Kdekolivo. Nenašel jsem ani jediný bod ze své prázdninové vzpomínky. Z nádraží jsme tehdy šli v noci dlouhou ulicí nízkých domů, přisedlých k sobě, pod elektrickými lucernami. Bylo teplo a voňavo. Jel jsem dál. V jedné obci jsem viděl toto: uprostřed zoraného políčka seděla na stoličce stará žena, černě oblečená, v složitých sukních, sama. V ruce měla palici. Seděla bokem k silnici. Hlídala nějakou setbu před ptáky? Vynesli ji mladí ven, protože v chalupě jim zavazela? Nebo řekla: vyneste mě ven? Šlo na mě spaní. Povzbuzoval jsem se říkáním své balady, až po ten závěr, v němž mi však chybělo jedno přiléhavé slovo do rytmu. Před Trenčínem dal jsem si kdesi čaj s citronem za korunu devadesát. Nová silnice obchází Trenčín zdaleka, křížíc tok Váhu, scvrklý. Zničená řeka, také. Asi deset kilometrů jsem přemýšlel o jazykovém jevu, který nechápu a odmítám: proč se slovo piča užívá jako kletba, nadávka, urážka, proč ho berou lidé sprostě. Mně vždycky znělo pozitivně dráždivě: milé místo. Napadlo mi, že se do toho slova nasákly mužské hněvy proti ženě, zošklivění a všecky špatné zkušenosti. Začínám to chápat: když jsem řekl to slovo a představil si Xenčinu, pocítil jsem chuť neštěstí. Když jsem však to slovo řekl a dal se nést jeho dráždivým smyslem, přivedlo mě k Mariannině klínu. V slovníku trenčanského nářečí je slovo šiksla značící kurvu. Kde to vzali? Když jsem se po chvíli vrátil z jazykozpytu ke Xenčině honduši, hleděl jsem na ni s nepohlavní něžností, jako na její stezku ve vlasech na hlavě. Pochválil jsem se za to.

Cesta se vykroutila ke hřebeni Karpat, a jako by les i louky ošlehl bílý plamen: jinovatka obalila kmeny, větve, lehla na trávu. Tu nad Starým Hrozenkovem jsem zabloudil s letadélkem, hledaje Brumov, když pan pilot mi nechal řízení, obrátil se dozadu a s oběma pažema na opěradle sedadla se bavil s pěknou paní doktorovou Vařílkovou, která si jen tak vyletěla s námi. V létě roku osmašedesát. Padla na mě tíseň: blížím se ke svým estébákům. Vracím se do svého osudu jak dobytče do chléva. Nové dítě je nesmysl! Proč, kvůli ženě, která nakonec udělá, co „musí", bez ohledu na mne?

Na hřebeni či kousek pod ním jsem odbočil na Bojkovice a klesal na moravskou stranu. Kaluže na cestě byly zasklené paprsčitým střínem. Byl jsem velice opatrný. Byl to neuvěřitelný přechod ze slizkých mlžin na slovenské straně. Možná od toho název hor – Bílé Karpaty. Lidé zdola viděli, že už je bílo. Vesnice Bzová mi připadala útulná, čistá. Mírně topila svými sporáky a kamny. Měl jsem pocit adventní… a tragický. Teprve po adventu budeš vědět, praví se v její básni, že návrat je nežádoucí. – Pro koho? Pro mne bylo by žádoucí nevracet se: bylo by žádoucí, abych to dokázal. Ale ona mne teď chce, protože potřebuje. Čí potřebu poslouchám víc: její, či svou?

Z Bojkovic přes kopečky do Luhačovic, neznámou cestou, a odtud cestou oježděnou ke Zlínu. Před slušovickým motorestem jsem zastavil, protože jsem právě našel chybějící rým do hálkovské strofy, jíž bude končit má balada:

Nediv se, jestli uslyšíš
v mém klíně ptáka zpívat,
onehdy přišel zas jeden
mne zamyslit a zmdlívat.
A přijdou opět, přijdou zas,
co ke známé již družce,
neb jsem jako oni svobodna,
věrna jen tvrdé tužce.

Hledal jsem to „zmdlívat" celou cestu z Topoľčan. Tento závěr se mi tak líbil, že jsem chvíli litoval, proč jsem celou „báseň" nezačal v tomto duchu.

Do Zlína jsem přijel v šeru. Mirek dělal na zahradě. „Mám od rána tušení, že přijedeš," řekl. A já jsem pocítil úlevu, jako bych se vracel na neutrální místo bez povinnosti cosi bojovat nebo jako domů. Domů – ve smyslu, který je možná ztracen. Leda zapomenout všecko a jít k mamince a tatínkovi, a protože ti umřeli, k Marii?

U Mirka mívám samostatný pokojík jak v hotelu, i stejnou nezávislost. Ale když nechci, nemusím být sám. Také on si podržuje nezávislost na mně. V rodinách nejsem moc rád: buď se oni musejí věnovat mně, nebo já jim. Tu je to nejlepší. Připili jsme si tokajským, které jsem cestou koupil.

Večer jsme šli do filmového klubu na francouzský film „Jeptiška". Jak na mne někdo jde se silným účinkem, zacloním se proti němu. Ona byla příliš krásná, ony příliš zlé. Její utrpení, natočené dle Diderota, se dalo čekat: protináboženská propaganda nás na ně dávno připravila. Útěk, k němuž jí pomůže kněz, jenž také zběhne, je zkažen tím, jak on se na ni hned vrhne. Z kláštera na velkostatek, kde ji dřou, pak na ulici, kde žebrá, a z ulice do bordelu, kde raději skočí z okna a stručně se zabije. Zbytečně dlouhé, a příliš to pasuje do politiky našeho státu: ten film není u nás svobodný. – V prostorách klubu jsem se cítil jak domestikované zvíře, jež uteklo do lesa, ale brzo se vrací do tepla a neví, kde je líp. Lidé se zdravili a bavili. Mirek mě několika představil.

V davu diváků uviděl svou známou, inženýrku. Hned mě k ní vlekl, viděl jsem zdálky, jak je pěkná, a cestou mi vykládal, že četla všecky mé věci. Pravila prý už dřív, že by se se mnou ráda poznala, ale když jsem byl u Mirka a on ji zval, omluvila se, že má trému. Tedy – na trémistku nevypadala: dost vysoká, ztepilá žena, asi čtyřicetiletá, oválné tváře s pletí jednoho neporušeného tónu. Přesné bílé zuby. Znělý smělý hlas. Řekli jsme si jen pár vět, promítání pokračovalo, a po něm už nikde nebyla. Cestou domů mi o ní Mirek řekl, že je rozvedená a volná, že se mu líbí, a že ona také, jak se mu zdá, má k němu myšlenku. Ale.

Večer v posteli jsem četl Vojnu a mír: Bolkonskij už narukoval, pluk je už v Rakousku. Proč nemá svou ženu rád, nevím: buď to tam nebylo, nebo jsem nedával pozor. Zdálo se mi, že jsem se vecpal se Xenkou do přeplněného autobusu, lidé nás oddělili, protáhl jsem mezi nimi ruku, abych ji chytl, a ona už se držela s někým jiným. Do takových jemných muk to jde? Za trest jsem jí dnes při nákupu s Mirkem poslal z města svou kresbu: sedíme proti sobě ve vaně…

Chodil jsem po Zlíně. Už je mi tu všecko jedno, nic mi nic nepřipomíná. Pod povrchem města cítím jeho nepřátelství ke mně, jež vyvíjí Státní bezpečnost: občas mě tu sledují a už si mě jednou i vyzvedli v Brumově a odvlekli sem k výslechu. Proto do Prahy nevolám, abych nedal hned signál, že tu jsem. A ani se mi Xence volat nechce. Jsem rád, že jsem pryč. Pokoušel jsem se najít uličku na svahu a v ní domek, jistě bych ho poznal, kam jsem jednou večer vyprovodil děvčátko, které se do mne zamilovalo, a já to nepoznal. Bylo útlé, něžné, dětská tvář a veliké ženské modré oči. Pořád bylo někde okolo mne. Po každé kulturní akci či schůzi zůstalo mezi posledními, takže jednou v noci zbylo vedle mne na chodníku samo. Já to nevnímal! Doprovodil jsem ji, svítil měsíček, do uličky vesnického rázu. U branky, kterou si pamatuju, podali jsme si ruku. Ovšemže jsem ji nepolíbil, vždyť by to bylo neslušné. Myslela by si, že jen využívám toho, že jsem s ní šel. Uličku takovou jsem teď žádnou nenacházel. Každá, do které jsem vešel, po několika krocích končila, kdežto tamta byla dost dlouhá. Stalo se to vůbec?

Dělal jsem tehdy manipulanta ve strojírenském skladě a za strojírnami byly ještě punčochárny. Tam pracovala zas jiná Mladá žena: Eva. O přestávce – deset minut – jsem k ní několikrát klusal, pozdravil ji a letěl zpátky. Měla veliká pěkná ústa (jaká se v stáří ženám vymstívají?), dlouhé vlasy, co ještě. Na sobě pracovní plášť! Tu jsem jednou přemluvil, aby se mnou šla k přehradě ve Fryštáku. Cesta lesem byla dlouhá, skoro dvě hodiny? A zas žádné ani líbání. Nebyl jsem si jist, zda by to snesla. Bylo mi dvacet, jí osmnáct. Ale hlavně: věděl jsem, kterou chci, ta však byla pryč: bál jsem se pak ještě dva roky, že je pro mne ztracena, a byla. Neposlechl jsem své tělo, protože nechtěl jsem tělo, chtěl jsem bytost.

A teď oni mají sex pro sex! Vyzkoušet se spolu v posteli, a když je to dobré, stojí za to jít spolu i na procházku nebo na koncert. – Když strnu bez činnosti a bez úkolu, když se vzdám vlastního plánu a vydám se vání pocitů, zklamán cítím, že mám ke Xence nechuť. Skládá se ze strachu, nedůvěry a hněvu. Jdu se podívat dolů, co dělá Mirek.

Něco ramoval ve sklepě, včera. Archivuje své archiválie. Je ďábelsky pilný, ale je to takové křídlení se v hnízdě: z něho nevyletuje. Byli jsme večer na vernisáži: J. M. Navrátil a český romantismus. Zas kulturní společnost. Pohled na ty obrazy dělal mi dobře. Zajímavé: přátelé nevěrné ženy jsou vždycky na její straně. Xence vždycky každý pomůže oklamat mě. Bylo mi špatně, a je mi i dnes.

Mirkovi jsem o dělání chlapce neřekl nic, nemohl jsem! Vždyť on mi děcko rozmlouval už posledně, a vešel s tím do Xenčiny knížky jako postava nesympatická. Do jeho domu, velikého, by se žena ani nevešla: je celý zařízený jako archiv, studovna, knihovna, pracovna, muzeum. A fotolaboratoř, profesionální: vždyť v ní nadělal fotek pro všecky své cestopisy, jež napsali Miroslav Zikmund a Jiří Hanzelka. Dneska jsem v ní od rána dělal fotky a byl jsem z toho až omámený, takže jsem musel vylézt a jít do města koupit si manšestrové sako, jež však v mé velikosti neměli. Prohlížel jsem si také šperky, ale co je šperk. Už nemůžu utrácet. Nevím, kdy dostanu nějaké další peníze. Náušnice pro Xenku stály dva tisíce.

Dělal jsem fotky, ty z Ještědu. Xenka umí dělat gesto, grimasu. Ale připadal jsem si jak ve vzpomínce, jako by to bylo zavřeno a pryč. Dnes od ní přišel dopis. Je v něm čtyřikrát věta „přijeď už", ale ani slovo odpovídající nějak na to, s čím se jí svěřuju. Píše, že už dokončila román, má 505 stran. Potřebuje, abych si ho co nejdřív přečetl. O chlapečkovi píše tolik: „Máš samý chytrý kamarády na tý cestě, ale už přijeď, musíme to realizovat, škoda každýho vhodnýho nenaplněnýho dne!" Její odchylka od spisovné řeči má poslání erotické a funguje tak. Myšlenka na návrat do Prahy mě však divně tísní, a nemůžu rozpoznat, čeho se to bojím. Několikrát jsem chtěl zvednout telefon, ale co uslyším? Buď nebude právě doma, a já se roztřesu úzkostí, nebo bude chtět slyšet, kdy přijedu. Jsem pryč už skoro měsíc, což jsem ani nečekal, ale je snadné být pryč: čím déle jsem pryč, tím déle můžu být pryč! Představil jsem si, že jsem pryč tak dlouho, až bude jisté, že s někým spává. Když přijedu a ona neotěhotní, co můžu čekat? Honbu za úspěchem a za odměnu pak ovšem za zábavou. Touhu po společnosti! Je mi z toho úzko. Jsem zdrcený poznáním, že jsem se tak zkazil: že jí už neuvěřím.

Přišel Mirek a řekl mi, že volal „paní inženýrce" a ta nás zve na večeři. Mám tu další Xenčin dopis na stolku, několikrát jsem ho držel v ruce, ale neotevřel: při žádném dalším čtení se nedočtu toho, co by ze mne shodilo zakletí. Visím na slabém provázku nad čímsi. Mám opravdu asi příležitost osvobodit se; s pomocí nějaké ženy? Moje dcera, krásná a jediná! Tak vnímavá a soucitná, že nesnesla, aby myslivečkově panence, která se posekala srpem, ušla všecka krev, proto jsem musel k písničce přimyslet sloku o náplasti, jež to všecko zalepí. – „Ty seš ale nějakej smutnej, tatínku!" – Moc, a to asi proto, že myslím pořád na sebe, málo na tebe.

Když mi vrátný z porodnice v Londýnské, odkud jsem do té doby dostával samé syny, ohlásil, že mám dceru, vyšel jsem z telefonní budky jako neznámý si člověk. Stál jsem tam chvíli, jako bych nevěděl, kterým směrem mám spěchat. Pro Marii bude to rána, dokončení rány. Och, muži mají mít děti, syny i dcery, přece jen z jednoho klína! Věděl jsem hned, jak těžké to budu mít sám pro sebe a v sobě, ale že nesmím kazit radost: ženě Xeně, ale hlavně své dcerce. Vždyť se narodila!

Ani se mi nechce psát. Kutuzov ustupuje podél Dunaje. Divím

se, že autor v tak velkém dění věnuje tolik pozornosti příhodám mezi vojáky: krádež peněz, prohra v kartách. Dělá to pro zlepšení kresby, z vlastního potěšení, nebo aby zpříjemnil četbu? Je večer dalšího dne. Včera jsme s Mirkem přišli z návštěvy dlouho po půlnoci. Pěšky, a je to daleko. Paní inženýrka... nevím, čím začít a čím skončit.

Uvítala nás skleničkou kalvadosu, jehož rychlé působení jsem hned ucítil. Sama se také brzo přiznala, že ji tréma opouští. Mirek mě cestou zaříkával, abych neodporoval, když mě paní Kateřina poprosí, abych jim přečetl svůj poslední fejeton – o herečkách. Neměl jsem jiný dárek. Přinesla magnetofon. Četl jsem a místy hned svůj text komentoval: shazoval ho trochu, i své čtení. Oba to pobavilo a paní Kateřina řekla, čeho se bála a měla pravdu: že se jí budu líbit. „Líbíte se mi velice," odpověděl jsem, ale zase to trochu shodil: že se tak opovažuju mluvit, protože jsem zrovna zkrouhlý, nic nechci a nečekám, necítím právo ani odvahu. A hlavně – mám jiný spád. „Tož, jaký," znejistěla. „Váš," řekl jsem. Ztemněla a rozčileně začala točit tužkou v ruce.

Mirek měl pravdu: líbí se jí. „Vy nemáte nikoho?" zeptal jsem se při kterési další skleničce kalvadosu, mé i její. „Ne," řekla zčervenalá. „A s kým se potom milujete?" – „Tož, s nikým," pokrčila pevnými rameny, ruce před sebou v klíně. Ptal jsem se, zda nikdo neměl zájem, odpověděla, že zájmů bylo, ale žádný její. Zlín se zdá město, ale přiměřená společnost je malá. Ona už přijala svůj život se dvěma dcerami takový, jaký je. A já jsem nemohl uvěřit, že takovou pěknou, hrdou, cudnou i tělesnou ženu nikdo neobdělává. Její pevná bytost se pod mou opovážlivostí nakláněla – správným směrem. Řekla, že já umím manipulovat se ženami, když jsem tak rychle prolomil zeď, která jí hradila cestu k „tomuto panu inženýrovi", dotkla se rukou jeho ruky. Já odjedu, a vy si tu dělejte, co chcete, děti, napadalo mi. Chvíli do mne ryla: jsem prý jistě zvyklý, že se mi ženy pokládají, a nechávám za sebou oběti. To mě uráželo, vždyť já vůbec neumím tak myslit. Mirek to cítil a vyvracel jí to místo mne. „Ale vždyť teď vidím, jak to děláte," řekla. Odpověděl jsem, že dělám to, co cítím z ní, podvoluju se tomu, co z ní září, abych ji uvolnil k tomu, po čem touží. „Měl jste přijít dřív," řekla a Mirek byl v rozpacích.

Nikdy jsem nebyl v takovéto situaci ani konverzaci. Jednak mě to opájelo – ten jev mezi tou ženou a mužem, na něhož ona po léta jen tak myslela, ale neodvážila se kroku k němu, a zároveň mě to krutě hryzlo: pomyšlením na jinou ženu, která po tom, co se jí zalíbilo, sáhla hned a jistotně. Cítil jsem, jak jsem při svém stáří nevhodně mladý, odsouzený. Tak s touto ženou se loučím, proto jsem řekl: „Dejte mi pusu." Všecko jde, a Mirek propadal do lítosti, že to nevěděl dávno, dřív a včas. „Proč vy jste se nechovala podle své silné povahy," zeptal jsem se. „Včil nevím," odpověděla. „Musel jste přijít vy," snažila se to vyřídit snadno, ale zůstala zamyšleně hledět.

Po večeři jsme seděli dál, ona už na stejné straně stolu s Mirkem. Mluvilo se už o mnohém jiném, ale mně pořád vadilo, že mě považuje za lovce žen. Kdybych ji měl opravit, řekl bych aspoň „lovec v ženě", jenže mi to tam nenapadlo. Když jsme odcházeli, stál jsem proti ní chvíli sám a ona řekla: „Chtěla bych s vámi ještě být." Řekl jsem: „Já s vámi víc." Zvedla obě ruce k obličeji a řekla: „Ne... ne!" A už poslední tři naše věty mě zatížily jak nevěra. Čí a komu? – Moje a Mirkovi.

Usnul jsem pozdě, přesto jsem se vzbudil už v půl šesté a nemohl usnout. Lomcoval mnou ničivý stav: jsou ženy pěkné, vtipné, zajímavé a věrné! Ale to všecko měla i moje Xena! Je to moje vina, co se stalo? Či nestalo se nic a já jsem přepjatý? Jsou ženy na vyspání: pomůže to? Vlastně bych mohl hned zítra jet do Prahy. Ale stýská se mi? Ano, po něžnosti a oddanosti, po mé nevině. Ale po mukách se mi opravdu nestýská! Se studem vracel jsem se k včerejšku: k ženě, s níž jsem málem zradil Mariannu.

Večer jsem zas dělal fotky. Xenka na koni. Není to tak dobré, jak jsem čekal. Musela by se s tím koněm víc hýbat. Postavit se ve třmenech. Půvabnější jsou záběry, kdy jde vedle koně a snaží se ho udržet. Dobré je, jak vedle ní jde Josef, oblečený. Nechce se mi domů. Kdy budu mít takovéto volno? Šel jsem do města, nahlížel do výloh, ale když mě to zas táhlo k ženskému prádlu, věděl jsem, že dlouho tu už nebudu.

Zvonil telefon, Mirek ho zvedl, byla to Xena. Kdy přijedu? Ještě nikdy nedala najevo tolik přímého zájmu: kdy přijedu? Už spávají všecky pohromadě, Lucka je zběsilá. Chtěl jsem, aby mi ji dala k telefonu. „Kdy mám přijet, Lucinko?“ Uslyšel jsem krásný hlásek: „Mně stačí, tatínku, když přijedeš po Mikuláši, jak jsi mi říkal.“ Xenka pak řekla: „A tu strašnou knížku zahoď! Proč to čteš, takové nesmysly?“ Držel jsem pak sluchátko, i když jsme už nemluvili, ona také. Všecko se převracelo. Jako bych si všecko zlé jenom sám vymyslil. Jako bych pro ni byl jediný a nejlepší muž. „Už jsem si přečetla svůj román, vcelku.“ – „Jaký je.“ – „Nejsem schopná to posoudit, ale ke konci se pořád zlepšuje. Už to musíš číst.“ Řekl jsem: „Ale já to nepřečtu tak rychle...“

Myslím si, že jsem někdo jiný než ten, o kom píše. A ona to nepozná, protože když se zas vrátím, všecky pocity i skutky najdou své staré vydrané dráhy. Je sobota odpoledne. Jsou dva stupně nad nulou. Pořád ještě můžu jet dál. Nepřijel bych, ani bych nic neoznámil, až za nějaký čas. Cítím, že bych mohl kdesi bez bolesti zůstat přes Vánoce. A potom už pořád. Zvláštní lhostejnost. Divné je mi i to, že střelka k Vánocům nemíří do Prahy, ale přes tyto kopce do Brumova. Tatínek, maminka, ogaři a Lida, Štědrý den a stromek, kostel s koledami, a hned po svátcích přijede mi Marie: ukázat se mým rodičům. Odtud dál, a kam až, abych nepřehlédl chybu svého životopisu?

Zavolal jsem Marii, že jedu domů. Hned mi řekla: „Víš to, že Ludvík Kozáček měl pohřeb? Věděla jsem, že v Kremnici už nejsi, a kudy se budeš vracet, jsem nevěděla. Nemohla jsem ti to ani dát vědět.“ Bratranec Ludvík Kozáček, syn Ludvíka Kozáčka stolaře, mého kmotra. Byli jsme jediní Ludvíci, co znám; ještě v Kloboukách učitel Ludvík Vlk. Bratranec Ludvík je důležitá postava i rekvizita mého pasáctví. Pásal kozy odvážně a riskantně. Když jsem hnal s ním, vždycky se něco špatného zajímavého stalo. Byl to rváč a posměvák. Uměl několik cizích řečí a všecky jen napodoboval. Ještě nedávno, už v důchodě, byl politicky podezřelý z říkanky, která se objevila na řeznictví, když nebylo masa:

Prodám žalúdek aj střeva,
není mně jich více třeba.
Půjde-li to takto déle,
minu se aj bez prdele.

On věděl kde o jakých hruškách a rynglích, on nosil na pastvu karty i sirky, sehnal i cigaretu. Naučil mě hrát hru s dřevkama zvanou kurvičky, vedl hru na štištilípa, při chytačce v lese hongal se odvážně ze stromu na strom, pokoušel se mne zachránit, když v srpnu osmašedesát přišli Rusi, půjčoval mi mandolínu do potoka, od něho jsem slyšel píseň „Honzo šedivej, jen se podívej, co tá holka má mezi nohama“, sprostou prý, ale já jsem nevěděl čím, protože jsem myslel, že má mezi nohama třeba knížku nebo hrnec. Udělal si vynález proti lezení koz skrze křoví do jateliny. Kozy měl rohaté, bradaté, proto je nazval Cyril a Metoděj: na Metúdovi i jezdil, což ale opravdu mi připadalo už jako hřích ke zpovědi. Ještě když už přišli Němci, zpíval píseň „Země Česká z hrobu vstává, probouzí se český lev“. Potom musel do rajchu, odkud se vrátil překvapivě vážný, měl mnoho neveselých příběhů a se mnou začal jednat jako s rovnoprávnějším než na pastvě. Skoro vždycky jsem za ním zašel, když jsem byl v Brumově. Byl už i vdovec a na dvorku měl ochočenou kavku. Poslední dobou pokašlával a chodil těžce, říkaje, že to nic není, že to vytáhne zem. Naposledy pravil, že už na to má předepsané Manďákovy lázně. Manďák je brumovský hrobař. Politice jsme se vyhýbali a četbou se Ludvik moc nezabýval nikdy, naším předmětem byly pořád znovu ty staré příhody a kdo umřel. Podání starých příběhů se však měnilo, Ludvik jim dával jiný smysl. Dobrý příběh o tom, jak mu obecní ožralec, zbídačený státní úředník, jednou dal peníz, láhev a poslal si ho pro kořalku a Ludvik mu jí upil, ulil a doplnil scankami, vyprávěl naposledy s jakýmsi údivem. „On sa napíl, podívál sa na flašku, napíl sa, vyplúl to na zem a praví1: V tom je moč!“ – „Moč?“ podivil jsem se teď, po padesáti letech. „Ano, moč. Řekl.“ Na tom slově moč místo „scanky“ Ludvik dodatečně poznával vzdělání a důstojnost toho chudáka a jeho strašlivý pád. Ludvik už také trochu pil. – Tak tys umřel?

Dalšího dne jsem odjel. Dokud jsem se pohyboval po menších silnicích, cítil jsem se pořád ještě na cestě. Na dálnici však to byl už jenom technicky suchý návrat na životní parkoviště. Velice se mi chtělo spát. Musel jsem hlasitě křičet, abych neusnul. Zpíval jsem si „Honzo šedivej, jen se podívej“ a další Ludvikovu píseň na zpověď – „Šel vojáček po silnici a plakal, ptalo se ho hezké děvče, co je vám“. Cítil jsem, jak se kilometr za kilometrem dostávám zpátky do nenapravitelného postavení duševního. A zároveň se mi z bezmocnosti až ulevovalo: To vytáhne zem!

Na našem balkoně viselo jakési prádélko. A protože už několikrát spadlo nějaké do trávy pod balkonem, mimoděk jsem sklonil hlavu. Uviděl jsem použitý prezervativ. Josef se usmál.

/ PROSINEC 1986 / Každé ráno si měří teplotu a ta se opravdu zvýšila o dvě až tři desetiny stupně zrovna den před mým příjezdem. – Tedy do toho? Je něžná, citlivá a vzrušená. Je to šťastný návrat. Ale co se stane, může stát za měsíc, o tom se dovím za půl roku, za dva. Z její nové knihy? Položila mi do rukou svůj román a rozechvělá řekla: „Myslím, že je lepší tvůj Snář.“ – Zarazilo mi to pohyb i slova. Stál jsem před jinou nejen bytostí, ale soustavou. Nemělo smysl říkat jí: Tys ještě ani nevyčetla všecko, co v mé knize je. Protože na to je ještě mladá. (Zandvoort 1991: Teď ji za tu větu miluju velikým soucitem, protože jí odtud víc rozumím: byla tak přesvědčená, upřímná, pravdivá, svébytná, bezmocná a bezbranná, třebaže mi ubližovala. Odkázaná právě na to, že jí to odpustím.)

Dále řekla: „Uděláme si krásnou, takovou předvánoční procházku Prahou! Kde nám napadne, dáme si nějakého panáka a zvu tě na oběd do Beogradu.“ Panáky vypili jsme dva: v jakémsi baru ve Vodičkově ulici becherovku a v sovětské Čajce koňak Ararat. Šli jsme ulicemi a vedli se. Kožíšek jí opravdu sluší. Je to žena na radost. Krom toho umí pracovat. Stinná stránka: každá její pátá věta byla o jejím psaní. Nemohl jsem jí říct: Mluvme trochu také o mém psaní! K minulosti se nevracela, ona raději moudře přejde k lepšímu životu se mnou. V restauraci Beograd ještě dvě deci červeného vína. Byl jsem trošku omámený a předvánočně rozmačkaný.

Jeli jsme pak metrem domů, a když jsme na Kačerově čekali na autobus, řekla: „Vadilo by ti, kdybych do příštího čísla dala tu svou adventní báseň?“ Nemohl jsem tomu uvěřit: tu báseň, na niž jsem si u ní předloni stěžoval, protože v ní psala, jak jí ruce ode mne magneticky odpadávají, protože děťátko se nenarodí. Tehdy byla po interrupci, měla důvod to napsat. Ale proč s tím jde na buben teď, když děláme chlapečka? Aby ještě chytla sezónu, protože od gravidní by to už znělo falešně! Ale neřekl jsem jí to, řekl jsem jenom: „To by mi vadilo tedy velice, ale dej ji tam." Už těmi slovy ji tam přeci dala. „Tak promiň," řekla.

Do autobusu jsme v davu, jako náhodou, vlezli každý jinými dveřmi. Jeli jsme každý sám. Pocítil jsem, že jedu špatně: proč s ní jedu, když do své literatury dává na mne jenom žaloby? Nic nebude zaznamenáno, co jí dávám pěkného, jenom úrazy a křivdy. Když jsme na Novodvorské vystoupili, pokusil jsem jí svou námitku vyložit takto: „Kdyby nějaký tvůj životopisec jednou napsal, že léta, která jsi žila se mnou, byla nejhorším obdobím tvého života, bude to pravda?" Neodpověděla a já jsem ani nepoznal, jestli mě slyšela. Šel jsem vedle ní jak na provaze. Báseň jsem do časopisu samozřejmě dal. Na redakční schůzce jsem se cítil poplivaně.

Převlékali jsme se potom a já si připadal jak darebák: proč tu odkládám kalhoty, košili, když jí tím zakládám na další utrpení a sobě na její žaloby? Cítil jsem její napětí a věděl jsem, že jí jde jakoby až o život, chtělo se mi utéct, ale nemohl jsem, ba měl bych s ní mluvit o čemkoli. Ale vtom se už zhroutila, spadla na postel, kterou ve své poezii nemá ráda, a začala bědovat. Bědovala tak pravdivě a bolestně, že jsem jí to mohl uznat a procítit to s ní jedině já, kdežto cizí, objektivnější člověk, muž či žena, by se s nechutí od ní odvrátil, protože byl to nářek ponížené plánované pýchy. Že proč ona nemá čtenáře, kteří by ji oslovovali a chytali ji za ruce. „Já přeci také mám právo dostat kytku. Já nikdy nebudu mít knížku ve výloze? Nikdy nepojedu do toho Řecka, po němž celý život toužím a kam smí každá funkcionářská kráva? Táta když dokončil knížku, tak se to oslavovalo, a co já? Dopisy čtenářů – kde jsou? Jak můžu psát dál, když to čte dvacet lidí? Kdo o mně ví, kdo mě ocení! Mně nikdo neporadí, nemám ani žádnou kamarádku, žádnou!" vykřikla. „Nemám nikoho!" – Ale vždyť jsem tu já, máš přeci mne – to se nehodilo říkat, když to všecko byly stížnosti na mne a ke mně, kdyby žila s někým jiným, netýkaly by se mě. Zmítala se na posteli, chytala se za hlavu. Hladil jsem ji jenom. Tišit slovy – jaká slova? Má pravdu. – Pomalu se uklidňovala, několikrát řekla promiň a otírala si oči, z nichž jí tekly černé stružky. „Jak vypadám? Strašně!"

Toto mám na svědomí, na odpovědnosti a v další péči? Řekl jsem za chvíli, v klidu: „Máš pravdu. Ale kdybys to chtěla změnit, musela bys opravdu změnit něco ve svém životě, víš co." Myslel jsem: psaní, přátele, muže. Posadila se zpříma, otírala si tváře a řekla drsně: „Prosímtě! Co můžu změnit? Tam by to bylo přeci to samý."

Ji jsem těšil. Ale pode mnou se vyšklíbla propast. Propast mezi chudákem a pánem. Oslavy, květiny, popularita, úspěch – po čem ona touží, na to se nezkažený člověk nezaměří! Ona sice uklízí divadlo: ale jen s tou podmínkou, že je nebude uklízet. Ale co když budeš muset, děvče? Kdo tě z toho vytáhne, a když nikdo, čím si pomůžeš sama?

V noci potom pravila: „Já mám pocit, že co žiju, není skutečnost. Zaveď mě snad k psychiatrovi. Jsem jak v luftě. Od chvíle, kdy jsem to dopsala, visím v prázdnu. Co teď? Nač to všecko?" Odpověděl jsem: „A k tomu chceš další děcko?" – „To by bylo aspoň něco. To by mě povzbudilo, obrana organismu..." Asi deset minut jsem jí vysvětloval, že žádný psychiatr neví o ní víc, než o sobě ví sama, jen se na to musí pořádněji podívat. Že ta část přírody, která je v ní, i když je menší než ta vnější, v ní také pracuje a mění se. Její stav je přirozený, musí ho jen přijmout a překonat.

„Dovedeš si trochu pomyslet, co prožívám já? Sám se sebou, v tomto věku a v těchto poměrech?" Mlčela. Zadržel jsem dodatek: a s tebou? „Já jsem také nemocný." Zvedla se na loktech: „Jak. Co je ti." – „Nehodí se to říkat, musím to snést..." – „Jak to! Přeci mi to musíš říct, teď už musíš!" – Prsy jí visely nad mou tváří. Nemohl jsem jí říct nic, teď už. Jak se cítím chycený, a jak je mi moje deprese, ta dekadentní nechuť k budoucnosti protivná. A jí že nevěřím a nevím, čím uvěřím. Mazlila se se mnou.

Teď peče v kuchyni vánoční cukroví, Lucka jí pomáhá. Zvýšená teplota trvá čtvrtý den: co to znamená? Magdaléna přišla právě ze školy a okamžitě si bere nad Luckou velení: jak to má dělat. Lucka brečí. Jdu tam a říkám: „Ale děti!" Xenka pracuje vášnivě a trochu nešikovně: totiž nemá všecko ještě nacvičeno, své pohyby. Magdaléna je nadaně hbitější.

Včera jsme byli v divadle na Nové scéně ND. V televizi je mi Jiří Vala protivný: v roli čestných funkcionářů, jaké by ve skutečnosti tento režim zavřel a ještě dříve popravil. Teď mě poctivostí svého výkonu dojal. Seděli jsme v první řadě, mohl jsem ho dobře pozorovat, hodilo se mi to. Potom jsme šli do Slavie, sedli jsme si k oknu a vedle nás byla větší společnost mladých lidí. Byli hnusní: jejich zájmy, jazyk, jejich intonace! Xenka řekla: „To samé bysme měli i tam, jenže v jiné řeči." Domů jsme jeli taxíkem, což mám nerad, ale bál jsem se odporovat jí. Kde vezmu peníze? Její plat je mizerný, přídavky na děti nic nevyrovnají. Pod okny řekla: „Kdybych měla jiného muže, nemohla bych tolik psát." Řekl jsem: „Třeba bys víc žila a nepotřebovala psát."

V předsíni vzpomněla – nevím vůbec proč! – svého prvního dopisu, který mi napsala: vyznání lásky, které jsem několikrát přečetl a pak je zničil, protože jsem je nesnesl. Ve svém rukopise říká, že jsem je zničil, aby mi – aby ho Josefovi nenašla manželka. Proč to do té knihy musí dávat? Aby čtenář viděl, jaký to byl vůl, a já abych cítil, že jsem to až do detailu já? Vytkl jsem jí, že myslí v bulvárních pojmech: muž se bojí manželky a ničí dopisy od milenky. Já měl jiných věcí na schovávání – před estébé! Řekl jsem jí: „Ten dopis nebyl psaný mně, byl to dopis psaný muži, jakého chceš milovat. Nebyl jsem ten, komu jsi psala, a nesnesl jsem to." Zašklebila se: „Ts! To mi nepovídej. To ti neuvěřím nikdy." – „Jak ti to mám potvrdit?" – „Ne, je to póza, děláš se lepší než já." Měl jsem chuť vrátit klobouk na hlavu a odejít. „Proč ses potom se mnou vyspal?" argumentovala. Vyspal jsem se s ní já, jaký jsem, ne ten, komu psala. Šli jsme ležet, protože byl na to čas, noc. Nebylo mi dobře. Potřeboval jsem jít pryč, zmizet z takového nepochopení: je to teror. Jenže o koho teď jde, komu mám dát přednost? Ona je v horší bídě: protože já cítím sebe i ji, ona jen sebe. Myslím, že toto dlouho nevydržím, když to nepřestane.

Usnul jsem a vzbudil se ráno do hrůzy z existence. Neotevřel jsem oči, nevstanu. Řekl jsem, že nemůžu vstát. Vypravila děti, a než odešla do práce, přinesla mi čaj, chleba s máslem a medem. Pomalu jsem se vzpamatovával. Jak to děláte, vy jiní lidé?

Toto všecko píšu bez chuti, jen z donucení: nutí mě má zkušenost. Později to možná nabude formy i účelu. Teď ho neznám. Píšu do duševního šuplíku. Teď jsem se jí šel do kuchyně zeptat, nač myslí. Na svou novou divadelní hru: „Při zavřené oponě vyjede na diváky zvuk srdce: aby tam nebyla hned ta postel. Tep se zrychluje, jsou to vlastně dvě srdce, jedno pomalejší, těžké, druhé lehčí, rychlejší. A pak se to spojí v jeden takovej... hotovo. Opona jede nahoru a na jevišti je postel a v ní takové ty už jen uvolňovací pohyby." Hra pro dva herce. Napadlo ji to loni v létě, kdy nás probudil komár a já se ho snažil najít. O svém videofilmu už nemluví, na tom dělá režisér.

Je sobota. Jsem ve svém bytě. Vzal jsem si první část jejího rukopisu. Přečetl jsem v posteli před spaním asi sto stran a byl jsem jak v horečce: nemohl jsem usnout, noc se vlekla, a ráno v šest hodin jsem viděl, jak rychle utekla. Prostě nevím, jak se k té knížce zachovat. Když to čtu, nemůžu ji nechat bez pomoci. Odmítnu-li to číst, velice ji to zraní. Ten Pavlin chlap je také spisovatel. Proč!? Ale nemá žádnou originalitu ve skutku ani slově. Myšlenky ovšem žádné; to není autorčina metoda. Jedou autem a on jí od volantu řekne: „Unavená?" To mně je protivné: „unavená? spokojená? pohoda?" „A Hlas Ameriky vám v base nepustili?" ptá se propuštěného vězně ten blb. Na bále je líný tančit. Ve skutečnosti se několikrát stalo, že Xenka odmítla se mnou tančit. Z jeho zimníku táhne manželčin naftalín, ač já ani Marie ho nesnášíme. Zbaběle se zamkne na záchodě, aby se vyhnul nepříjemnému hovoru s Pavlinou matkou. Když tedy si autorka i něco vymyslí, jsou to takováto naftalínová klišé z primitivních grotesek. Využívá ošklivých příhod, na kterých jsem měl nějakou vinu, a vynechává ty, které způsobila ona: například hroznou scénu ze spisovatelské schůzky, kdy jsem jí a kamarádům chtěl představit svůj kraj i některé své přátele. Ujížděl jsem odtamtud o zabití s jejím opile cynickým smíchem v mozku. Smysl některých faktů obrací. Na jedné schůzce vznikla zajímavá a rozčilená debata, do které jsem také vstoupil. Jak jsem se přihlásil o slovo, Xenka se zvedla a odešla. Vypadalo to jak demonstrace: všichni se odmlčeli, žasli a já mluvil jak podřízlý. Druhého dne jsem jí to vytkl. Řekla, že to byla náhoda, potřebovala se už nadechnout venkovského vzduchu. V rukopise tuto příhodu podává takto: Pavla šla ven zvracet, protože Josef ji přivedl do jiného stavu, aby ji pak nechal jít na interrupci. Já vím, že takto se kniha číst nemá. Jenže tato kniha je tak přímo psaná. Všecky události jsou skutečné, nepřidala k nim skoro nic, ale líčí je tak, jak by je líčil můj nepřítel. Toto je moje žena? A ještě ode mne chce děcko: jak ho proti mně použije?

Interrupce! Skvělá kapitola! Zatím nejlepší místo knihy. Zklamání té ženy a její pohrdání tím mužem, to jí pochválím. Padám však hrůzou z toho, že tento kostým šila na mé figuře. Autorka mě neochrání před ničím, nezakryje žádnou mou hanbu. Marně jsem byl lepší než předchozí její muži, dopadám nejhůř. V jednom afektu se Pavla ohlíží, co by Josefovi mohla udělat, a napadne ji uškrtit ho jeho vázankou: ale to by jí „národ neodpustil". V té knize se o nějaké „práci pro národ" vůbec nepíše, tomu se autorka vyhýbá, což je správné. Mluvit tedy o Josefovi jako o významném člověku není na celých pěti stech stranách důvod, a tak narážka jenom ukazuje z knihy ven na mne. Josef vůbec nemá příležitost vyložit před čtenáři Pavle své důvody proti narození děcka: není tam jeho věk, jeho zdraví ani jeho obavy z budoucnosti v takových poměrech. Jeho názor je povrchně podán v hloupém rozhovoru s přítelem. Nedostal na vysvětlení svého stavu ani tolik místa, kolik ho dostávají kamarádky Anna a Ema na jeho mravní odsouzení. Zatímco Pavla vede nad početím duševní zápas, Josef nic: není autorčinou metodou ukazovat nitro jiných lidí. Její vpisky a slovní úpravy po mých připomínkách nemění na knize nic. Jaké má vlastně poslání?

Z nesnesitelnosti myšlenek jsem se oblékl a potichu, abych nevzbudil Mariii ve vedlejším pokoji, vyšel jsem z domu. Na chodníku otázka: ke Stromovce, či k Vltavě? Tunel a vlak, nebo jez na Štvanici? Zasmál jsem se tomu a šel ke Stromovce, abych při procházce vychutnal jedno místo rukopisu: Zatímco o Jakubovi, který Pavlu s ročním dítětem opustil, se píše, jak ji učil „sát tělem slunce", Josef ji naučil interpunkci-interrupci. – Nikdy už na ni nepolezu, rozhodl jsem se. Vydrž, národní hrdino blbácký!

Dopoledne jsem potřeboval zajet ke Zdeňkovi. V tramvaji mi napadla stará mrzutá věc: že ta žena mě opravdu takového vidí a cítí! Dá se jí to vytknout? Ke Zdeňkovi často chodíme se Xenkou, vždycky v pohodě. Když jsem k němu přišel, dostal jsem chuť nevědět a neznat nic škaredého, a zavolal jsem jí. Měla živý pěkný hlas. Pozdravil jsem ji a řekl: „Jsem u Zdeňka. Přemýšlel jsem nad tím, co jsem ti řekl o té básničce. Nemám právo ti bránit. Rozepiš si ji přes neděli." – „Ale to je hloupost," odpověděla, „víš, že se mi povedly krásné vanilkové rohlíčky? Vůbec nejsou spálené."

Večer jsem však pokračoval v té četbě. Marie řekla: „Ty čteš asi Xenku, že?" – „Proč," řekl jsem dopáleně. „Protože nic jiného nevnímáš. Tak proč u ní nejsi?" Dusivá nechuť ke všemu. Oblékl jsem se beze slov a šel jsem. Kam? Kam?! Josefův sprostý a poživačný vztah k té ženě zní i z toho, že ji oslovuje „gejšinko". Ale už jsem si přeci umínil, že ten text nesmím brát tak osobně: je to vážný materiál studijní. Cosi v něm musí být zašifrováno, čemu ani autorka nerozumí. Moje životní síla k ní prochází jakýmsi filtrem: já obětuju a ztrácím něco, a ona to nedostává.

Ráno ležel na střechách sníh. Přes den jsem učítal ten rukopis. Večer jsme s Marií byli na koncertě: syn a snacha nás pozvali. Když jsem se o pozvání dověděl, polekal jsem se: zrovna teď o tom Xence nemůžu říct, a když mě někdo uvidí a řekne jí to... Účinkovaly společně dva smyčcové orchestry: mužský a dívčí. Hrály Vivaldiho, dva Bachy a ještě cosi; líbivé věci. Bylo to efektní. Bavilo mě prohlížet si tak zblízka, z třetí řady, hudebníky, sledovat jejich mimiku a gesta. Konečně jsem byl na chvíli v jiném světě. Před koncem jsem si uvědomil, že moje oči se samy vyhýbají ženám: bíle oblečeným, plujícím v hudbě. Všechny byly mladší než Xenka a většina byla i pěkná. Ale ten živel mě odpuzoval.

Zítra budu věcný a rozumný. Mluvit o knize musím, ona na to čeká, myslí na to i při rohlíčkách jistě. Vlastně stačí říct, že se mě ta kniha moc dotýká, ale že můj názor neplatí. Musí počkat na posudky jiných lidí. Změny, které udělala během doby, co jsem byl pryč, že jsou všecky dobré, řeknu.

Ale dopadlo to jinak, Xenka se nespokojila s tak povrchní výmluvou. Říkala mi námitky a nutila mě formulovat pocit a názor konkrétně. A já na některé příčiny přicházel až při tom: že Josef není vlastně postava, je to nehybný panák, na jakém jsme se na vojně učili boji zblízka bodákem. Suponovaný partner! Pro ni jsem však zvolil decentnější příklad: je to zeď, na jakou tenistka hraje půvabně míčkem a vždycky vyhrává. „Ne! Tys to četl špatně!" divila se. „Kdyby sis z celého rukopisu zvlášť vypsala všecky jeho věty, uvidíš, že to dohromady netvoří roli a postavu.“ – „To udělám,“ řekla. „Toho Josefa prostě nenapsalas. Přidalas tam odstavce o tom, že se zhroutil, protože jsem tě o to požádal. Ale ty sama ho nepromýšlíš.“ – „Počkej, jak to myslíš,“ řekla. „Přiznej se, že do každé scény jsi šla už s předem jasnými větami jejími i jeho a vědělas, jak ta Pavla nad ním vyhraje. Zastavila ses někdy a počkala, co udělá a řekne Josef sám od sebe?“ – „Počkej, to je zajímavý, co říkáš!“ Uvědomil jsem si, že tímto bych ji rozkolísal tak, že by nemohla napsat snad už nic: vždyť ona je vždycky autorkou jedné postavy! Píše jen ji, cítí jenom ji, toto je její metoda a já jsem jí nedávno vysvětloval, že to může být její originalita. – „Jenže to je nezměnitelné,“ řekl jsem, „to jsem ti schválil. A blbé na tom…, Xeničko, je jenom to…“ Josef se rozbrečel. Vůl. Skočila k němu, objala ho jak děcko. „Já to zahodím! Ano, to je hotový, a mně je hned líp, zahodím!“ Řekl jsem, až ho přešly soply: „Jo, to bych si dal!“

Přišlo datum koncertu, na který koupila lístky, když jsem byl pryč. Těšila se na to, a seděla tam potom netečná, mdlá, bezduchá, zbitá. Zjev z Velikonoc roku osmdesát pět, kdy se pořád ještě, což v knize nepřiznává, loučila s Adamem. Na nic jsem se jí raději neptal. Potom v noci jsme nemohli usnout, cítil jsem, že mě nechce, a nechtěl jsem ji také. Rozžala a řekla: „Vyložím nám karty, chceš?“ Dává kartám otázku, co se stane do dne, do tří dnů a do týdne. Do dne – skvělé, půjdeme přeci spolu zítra na oběd do města. Do tří dnů – mrzutost s úřady, dostanu asi předvolání k měsíčnímu výslechu. Do týdne – neštěstí, ztráta. Rychle karty shrábla a polekaně řekla: „Blbost, přece nevěříme kartám!“ Do týdne menstruovala. „To bylo vono, ta ztráta!“ vydechla ulehčeně a pak zvrásnila tvář. „Já jsem přijel už pozdě,“ pravil jsem. „Jasně, už jsi to nechyt,“ vystrčila bradičku. „Ale nemůžeme,“ řekl jsem, „táhnout tu hru donekonečna.“ – „Ovšemže ne, miláčku,“ řekla.

Když jde kolem Josefa, dotkne se ho rukou, prstem. Pohybuje se jakoby ukročeně, ačkoli už nemenstruuje; demonstruuje. Když spolu sedí v její pracovně a hledí na televizi nebo ne, on ve svém křesle se složenýma nohama pod sebou, ona na svém gauči s nohama pod sebou široce rozevřenýma, Josef vnímá, že za oponou prověšených šatů má ji nachlíplou, tu jámu. V noci dostala nečekaně vzácný nápad ze své jedné povídky a Josef ji napomenul: „Nesnaž se tak protivně!“ – „Nechej mě jednat přirozeně,“ řekla. „To právě není tvá přirozenost, to píšeš.“ – „Já jsem se změnila,“ řekla.

Brání mi psát dál. Je po Vánocích, a já nemám zapsány Vánoce. Všemi způsoby mě oddaluje od stroje, ruší mě, vkládá do mého času jiné záměry. A teď nemám zapsány ani její nejpěknější chvilky humoru, velkorysé milostnosti, slovního vtipu a svou houpačku úmyslů. Teď právě zas: přišla z nákupu, vidí, že píšu, a říká: „Nechceš si raději jít se mnou do kuchyně povídat?“ – „Chci teď psát.“ – „To musí být hrozný, psát furt o tý megeře.“

Odešla a za chvíli se postavila do dveří a řekla: „A je v té mé knížce aspoň něco dobrého, co se ti líbilo?“ – „Ale jistě! Scény s Adamem mají kouzlo, poezii, erotické napětí...“ – „To jsem ráda. A s Josefem to tam není?“ – „Ne. Ten na ni vždycky jenom vleze.“ – „To neříkej.“ – „Nalistuj si to. Mně nevadí, když je Josef zvíře. Ale ve skutečnosti je snad přitom i něžný, ne? Chci, aby byl zvíře a něžný!“ – „To tam není?“ říká vylekaně. „Ne, je to vůl.“ Odchází naštvaně, jdu za ní a říkám jí: „Když ona se rozhodne nechat Adama a vrací se k Josefovi, čtenář se diví: co má na tom volovi?“ Odsekne: „Má ho ráda.“ – „Ne, ona si jen nechce tak rozházet život.“ – „Má ho přeci ráda, ne?“ opakuje. „Když ho má ráda, je to zas jenom její další půvabný rys: má bezdůvodně ráda nehodného chlapa.“ Je to tak, právě jsem na to přišel. A odcházím.

Za chvíli se vracím dopovědět jí něco: „Ke škodě knížky nenapsalas tam ani, jak to bylo opravdu: že ses s ním loučila velice nerada a dlouho.“ – „To není pravda, bylo to hotovo hned.“ – „A co ty naše Velikonoce? S ním ses rozešla v lednu, a v březnu jsme se rozcházeli spolu. Byl to těžký tvůj zápas, Xeničko, já ho cítil, ty mě ráda asi máš, ale Pavla Josefa ne. V tom ta knížka je slabá.“ Přemýšlí a pak řekne, vlastně přizná se: „To by byl jiný příběh. Pro ni to skončilo tu noc a od té chvíle ona se bojí, že se to dostalo k fízlům. Ta knížka je o tom.“ – „To je škoda. Mělas napsat, jak se loučí, s čím ses loučila ty: s mládím, se svobodou? s dobrodružstvím? Trpělas!“

Odešel jsem zas do ložnice k svému stolku. Přišla, sedla si za mnou na postel, čekal jsem, co poví. „Můžeš mi to konečně odpustit?" řekla. Zajímavé: já jí to neodpouštím? Ale to by opravdu nemělo smyslu dál spolu být. Oč mi opravdu jde? Obrátil jsem se od stolku k ní. „Nemám co odpouštět, zavinil jsem si to. A ten Josef ještě víc. Já mám starost horší a tu jsem si vozil s sebou. Co až potkáš někoho, kdo bude mít byt s těmi velkými okny a bude ti moct dát všecko, po čem toužíš? A bude mladší. Co se mnou? Žeru se vědomím, že tě zdržuju od setkání s člověkem, pro jakého mě necháš."

Přemýšlela a potom s krutou pravdou odpověděla: „Takových je málo, a moje setkání s ním je ještě nepravděpodobnější." Vstala, udělala ten krok k němu, víc místa tu není, objala ho, začala ho líbat: „Už s tím přestaň, ale-ale no tak! Já ti přísahám...," odskočila a zvedla dva prsty. Chytl rychle její ruku, přitáhl si ji k ústům. Nechala si líbat prst po prstu a hleděla na to se slzami. Napadá mi, že ona se z jakéhosi důvodu potřebuje v Pavle kreslit tvrdá, pevná a vítězná. Vždyť ona také není tak plytká jak Pavla.

Na Štědrý den jsem s Magdalénou a s Luckou šel do zdejšího kostelíka. Ale lidi stáli až venku, museli jsme se vrátit. Smrk je veliký a široký, strojila ho Magdaléna s Luckou, zatímco my jsme se bavili s návštěvami: s Terezou a Annou. Tereza je zvyková sváteční návštěva: chodí každý rok takto na Štědrý den dopoledne, trošku popíjejí, hodně vzpomínají a nechají mne dovídat se něco ze života svobodných žen. Či ze života žen, jež se rozhodly jednat svobodně. Otřásá to mou výchovou a očekáváními, zhoršuje to můj názor na mladé lidi, spojuje se mi to s názorem na režim. Připadá mi vždycky, jako bych já přišel k nim na dočasnou návštěvu, a jako by si to Tereza dokonce uvědomovala. Když ony se rozjedou, cítím, že patřím do starého náboženství čili železa.

Na Štědrý den a Boží narození bývám takto se Xenou a dětmi, druhý vánoční svátek bývám s Marií a jdeme k někomu z našich synů nebo oni přijdou k nám. Silvestr – konfliktní den.

Já jsem silvestra za svátek nepřijal. Když jsem byl malý, naši nikam toho večera nechodili. Druhého dne k nám přicházely návštěvy nebo my jsme někam šli a všichni si vinšovali. Mladí muži chodili

„s koláčem" po cerkách, aby jim ho načaly. Posledního válečného silvestra, roku 1944, jsem na světnici v internátě zůstal sám, bylo veliké ticho a já dostal pocit, že budoucnost je nebezpečná: kdo zůstane živý? Protivilo se mi silvestrovské řvaní a blití. Byl to den zamyšlení a vnímání výstrah: takto brala silvestr i svobodná Marie, o tři sta metrů dál, a nevěděli jsme o své totožnosti. Napadá mi, že lidé by se při seznamování pro život měli jeden druhého zeptat: co děláváte na silvestra?

Když jsem v posledním dvacetiletí strávil některého silvestra bez Marie, nebylo mi z toho dobře ani při slasti rajské. Nejen proto, že jsem ji nechal samu: těch svátků bylo, co zůstala sama! Ale cítil jsem to jako zradu přesvědčení: jako bych vystoupil z víry. Poslední léta, co naši syni jsou velcí, jsme s Marií na silvestra odpoledne šli někam do krajiny a o půlnoci někdy poslechnout si pozounéry ke Staroměstské radnici. Několik posledních roků chodíme k jedněm přátelům.

Žena Xena přijala moje dělení posledních dní roku rozumně: Štědrý den s dalším svátkem u ní, silvestr pryč, a na Nový rok jsem přicházel. Do toho týdne spadá i jeden náš svátek nový: 29. prosinec, den „doklínavzetí". Jednou však jsem přece byl o silvestru s ní: dostali jsme pozvání na „podzemního" silvestra. Lidé tahaní po výslechích a vězeních, kteří se musejí stýkat často jenom tajně nebo se nesetkají nikdy, ačkoli jejich práce na sebe navazuje, chtějí se také někdy pobavit. Ráz večera byl antický, Xenka mě oblékla do tygří kůže, sebe do jakéhosi záclonoví. Za rok se pozvání opakovalo: nešel jsem, a následek známe. Opravdu moje vina? Neslučitelnost není vinou.

Onehdy večer, žehlila zrovna, jsem se Xenky zeptal: „Kdy ses vrátila z práce?" – „V půl dvanácté, sháněla jsem kapra." – „Letos přeci není vůbec třeba kapry shánět, jsou všude." – „Chtěla jsem zabitého a rozporcovaného..." Jaký nesmysl! Všude, kde mají kapry, jí ho hned i zabijí. Prsa mi sevřela tíseň. Ihned jsem si však uvědomil, že mohla shánět dárek, před Vánoci všichni máme nějaké tajné řízení, a v jaké otroctví by se proměnily její půldny, kdybych se nepolepšil? Lucka se rozbrečela: „To jsem si mohla myslet, že nebudeme mít živého kapra ve vaně!" – Až teď mi napadá: ten porcovaný kapr byl v lednici, a Lucka to nevěděla?

„Nezlob se," řekl jsem, „já vím, že jsem nemocný, ale dostanu se z toho. Je dobře, že o tom dokážeš se mnou mluvit." Chodila po místnosti s vyžehleným prádlem. Řekla: „Příště ti to řeknu hned, kdyby se něco takového stalo, protože – toto je děsné. Jenže se to už nestane." – „Já vím," řekl jsem, „jenže ty mě k tomu tím románem pořád vracíš." Dala mi paže kolem krku a pravila: „Uvědomuju si, jak jsi velkorysý, že mi s ním ještě pomáháš."

A tu jsem si vzpomněl na jedno místo knihy: Kdyby Josef byl poprosil Pavlu, aby nikam nechodila, nebo kdyby jenom zaslzel, byla by nešla. Zeptal jsem se: „A to je pravda, že kdybych tě poprosil, nešla bys? Věděla jsi, jak mě to trápilo, už dlouho předtím. Nechtěl jsem na tebe tlačit, přál jsem si, aby ses toho vzdala kvůli mně sama." – „Jenže tys mi řekl, ať se chovám slušně. A to rozhodlo." Uhodil do mne hrom: cože? Chodil jsem z jedné místnosti do druhé, obcházel poplašenou Xenku, až jsem se odvážil zeptat se: „Tys za tu jednu větu, která vyjadřovala můj strach, mi to udělala naschvál?" – „To mě nadzvedlo a cítila jsem se svobodná." – „Ty jsi svobodná i teď!" zařval jsem. „Jdi si zas! Však jistě víš, kde to letos pořádají. Jdi tam a vyspi se s někým. A udělej to určitě, protože když to neuděláš, bude to zbytečné, já ti stejně nebudu věřit. Nic jiného ti teď už neuvěřím, protože toto je tvoje povaha. Buď svobodná!"

Myslel jsem to vážně a myslím dosud. Jenže zůstat na tom nemůžu, to bych ji zahnal do strašné slepé uličky! Odhalil jsem, oč mi jde: aby se s někým vyspala, čímž by se to zhouplo na druhou stranu a já bych byl volný. „Dokonce se tě ani nezeptám, kdes byla, s kým a kdy ses vrátila. Taková tvoje svoboda a moje taková jistota!" Seděla na gauči s koleny přitaženými k břichu, zhroucená, oči dolů. Tiše řekla: „Ty mě vlastně nutíš, abych se zabila. A já bych to už i byla udělala, kdyby nebylo dětí... a tebe," vzdychla. „Co já vlastně můžu!" vykřikla. „Já se ani zabít nesmím!"

A to jsem, milé děvče, já poznal také. Když to teď říká ona, musím jí to věřit. Měl jsem zároveň vztek i lítost. Lehl jsem si na zem k jejím nohám. Dala mi ruku do vlasů a řekla: „Mám si uříznout malíček, abys mi už věřil? Uřízni mi ho sám třeba hned!" – „Ty mi můžeš uříznout malíček na to, že to uděláš zas," řekl jsem. „Co si o mně myslíš, copak já jsem taková?" podivila se. „Jaká? Já netvrdím, že jsi špatná. Odvolávám se k tobě s tím, žes vždycky udělala, nač mělas chuť. Uznáváš to?" – „Ale já jsem za poslední rok jiná, copak to nepoznals? Tys to za poslední rok nepoznal?" Zarazilo mě, že ona se možná vědomě tvoří a čeká, že to uvidím. „To jsem, Xeničko, právě poznal. Změnila ses, jsi strašně hodná a já vím, že mě máš ráda."

Spadli jsme smutně vedle sebe.

„A teď si představ," zasmála se nade mnou za chvíli, „že bychom si ty malíčky začali řezat!" – „Znáš tu povídku o muži s pahýly prstů?" zeptala se. „Znám. A znáš ten vtip: nač my jsme ty žáby žrali, pane Kohn?" řekl jsem.

Zeptal jsem se jí, co bude letos na silvestra dělat. „Děti dám k mámě a budu doma psát." – „Ty nemáš pozvání?" – „Ne," řekla. Tomu nevěřím. Sklidila je, aby se o něm nemuselo mluvit. Jak tato žena musí manévrovat, abych nebouchal! Už dávno jsem si uvědomil a bylo mi to i směšné, i jsem k tomu pocítil úctu, že přijala jakýsi obecně ženský kodex „jak zacházet s mužem": je to jakýsi průměrný, typizovaný muž, na něhož vždycky platí postup vypracovaný typizovanými ženami. Například sklízíme před mužem rozbité věci a obracíme hovor od nepříjemného námětu k neutrálnímu: podívej se, jak se mi povedly rohlíčky! Mluvíme s ním živě i o tom, co nás vůbec nezajímá, co však zřejmě vzrušilo jeho. Marie takové jednání nezná či ho pohrdlivě odmítá a jako koza umíněně ožírá keř, od něhož se ji já snažím odtáhnout. Přeme se čtyřicet roků. Když se nad něčím zlobím, Marie mou zlost ještě roztáčí otázkami a námitkami. Xena jde a hrábne mi rukou do vlasů nebo udělá: „Jé, víš co jsme dneska s Luckou viděly?" Když mě tím odvede od nepříjemné věci, myslí si, že mě od ní odvedla, ale to já jí tak vděčím za tu snahu. My se první léta vůbec nepohádali.

„Co budeš psát?" zeptal jsem se. „Ten svůj román přeci. Tys mě do něho velice povzbudil." – „Cože?" – „Máš úplnou pravdu a já přesně vím, co musím změnit." Zarazilo mě to víc než potěšilo: „A tos na to nemohla přijít sama, když teď to vidíš?" Řekla smutně: „Já byla tak ráda, že jsem s tím hotova, a každou pochybnost jsem asi potlačovala."

To je dobré, a teď něco horšího. Pozval jsem Milana, a když přišel, šli jsme na ulici. Tam jsem mu dal svou kopii Xenčina rukopisu, styděl jsem se, ale musel jsem mu říct: „Jsem tou knížkou velice uražený, nevím, jestli právem. Nedokážu ji posoudit. Zasáhla mě tím, co jsem se z ní dověděl: že se Xenka s někým vyspala. Teď o tom píše jakoby na omluvu, ale já se z toho nemůžu zvednout. Když to bude dobrá kniha, dokážu snad obětovat svoje maso. Můžeš si to přečíst?" Obcházeli jsme náš blok a mluvili už o jiných věcech, ale já jsem měl jednu otázku, do níž se mi nechtělo. Nakonec jsem ji přece dostal ven: „To, o čem Xenka píše, je starší událost, a jak to už bývá, já se to dovídám až teď, zatímco to možná věděl kdekdo. Věděls to ty?" Díval jsem se na jeho tvář. Chvilku mlčel, pak řekl: „Ano." Cítil účinek své odpovědi a dodal: „To víš, o takové věci se vždycky mluví." Byl bych se chtěl zeptat ještě na něco o tom, ale už jsem nemohl. Nemohl jsem s ním mluvit už ani o ničem jiném a stočil jsem naši chůzi okolo rohu ke stanici tramvaje, abych už byl sám, ale on nechal svou tramvaj ujet, pobídl mě k dalšímu kolu a říkal mi něco o knížkách. Když jsem přišel domů, cítil jsem se přeražený. A kdoví, co všecko ani nevím. Toto jí ani neřeknu.

„Pojď, já tě umyju, chceš?" řekla. Namydlila mě, umyla a osprchovala. Potom Josef ji, a bral to jak sezonní květinky: petrklíče z jara, kopretiny v létě... je to jen pro tu chvíli. Může se to opakovat za rok, ale nemusí. „Co jsem?" řekl. „Jsem tvoje hospodářské zvíře." Útlou dlaňkou jezdila po zvířecím tělese, zamyšleně, usmívajíc se. „To bych měla vepsat do své knihy." Řekl jí: „To si vepiš, to bude pěkné. Ale hlavně si někam vepiš, že dobrý hospodář se o své zvíře stará dřív a líp než o sebe."

Už zase si ráno měří teplotu. – Ne!

/ LEDEN 1987 / Někdy, na něčem budu s tímto psaním muset přestat. Až se něco stane? Až dojdu k nějakému důležitému poznání? K jinému postoji? – Až mě to unaví.

Venku leží sníh. Vedl jsem dnes Lucku do školky, prvně po Vánocích. Ona nevěří na Ježíška: dárky prý dávají dospělí. Vysvětlil jsem jí, že bez Ježíškova „dopřání" by to ani dospělí nemohli dělat. Příběh Ježíše jako člověka jsem jí vyprávěl předloni, loni, letos, a dnes cestou do školky ho s ní kontrolně opakoval: doplňovala mě už. Včera pravila: „Kdyby koule byla placatá, byla by i země placatá?"

Je po svátcích, žádný další není na obzoru, a tak si ho Xenka vymýšlí: Karlovy Vary. Ty mě už zlobí: bude to drahé. Ona na to schovává svoje zahraniční malé honoráře. Mně nejde jen o ty peníze: vadí mi, že může tak lehce tolik peněz dát. Povaha: že neunese obyčejný, všední život, když trvá víc než čtvrt roku. Přitom cítím, jak to člověka osvobozuje: nehledět někdy, co nějaká radost stojí. Když jí v takové věci ustoupím, už na to nemyslím a jsem rád, že jsem překonal svůj rozum i věk, i chudobnou minulost. A čeho se asi dožijeme, spolu?

Když mě poprvé zavedla do Karlových Varů, měla na každém kroku vzpomínku s tatínkem. Ubytovali jsme se v Puppu – vzpomínka s veselým a velkorysým tatínkem –, ale jíst jsme chodili na levnější místa. Xenka ve svátek je dcera po tatínkovi: veselá, blahovolná, spokojená… a skromná! Chodě vedle ní, kudy chtěla, připadal jsem si jak dědinák. Skoro jak milá Lucinka, která nadšeně řekla, když jsme v Puppu prvně vstoupili do přepychové výtahové kabiny: „Tady budeme bydlet?"

Včera jsem měl sváteční chvíli: Byl jsem ve svém bytě a za tu dobu přišli dva lidé, aby mi cosi řekli a na něco se zeptali. Připadalo mi na chvíli, že mé psaní má smysl, jestliže se k nim doneslo. Jeden z nich je učitel, který zrovna opustil zaměstnání, protože se před žáky sedmých tříd necítil dost silným. Učil matematiku a fyziku, víc ho však zajímá literatura a dějiny. „V roce osmašedesát, když přišli Rusové, bylo mi dvanáct let. Dějiny se zastavily. Až roku sedmdesát sedm se zas něco stalo. Začal jsem se o to zajímat. Ale chybí mi literatura a o padesátých letech nevím nic." Ptal se, co má dělat. „Vrátit se do školy," řekl jsem mu. „Máte nejenom učit žáky, ale udělat ze sebe dobrého učitele." Odnesl si několik knih. Ptal se mě, co já čekám. Řekl jsem, že skoro nic. A kdyby se něco dělo, už se toho nezúčastním. – Proč, na to se neptal.

Když jsem vycházel z domu, našel jsem ve schránce dopis od mladých lidí, kteří si přečetli Milé spolužáky: děkovný dopis. Nemyslím, že ta věc je „trhák" a že se bude líbit mladým lidem; jen určitému druhu lidí, a tito byli z nich. Dopis jsem si v tramvaji četl několikrát.

Jel jsem na schůzku se Xenkou a Luckou, měli jsme jít na Hundertwasserovu výstavu. Výstava je dobrá. Malíř by se spíš mohl jmenovat Hundertfeuer. Je třeba bránit se mu trochu. Co maluje, je bohatě široké, ale jak hluboké? Ale proč se tak ptát? Cestou zpátky jsem Xence pověděl o své návštěvě a že jsem dostal pěkný dopis. Přál jsem si, aby si ho chtěla přečíst. Moje psaní ona neprožívá. Nedělá jí starost, proč jsem zastavil práci na třetím díle Spolužáků. – A proč? Protože toto.

V prosinci jsem nestihl zachytit několik vln našeho soubytí. Jednou ráno jsem X. po chladné noci vezl do práce, a když jsem přizastavil na divadelním parkovišti, vystoupila z auta se slovy: „Nemám tě ráda." A zabouchla dveře. S tím jsem se zas vklínil do provozu. Řekl jsem si, ty mě teda už neuvidíš, ale musel jsem přijít ještě téhož odpoledne: vždyť jsem Magdaléně a Lucince slíbil, že budeme nějak přestavovat jejich pokoj. Když jsem přišel, co nejpozději, uslyšel jsem větu: „Dělám tvé oblíbené jídlo." A musel jsem nejen jíst, ale po jídle zůstat. Jednoho odpoledne, byl šedý čas, jeli jsme přes Zbraslav do obce na břehu Vltavy proti Radotínu. Vysoká voda tekla prudce a špinavě. Na okrajích byl led. Foukal studený vítr, proti němuž rackové plachtili skoro na místě. Děvčata lezla těsně k vodě, bylo třeba něco jim říct, já jsem odmítl dělat ze sebe zas vychovatele, mají přece také matku! Ta hleděla do vody očividně jak tragická postava, ač mohl jsem tak hledět i já, ale když žiju, tak sakra dělám, co mám zaživa dělat. S odporem k literatuře, poezii a všemu umění jsem děti odvedl, šli jsme k vesnici, ani jsem se neohlédl, v úzkosti, spoléhaje na to, že odchodem obecenstva bude zmařeno drama. Našli jsme hospodu, vyhřátou kamny, několika stoly chlapů a televizorem, v němž se honili nějací sportovci, dali jsme si pití, párky, pití, čokoládu, a po grogu a sklence vína se na mou ruku natáhla přes stůl ruka a oči na mne hleděly s výrazem: to je sranda, co? A holky, jež pocítily změnu atmosféry, se rozřádily a Lucka začala s chlapy vedle nás flirtovat a měla veliký úspěch. Kdosi od jiného stolu nám nechal poslat další dvě sklenice vína.

Chybí tu i zápis o tom, jak jsme drželi náš soukromý svátek: dvacátý devátý prosinec. Xenka chtěla, abychom šli do Lobkovické vinárny, jako prvně a jako předloni. Tam už neměli volno, šli jsme do vinárny U čerta. Byl jsem rád, že Lobkovická nevyšla. Je to příklad rozdílného vnímání téže události a prostředí: ona si přála tam jít pro vzpomínku na náš první večer a noc, kdežto já cítil úzkost při vzpomínce na ten druhý večer, když jsme tam byli před jejím silvestrem. Jak přemile proti mně seděla, vtipně mluvila, milostně vzpomínala, a já se odhodlával a neodhodlal požádat ji, aby beze mne nikam nechodila. Už měla připravený čarodějnický úbor na ten sabat. Už tedy bylo i dáno, že se otevře někomu jinému. – Teď už to pro mne není tak hrozné, a vlastně se možná stalo dobře, protože tím o něco dospěla a zpřesnila si, co chce. Dusí mě ta zákonitost v náhodě: jak cosi, co nahodile načne, zákonitě jede až k tomu. Také se mnou. Je to ošklivé. Do Lobkovické vinárny neměl jsem nikdy jít!

Naše sedění U čerta bylo naštěstí omezeno zavírací hodinou. Xenka mluvila většinou sama, mně nešlo mluvit o ničem, co mi napadalo. Neřekl jsem jí, jaký vztah mám k Lobkovické, a když o tom večeru začala sama, zeptal jsem se: „V které chvíli, myslíš, bylo rozhodnuto, že spolu budeme ležet?“ – „Jak jsem začala být trošku opilá a začali jsme si psát na ubrousky.“ – „Ale to já jsem nevěděl, že máš k dispozici sestřin byt, a myslel jsem, že musíš domů.“ – „To ani mně hned nedošlo, bylo mi jen jasné, že jednou se to stane. Ale rozhodlo se to, když jsme stáli u těch domovních dveří a ty ses zeptal, jestli tě zvu dál…“ Jak nedovtipný jsem byl, když jsem jí toto věřil! S tím bytem počítala: jinak by přeci jela či byl bych ji taxíkem dopravil domů na Hanspaulku.

Když chvíli mluvila sama, U čerta, všimla si, že mlčím. Řekla: „Vyprávěj mi něco, cos mi ještě nikdy nevyprávěl.“ To byl vtipný nápad, protože toho, co mi s ní někdy napadalo a nač jsem vzpomínal, bylo dost, ale já o tom nechtěl z takového či jinakého důvodu mluvit: abych nebyl sentimentální, nedělal chytrého, abych nebyl malicherný, starobně chvástavý, mužsky blbý. Abych jí nedal nevědomky látku k příštímu nějakému posměchu nebo k lítosti. Aby nevyniklo, že je mezi námi pětadvacet let. A jiné.

„Nikdy jsem ti nevyprávěl, jaké hrozné časy jsem zažil s estébáky. Ty moje zmínky sem tam, to není nic. Ani jsem ještě nesebral sílu napsat o tom a vím, že mě to čeká. Oni mi zničili srdce. Moc roků jsem žil týdny a měsíce ve strachu a úzkosti. Ale toto dnes vynechám.

Mám ti povídat o vojně? Všichni chlapi mluví o vojně..." A tak jsme mluvili o vojně, protože její tatínek byl vojákem rád, vojenské nauky ho bavily, rád vyprávěl svým dětem o té kapitole svého života, napsal o tom román. Já jsem teď mluvil o vojně jako o ztrátě soukromí, myšlenek a ticha. Na provedení své osobní vojny si však nemůžu stěžovat.

Obhlížel jsem rychle svou minulost: mohl bych jí vyprávět o svém manželství. „Kdys pocítil velikou radost v životě?" zeptala se. Musel bych mluvit o chvílích vědomého štěstí v rodině – s Marií a syny. To jsem ovšem nemohl. Zeptala se, zda jsem měl radost, například, když jsem teď před Vánoci dostal do ruky tištěnou podobu svých Milých spolužáků. „Nijak zvlášť. Je mi to vždycky dost lhostejné...," řekl jsem a napadla mi otázka, čím to je, neměl jsem však na ni čas. Kdoví, zda to není tím, co jsem zažil s první svou knihou – Rušným domem: měl jsem tehdy radost, ale jak jsem se dostával nad tu knížku, radost mizela. Ze Sekyry jsem ani nemohl mít radost, protože moje rodina ji brala jako skandál. „Je mi to dost lhostejné," řekl jsem tedy, ale ani to jsem nechtěl rozmazávat: je banální i dělat otrlého. „Nemusí se to týkat žen," podotkla ke své otázce po mém štěstí. Ano, já přece také vím, že v takové chvíli se říká „mé štěstí jsi ty", to však asi ani nečekala, tomu by se sama smála. A ony opravdu se moje šťastné chvíle málokdy berou od žen. Za šťastnou chvíli považuju, když odpadne a nedostaví se očekávané neštěstí. Když třeba určité lékařské nálezy u Marie jsou negativní. Největším štěstím v mém životě bylo – rozletět se svobodně po cestě: chlapec.

Ráno na silvestra jsem Xenku vezl do divadla. Cestou se zeptala: „Můžeš mi třeba od těch Kosíků po půlnoci zavolat?" – „Nemají telefon, zavolám ti z budky. Ale budu se bát, že to nezvedneš, nebudeš doma." – „Kde bych byla?" – „Nevíš, co tě potká. Půjdeš z práce, narazíš na někoho, zajdete na skleničku..." – „To se nestane." – „Tak něco jiného." – „Ani nic jiného."

Přijel jsem domů, Marie seděla ve světlé, čisté, uklizené kuchyni, s oknem plným zelených rostlin, a četla si. Chvíli jsme mluvili, potom jsem šel do pokoje psát novoroční přání lidem, kteří mi přáli v létě k narozeninám či teď k Vánocům. Přišla a zeptala se, kdy odejdu zas ke Xence. „Zítra v poledne," řekl jsem. Bývá to tak vždycky. Tentokrát pozvala Xenka i maminku a babičku. Marie se rozzlobila. „Není to na nic, být tu," řekl jsem. Odešel jsem ven. Ale kam? Nejraději bych odešel úplně do neznáma. Nikdy nedělám to, že když se mi na jednom místě něco stane, utéct na druhé. Nemám kam, vždyť jsem vyvržený. Vyšel jsem na ulici, svítilo slunko, slabý mráz byl, nasedl jsem do auta a vyjel k severu: Podbaba, Lysolaje, Horoměřice… Objel jsem několik obcí a vrátil se. Marie právě kamsi odcházela, beze slova. Četl jsem a usnul. Rozhodl jsem se nejít večer nikam. Vzbudil jsem se osvěžen k odporu: přestanu. Tupě jsem ležel a hledal v sobě něco, čím se dá vypnout existence. Například zastavením dechu to nejde. Ani tepu. Jsem ale jistý, že někde v Orientě na to mají způsob.

Ale přišel večer, a pomyšlení na přátele, kteří nás čekají, mě přemohlo. Beze slov jsme se tam vypravili. Večer šel pomalu a skoro mlčky k půlnoci. Před půlnocí si šel jeden z hostí ven zakouřit. Řekl jsem, že jdu zavolat Xence, a šel jsem s ním. Doprovodil mne k budce. Xenka vzala telefon hned. Měla svěží radostný hlas: „Právě jsem napsala to hospodářské zvíře, seš rád? Ještě napíšu vsuvku do toho bálu. Jak se máš?" Vrátili jsme se a byl čas otevřít sekt. Zazpíval jsem esperantem „Kde domov můj?" Potom kdosi začal zajímavé téma, jež se táhlo dvě hodiny. Pak jsme šli domů.

Druhého dne oběd u X., slavnostnější o tu návštěvu. Babička je myslím ráda, že je Xenka se mnou, kdežto maminka by uvítala, co čekala: něco mladšího, lepšího. Ale je dáma, zdrženlivá, decentní. Nenadělá tchyňovských mrzutostí. Teď se mě hned ptali, jak se mi líbil dárek, co dali Xence k Vánocům: červené podvazky a červené punčochy – rozkošná atrakce, kterou mi Xenka předvedla.

Novoroční přípitek jsme si nechali, až návštěva odešla. „Chceš si přečíst, co jsem v noci napsala?" Odnesl jsem si to do ložnice ke svému stolku. Je to necudné, rozkošné. Možná to však necudné není. Je to vlastně slušné, protože pravdivé; ne vylíčením děje, nýbrž hodnocením a prožitkem. Večer, leželi jsme potmě, klidně a ona řekla: „Tak co, nic?" Plodné dny! Chlapec! Pro sebe doufám, že to nevyjde, když myslím na ni, přeju jí to. Když jsem s ní, zdá se mi to krásné, když od ní, vidím ten nerozum. Je mladá, a nebýt jí, jak bych byl neveselý, nepružný! – A je tu ještě Lucka. Má pět a půl roku.

Včera večer jsme s Luckou zpívali, píseň byla smutná a já jsem dělal, že z ní brečím. Věděla, že je to hra, ale rozbrečela se opravdově. „Když ty brečíš, já musím také, i když je to z legrace. Protože já tě miluju," pravila! Udělala se mi až tma v očích. Potom jsme šli večeřet a Lucka znovu řekla, že mě miluje. „Neměla bys to, Lucinko, tak často říkat," pravil jsem. „No jo, ale já jsem tě milovala už před narozením." – „Jak?" zeptal jsem se. „Mámou."

Kterýsi den jsem Lucku pozval na oběd do restaurace U prince na Staroměstském náměstí. Jedla příborem, měli jsme v koutě stolek pro dva. Potom jsme šli naproti do radnice na výstavu fotografií Sudkových a Funkeho. Chodili jsme a já jí říkal: toto je Sudek, to je Funke. Za chvíli už sama poznala, že blbé fotky patří Funkemu. Ještě jsme byli u Klémy Lukeše, který se s ní seznámil tím, že jí jemně – „smím?" – osahal obličej. Tvářila se u toho zvědavě, vzrušeně něžně. Když jsme odcházeli, ptala se, zda Kléma opravdu nevidí: divila se jistotě jeho pohybů a úkonů v bytě. Nechtělo se mi domů, zastavili jsme se ještě v ateliéru u Olbrama. Ten jí dal hroudu modelářské hlíny, plácala si zvířátka a my jsme mluvili o životě se ženami.

Slovem děcko se nic nevystihuje, ba přímo se osobnost děcka obchází. Dcera není syn. Tato moje první dcera, a poslední, je pro mne nové setkání s duší, duchem, jazykem a myšlením... Vlastně se nedovedu úplně vyrovnat s tím, že je to ženské stvoření: je to kluk, ale v podobě holky. Tedy se v ní poznávám, ale zároveň se divím rozdílu. Jako bych chytl láhev nějakého známého tvaru a barvy, lokl si a zjistil, že obsah je jiný, a to mě teprv přinutí si tu ohmatanou láhev nově prohlédnout. Je to mazlivé, něžné a nemá to skoro žádný ze zájmů, jež jsem poznal u svých dřívějších „dětí". Šli jsme kdysi po ulici podél řady domů a z okna jednoho zaznělo drnkání kytary, jednotvárné, bez melodie. Lucinka, čtyřletá, se zeptala: „Co to zunká?" Podivil jsem se, že ve slově, které si stvořila, jsou ty onomatopoické hlásky jako v běžných slovech stejného významu. Vedu ji ráno do školky, musel jsem se na to dožít šedesáti let, a aby jí cesta z domova ani trochu nepřišla těžká, dávám jí hádanky, povídám říkanky. Třeba: pole oral Jan, za ním šlo pět vran... atd. Polovička slov neznámých a abstraktních: pole, oral, ponrava. Jenom vrány jsou známé a konkrétní, protože nám běhají mezi paneláky. Když už říkanku o vranách umí, vskočí mi do říkání slovy: za ním šlo pět slonů. Musíme vymýšlet, co tak asi pět slonů mohlo o Janovi orajícím pole říct. Držím ji za ručku, mluvím a zpytuju daleko dozadu, zda jsem tak pozorně a lépe řečeno s napětím sledoval ty kluky. I v noci někdy vzpomínám na mladší časy a cítím ulehčení za každou příhodu, hru, výlet, ba i aféru, kterou jsem s nimi měl. A teď se stane, stalo se to už nejmíň dvakrát, že Xenka mě pošle pryč: rozchod. Nemohl jsem tomu uvěřit. A jen proto, že jsem tomu neuvěřil, jsem se vždycky vrátil a vnutil se jí zas. Nemohl jsem pochopit, že mě odtrhává od mé dcery, že mne jí bere a ničí náš život. Poznával jsem z toho, že ona neví, oč jde, a je snad opravdu schopna zkazit jí dětství pro věc z vyššího pohledu tak druhořadou, jakou je ona se svým uražením a neuspokojením.

Zavolal mi Milan a pozval mě k sobě. Řekl mi o Xenčině rukopise toto: Jako výraz lítosti a omluvu je možno její text přijmout. Je zřejmé, že jí na mně záleží. Jako kniha je nehotový: proč s tím tak spěchá? Kdyby jí to někdo takto vydal, uškodí jí. Je znát, že se ještě nedostala nad některé skutečnosti. Je ovládnuta „dravou povrchností" a „pudovým hltáním všeho, co se dá o té věci říct bez výběru a hodnocení". Kdo zná některé události a poznává je v její knize, vidí tu deformaci i míru zjednodušování vztahu těch dvou postav. Je pochopitelné, že mne můj obraz v té knize netěší. Musím se zřejmě smířit s tím, že nejen v tomto rukopise, ale v životě ona nevnímá, nepoznává ani nepřijímá všecko, co se já jí snažím dávat. Nepoznala mě, proto se jí něčeho, co čeká, nedostává. A to je neodstranitelný rozpor, který musím překousnout a snést, jestliže mi na ní záleží. Ale je to ženská plná života, vůle. Má ráda tak, jako ona tomu rozumí. Nakonec pravil: „Je to na výdrž, na tvou." Odešel jsem domů a divil se, že mě to tak překvapilo; asi jsem se obluzoval nadějí, že poví něco lepšího.

Teď před chvílí přiběhla z práce: „Mám úžasný nápad! Budeš se divit. A napadlo mi to najednou, jak jsem vystupovala z autobusu. Jak je to možný, že na nejlepší věci přijde člověk tak náhle? My pojedeme na pololetní prázdniny s holkama k Matalům! Oni budou rádi. Vezmeme s sebou to video a náš film, slíbili jsme jim to v létě přeci!"

Zchladil jsem ji: Nikdo není na nás tak určitě zvědavý, zvláště ne s haranty. To se jinak říká v létě a jiné je to v zimě. V tom jejich kaňonu není kam jít s lyžemi ani se sáněmi. Děcka budou otravovat v domě, nebudeme mít žádné soukromí a pro Matalovy to bude pohroma.

„Ty nejseš rád? Jak je to možný? Ty všecko tak shodíš," rozbrečela se, teatrálně, pověsila se na mě, za pár vteřin se postavila na nohy se slovy: „No tak máš pravdu. Ale vymysleme něco jinýho!"

Pořád se musí mít na co těšit. Mne unavuje a zdržuje pořád měnit místo, něco organizovat a chystat. Vyrostl jsem a ženatý také potom žil v názoru, že člověk základně existuje doma: do okolí jenom vyráží v nějaké potřebě a povinnosti. Xena to má obrácené: být doma znamená nemít kam jít, co podnikat. Takovýto byt v paneláku, i když tento byt je lepšího druhu, nebudí pocit domova. Ale jak přijít k lepšímu? Když se přestěhovala od maminky a babičky do tohoto bytu, byla nejprve ráda, že má svůj byt. Jsou to tři pokoje. A lodžie, na níž jsem se snažil zavést nějaké rostlinstvo a ona tam ráda prostírala stolek. Kuchyň malá, ale dá se v ní jíst, sedět, pracovat i besedovat. Učila se samostatně hospodařit, vařit... Veliký elán. Teď všecko, co na tom viděla dobrého, zapomíná a vidí, co ztratila: nádherný byt s velikou terasou v domě v zahradách. Sídliště není Praha, lodžie není zahrada a já nejsem manžel. Moje snažení je ubohé a směšné: ty ručně dělané police na knihy, truhlíky na rajčata...

Teď jsem čtrnáct dní nepsal, nechtělo se mi vůbec na to myslit. Život je buďto klidný, nebo ne. Dvoudenní Xenčina deprese: nebyla to spíš malá hysterie? „Nemůžu se ani hnout," pravila v posteli a nevstávala. „Ty mi nevěříš?" pravila brečlavě. Vypravil jsem děti, chvíli ještě pobyl a pak musel odejít. Zas mluvila o psychiatrovi. „Jenom si s tím začni!" vyhrožoval jsem jí. „Myslíš, že neznám depresi?" Ale nelíčil jsem jí nic: jak jsem se stálým tlakem vstával, chodil, lehal, až se mi nechtělo hnout a zdálo se mi, že ani nemůžu. Nemohl jsem ani zvednout ruku. „Nemůžu ani zvednout ruku," říkala taky Marie. Řekl jsem Xence: „Víš, co musejí dělat lidé s depresí, většinou? Vstát a jít pracovat. To se rozchodí." Což ji rozhněvalo.

Tušil jsem, co to může být: za dva dny menstruovala. „Jak je to možné?" nechápala. „Ale já nejsem neplodná!" bránila se hned. „To si nemyslím. Ale vyléváš." – „Cože, já to přeci vždycky tak držím." Vymyslila si, že to budeme zaznamenávat: kdy, jak, s jakým průběhem. To jsme měli dělat dávno! Teď, po dvou týdnech, vidím z grafu, že p. s. jsme měli jak mladí. Ona na každou jednu E měla dva až čtyři O.

Vlastně je pořád dobře, až na malé vlny neklidu. A ty dostávám z obou stran: tady nebo tam. Tam se zase stala řeč taková, že jsem vzal klíče a rozjel se do D., protože od Marie nemůžu utíkat ke Xeně, jakož ani naopak. Cestou jsem si však uvědomil, co mám práce, a tak jsem obešel pár svých záležitostí s knížkami a vrátil se; návraty! Krom jiného jsem neměl napsaný příspěvek do Obsahu a měl jsem se Xenkou jet do Brna.

Jeli jsme do Brna autobusem po dálnici ve sněhu a v nebezpečí úplně viditelném a každý večer hlášeném. Jeli jsme dva dny napřed: Xenka chodila po Brně a já v hotelu zkoušel psát. Bylo to o škodlivosti televize: pocit a názor měl jsem velice pevný, jenže jsem s ním nedokázal vybříst z mlžiny nechuti, únavy a chaosu v hlavě. „Rveš se s tím jako chlap," uznávala Xenka. Bylo to hotovo v posledním půldnu, jenže nepřepsáno na nutný počet exemplářů: to jsem dělal až u Trefulky, zatímco ostatní přátelé se scházeli a povídali si. Při vítání mysleli všichni na jedno, ale nemluvili o tom: na estébé, nepřijde-li nás vybrat.

Schůzka byla rozčilená: politika! Vzrušuje skoro všecky, mne a Kratochvila ne. Pobaveně jsme se s Milanem Jungmannem dívali, jak to začíná vřít. „Komouš" Šimečka napaden Uhdem, estétem a moralistou(?). Urbánek principiálně, avšak málo přehledně na Uhdeově straně. Skeptik Pecka nevěří v úspěch pravdy. Miro Kusý – mlčí vždycky a řekne něco krátkého až ke konci. K této ostré debatě došlo, když Ivan navrhl, abychom napsali sovětským spisovatelům: upozornili je, že to, co je u nás, je také jejich vinou z roku 1968. A teď si sami dělají nárok na svobodu? Spor byl o tom, zda takový dopis poslat, či raději ne: Co je nám do nich či jim do nás? Mně se to důležité nezdálo, ale myslel jsem si, že užitečnější než spor, zda dopis poslat, či ne, je prostě ho poslat. Pravil jsem: „Od této chvíle budeme asi už vždycky řešit otázku, co je mravné a co politicky účelné. To je nerozhodnutelné. Chceme zapůsobit na vývoj, či ne? Jakým terénem lezeme, takovým křovím se maskujeme!" Ale bylo mi to opravdu fuk!

Potom Milan Uhde přečetl svou ironickou historickou hru „Zvěstování". Pobavila nás všecky, líbila se i Xence, čemuž jsem byl rád, protože jí jeho rozhlasové hry připadají schematické a nedramatické. Na vzrušenou politickou debatu hleděla překvapeně, nic takového jsme předtím neměli, dosud naše debaty byly vždycky výměnou filosofií, tušení a pocitů; abstrakce. Pravil jsem jí: „Aspoň viděla s, jak staří krokodýlové dovedou klapat zubama."

Po schůzce jsme šli pěšky do hotelu, bylo nás několik, a já jsem zůstával pozadu: po několika rychlejších krocích se mi vždycky prudce rozběhlo srdce, třepalo se, asi odpověď na to, jak jsem se nutil do psaní. Xenka mě podpírala. V hotelu, když jsme šťastně došli, jsem pravil: „Toto si nepřeju a nebudu to trpět. Nebudu raději žít, kdyby to mělo být už natrvalo. Býval jsem vždycky zdravý. Proklínám se!" – „Měl bys také psát někdy něco veselejšího," řekla. – Třeba toto?

Když poznala, že není těhotná, rázem začala víc kouřit. Kouř proniká i teď sem, do ložnice, kde píšu, a budí ve mně nechuť k takovému životnímu názoru i stylu. Ke kouření většinou mlčím, a abych nevypadal jak vychovatel, zapálím si někdy srandovně cikáro nebo viržinko. Jednou jsem z té srandy omdlel. Střídmě spolu popíjíme. Chutná mi to, ale vadí mi, když se zdá, jako by to už muselo být. Dnes odpoledne jsem se Xenkou a Luckou jel daleko za Prahu, pro vnoučata. Bylo pěkné mrazivé slunečné odpoledne. Jel jsem pomalu a díval se po čisté krajině, prosté, přehledné, bílé. Cítil jsem rozpor mezi svými schopnostmi a způsobem svého života, mezi svými sklony a směrem. Napadlo mi, že bych měl dělat už jen to, co je důležité. Vlastně bych už měl žít jen pro práci. Co však s lidmi, do nichž jsem se vklínil? Nedokážu je odsunout, nemám tak velikou jistotu, že moje práce je zas tak důležitá...

„V dubnu bych tak na týden chtěla odjet a psát," řekla Xenka. „Kam," zeptal jsem se. „Nejraději někam na chalupu. Kde by mi někdo topil a jinak se o mě nestaral." – „Vařil by on tobě, či ty jemu?" – „To je právě ta otázka," řekla. Za chvíli měla přesnější nápad: „Tálský mlýn. Objednám si dvoulůžkový pokoj, aby tam nebylo tak těsno. Ten jak jsme v něm spali, když jsem čekala Lucku." – Lucka je náš vztažný bod a míra událostí: Když ležels v nemocnici a já s břichem hrdá šla za tebou do toho kopce... Jak mě fotils mezi břízami s tím břichem... Jak jsem byla u výslechu a věděla, že mi nemůžou nic skrz to břicho...

Sedíme před televizí, zprávy, potom cosi, od čeho já po prvních metrech odcházím. Ona se bojí, zda se na ni nezlobím, a volá mě, abych si lehl na gauč vedle ní. Když jdeme spát, chvíli čtu: Vojnu a mír, druhý díl. Je to už velice dobré, někdo by však měl autorovi poradit, aby začátek přepsal. Xenka má o mne zájem. A jako by to už bylo jedno, či jako by se už nic nemohlo stát, chovám se v ní volně. Ráno se ptá, zda jsem to zanesl do grafu. Pod mikroskopem jsem objevil jen mraky mlžných čárek. Poslouchá nebo ohmatává mi srdce, jež však u této námahy nejeví neklid pranic.

Dnes dopoledne vařila oběd, seděl jsem u ní a četl jí krátké články ze Svobodného slova. Pak seznamovací inzeráty, smáli jsme se jim. Zeptal jsem se, na který z mužských inzerátů by odpověděla: odmítla hned abstinenty a nekuřáky, věřící, sportovce a kutily. Zeptal jsem se, jak by musel znít inzerát, na který by se ozvala. Nadiktovala mi ho: 48/180, kuřák, milovník dobrého alkoholu, 2 x rozvedený, se 2 závazky, z nedostatku času hledá touto cestou ženu. Vážné zájemkyně vyzkouším.

Mluvíme o katolictví, o víře vůbec. Čte právě zas Greena, často se k němu vrací, a diví se, že on, moderní člověk, dává víře takový význam. – A dítě? Mluvili jsme dneska o něm na té křižovatce, kde v předchozím mém spise mluvíme o její možné nevěře. Pravila: „Rozhodni to ty: co cítíš?“ Řekl jsem: „Citem bych byl rád. Pro tebe. Rozumem jsem proti. Já přeci mám dětí dost. Ale co kdyby to byla další holka?“ Radostně řekla: „No tak by mně to vůbec nevadilo!“ Pocítil jsem rozkoš v duši, teď se jí divím, a řekl jsem: „Cítím, že by mě měla ráda.“

Včera v noci jsem byl ve svém bytě, probudil jsem se a zavalily mě problémy. Řekl jsem si: tak pořádně je rozeber po jednom. A všecky odpadly jako vedlejší, i Adam. Už je to pryč. Tak co tu vadí? Že je mi, jako bych měl nůž na pytlíku. Buď jí udělám děcko a ona s ním ke mně přilne, nebo bude pořád napůl utíkat. Za té úvahy se mi až k bolesti chtělo prohnat jí klín klínem. – A to je podařené vyjádření:

odmala jsem přemýšlel, není-li to chyba, když si někdo proženе hlavu kulí; mělo by to přece být naopak – kuli hlavou.

Sedí na svém románu, ale co na něm dělá, nevím, bojím se zeptat. Praví, že ji to už nebaví. „Napsala jsem to jenom kvůli sobě a už to nepotřebuju." Napsala krátký sloupek: o mrazu, o jedné návštěvě, o Lucce. Spletla moc motivů a nelíbilo se mi, že do toho vpletla i Lucku. „Vzpomeň si," řekl jsem, „jak ses ošklíbala, když Sergej vpletl do čehosi svoje děcko." Odložila text mrzutě a následek byl, že ji dva dny bolelo z duše všecko v těle, neuměla přesně povědět co. Probírám myšlenku, že to nejlepší, co bych pro ni mohl udělat, kdybych mohl, bylo by postarat se o ni tak, aby nemusela uklízet divadlo, měla absolutně volno starat se krom dětí jen o své psaní, a vzdálit se od ní. Připraven opodál pomoci jí. Ze svého života nemůžu jí dát už víc času ani sil, a je nešťastná.

Je v práci a na stole nechala papíry ručně popsané náčrtem básně, která jistě do románu nepatří, je to cosi nového, ale známého a zlého. Překládám:

Mám tě v žilách
víc nemůžu chtít
v noci dnes přiznám barvu (tento verš je škrtnutý)
vypustím si tě
stačí mi žiletka
Tvé tekuté řetězy
v těle mě mrazí (škrtnuto)
Máš mě v žilách
víc nemůžeš chtít
tepu jak bomba
(dál nečitelné)

Nezachycuju tu své stavy nejtěžší nechuti, protože obsahují samozřejmě i nechuť psát. Jinak bych tu měl zapsáno, jak mi připadá, že se mi s ní už nechce být. Je nejenom jiná než já, je také jiná, než jak se cení. Její život nenaplním, a svůj ztrácím.

/ÚNOR 1987/ Odešla ráno do práce a nechala mě spát. Odvedla i Lucku do školky. To mě mrzelo. Dostal jsem na sebe zlost. S nechutí jsem se uváděl do pohybu a zlost se vyvinula v úzkost nad tím, že nepokračuju ve Spolužácích. Nejsem ani schopen dopsat pětistránkový článek pro nějaké Němce, za peníze. Potom v kuchyni: dřez plný nádobí ještě od večeře, od snídaně rozlámané zbytky chleba na stole, nedojezené jablko. V koupelně hrnek nedopitého čaje na pračce. Čpící popelník. Moje zásada, že zubní pasta se má vždycky zašroubovat, je senilní pedanterie? Mám veliké syny, s nimiž jsem se brzo dostal k filosofii a umění, protože si brzo začali prát ponožky. Postele měli ráno vždycky ustlané… Toto jsou ženy, a já s nimi spadl zpátky do sporů o papír na zemi. Já přeci… vždyť já mám mít někde strohou čistou místnost, odkud vycházím, kdy já chci, ráno se mám vzbudit do svých myšlenek, a ne do cizího nepořádku. Začal jsem všecko uklízet, a ulevovalo se mi. S údivem jsem si uvědomil, že ještě před nějakou dobou jsem klidně a samozřejmě ráno umyl dřez nádobí, sklidil se stolu, zametl v kuchyni. Zhoršil jsem se já, ne ona, ony? „Co ty pro tuto rodinu vlastně děláš?" zakřičela na mne. A já myslel, že všecko, co se patří.

„Koho to máš v krvi?" ptal jsem se jí několikrát, ale vždycky jenom v duchu. Ta že by mne nechala u sebe zestárnout? V jaké úctě a lásce? Dva lidi mají stárnout spolu. Být vedle ní nemohoucí? Ještě kdybych byl Porthos.

Jel jsem do města, kde jsme se měli sejít a jet k Machoninům. Předtím jsme se stavili v novém speciálním obchodě se sýry. Byla tam odpudivá fronta, odešli jsme bez sýra. Na schodech pátého patra jsem pocítil nechuť k těm lidem, k nimž jdeme. Přišli jsme, já si s nimi vyměnil knihy, měli doplatit a Drahunka zažertovala: „Proč to máš vždycky tak drahé?" Dostal jsem tichou zlost: jejich knihy jsou dražší než moje, protože oni dávají písařce za stránku víc. Jak se může tak ptát? Ukázal jsem Drahunce, o kolik je má kniha tlustší než jejich, a přitom že jejich písařka ani nedopisuje řádky do kraje. Drahunka se smála a Xenka jí s posměškem ke mně řekla, že mně je zbytečné něco povídat… A nevím už, co řekla. Ztvrdl jsem ledem, nechal je povědět, co si potřebovaly říct, a odešli jsme. Při čekání na tramvaj zeptal jsem se Xenky, proč se postavila v jasné věci proti mně. „Máš to drahý," řekla. Vystoupili jsme, řekl jsem jí „ahoj", šla na metro, já jinam. Ale není kam, došel jsem do Holešovic. Marie se podivila a ptala, co se stalo. To jsem ovšem nemohl říct.

Někdy jsem silný, jindy slabý. Teď mám silné období a divím se, jak jsem na své cestě mohl propadnout pocitu slabosti. Jestliže mě tato žena prostě nechce, a ona mě možná nechce, můžu jít. Jak to ale mám jistě poznat? Tu jsem si uvědomil, že přestala mluvit o Karlových Varech; učí se: čeká, zda o tom začnu sám. Přes noc a dopoledne příštího dne jsem pocítil, že ona se také jistě od včerejší příhody trápí a přichází k tomu, že se ode mne nedokáže odtrhnout. Když jsem k ní přišel a ona se chovala, jako by se nic mrzutého nebylo stalo, řekl jsem jí: „Vím, že jsem hrozný." Odpověděla: „Byla jsem asi nesnesitelná." A nebyl to obrat konverzační jenom: rozhlédl jsem se, a všude uklizeno! Já se z toho rozpuknu. Moje stavy – to je psychická indukce z proudů v mém kuloáru, nic jiného: šálí mě nesmysly.

Taková mrzutost, těžká, že pod ní Josef sotva leze, a Pavla řekne, že by měli změřit objem jeho semene. To je báseň: má mne v krvi? Chce změřit objem látky, kterou však nikdy nedokážou obětovat vědě. Graf je poučný: podle něho se v lednu ucházeli o chlapečka dvacetkrát, z toho ve třech případech dvojmo. Jedenáctkrát v noci. Chybějících deset dní byl Josef pryč.

„Těšíš se taky na sobotu?" zeptala se. V sobotu jsme měli mít premiéru „Frondy". Netěšil jsem se, protože jsem se bál všeobecného zklamání a její deprese potom. Film byl naštěstí trochu lepší, než jak se nám předvedl prvně. Hosté, zvědaví, pod dojmem více vzpomínky než toho, co teď viděli, posuzovali ho příznivěji. Dokonce i Sergej, který nehrál a teď očekával jenom trapnost, uviděl v něm půvab a smysl. Mně však velice vadí, že film je nepochopitelně horší, než jaký byl natočen. Já už bych se v cizí režii nezúčastnil ničeho.

Hned jsem si uvědomil, že nikdo nepřinesl Xence dárek, květinu, a že ona si v té chvíli té chyby nevšimla, ale přijde na to později. Nepřijel ani Josef, neměl mu kdo zůstat u koní. (Tam musí být teď velice truchlivo!) Xena s Annou připravily pohoštění, s vínem z nějakého sklepa. Xenka pálila jednu cigaretu od druhé. Několikrát jsem vynesl popelník a divil se svému podráždění, nepřiměřenému hlavní věci – našemu dílu. Xenka po promítnutí navrhla, aby se příští léto zas natáčelo: měla několik námětů. Má hru o ženách Alexandra Makedonského. Nebo – vybídla hosty – ať napíše někdo z nich něco pro ten účel. Všichni mlčeli a režisér řekl, že s námi by byl ochoten točit už leda výstup na Rysy. Xenka, moje děcko, držela svůj úsměv.

Návštěvy odešly. Nastalo ticho, pusto, všedno. Od stropu visel baldachýn a girlandy okolo Dumasova portrétu. Zatvrdávaly buchty. Sklízeli jsme nádobí a Xenka řekla: „Já jsem vlastně měla dostat kytku, ne?" – „Mělas, věděl jsem to a trnu, kdy si toho všimneš." – „Ale tys mi ji koupil," řekla. Chtěl jsem ji obejmout, ale táhl od ní moc kouř. „Je sobota, jináč by ti ji určitě někdo koupil, aspoň Zdeněček určitě," řekl jsem. Zeptala se: „Myslíš, že se někdo mohl cítit uražený? Třeba Vincek, že tam není v důstojnější roli?" – „Nesmysl." Za chvíli řekla: „A co ty?" Odpověděl jsem: „Nebylo to tak zlé, jak jsem se bál, a cením si Sergejova názoru. Ulevilo se mi tím trochu." Pak jsem dodal: „Nejvíc mi vadilo, jak zapalovalas jednu cigaretu od druhé." Vykřikla: „Tak já každej den bojuju se sebevraždou, a ty mi vyčítáš cigaretu!" – „Proč mluvíš o sebevraždě," zeptal jsem se chladně. Cítil jsem se na nůž do sebe. „Co proč!" podivila se. „Jaký to má smysl přeci?" – „Co jaký má smysl?" – „Všecko! Toto! Život!" Řekl jsem: „Samozřejmě žádný, žádný další. Život má smysl jenom sám pro sebe. Ale nemohl bych to, co říkáš ty, říkat spíš já? Kdo od koho má čekat posilu? Pro mě má smysl být s tebou, jen když to má smysl pro tebe. Jináč jenom ztrácím jiný život. Uvědom si, jak bych žil klidněji a možná užitečněji, kdybych se tohoto zřekl." – „Co… cože? Co vlastně pro nás děláš, jsem tu věčně sama!" Odešel jsem tedy, ale jen do ložnice, k tomuto stolku, kde to po týdnu asi píšu.

Za chvíli jsem jí šel říct: „Když nebudeš teďka těhotná, nedovolím to už." – „No, no…," řekla. „Jestliže ty si pořád představuješ jakýsi lepší život, zatímco mně se tento zdá pěkný…" – „Ale mně je pětatřicet let!" – „…tak se tě jedině můžu vzdát, abych tě nebrzdil. A odejdu, už nedramaticky, i když nevím, jak to unesu." – „Tak teda jdi!"

Vypadá to jako automatická slovní hra. Každým jejím otočením se však blížíme ke středu desky. Jednou ta obehraná slova dozní a budou značit dokonanou skutečnost. Proto se už nedrásám, nebudu se tedy drásat ani před ní. Je ovšem otázka, zda mluví vážně. Odpovídám si: ano, když to vážně vezmu. Odejdu-li, ačkoli to vážně nechce, bude to platit, protože ona se utvrdí, že to tak chtěla. Seděl jsem na kraji postele: jaká je to strašná odpovědnost! Budu se o ně muset dál starat, za to získám svůj čas. „Xenko, tak já půjdu, ale tentokrát nepotřebuju žádné drama, nebudu teď v noci bouchat autovýma dveřma, rozčileně odjíždět, udělám to zítra." Bral jsem si pokrývku a pravil: „Nezlob se, že jdu vedle, mluvit nemá cenu, ani bránit jeden druhému ve spaní."

Odešel jsem do její pracovny čpící jak hospoda. Ale bylo mi to vhod: cítil jsem svou neslučitelnost s tímto vším. Cítil jsem také, že se na ni vůbec nezlobím, že jenom lituju té veliké ztráty radostí, blaha, Lucčiných vět a písniček. Ale měl bych spíš děkovat, že jsem jich dostal tolik. Však tatínek byl v mém věku dávno mrtvý. Moje maminka – co zažila pěkného od třiceti výš? Kolik jsem já ublížil – Daně. A své Marii! Co zasluhuju? Jenom jak přestojím tu ránu, jak přečkám do umrtvení, jak dokážu nevědět, co dělá Xenka, a jak dokážu naopak vědět to?

Ona ví jenom o sobě, o mně ne. Ví, kolik mi obětuje. Co já jí, neví. Proč mám jít pod svůj názor, pod svůj sloh, pod své vědomí krásy i nutnosti? Ten kouř mi zhmotňuje nepřátelský názor a sloh. Toto, nadechoval jsem to zhluboka, to není pánský kolorit doutníků a dýmek, to je promiskuitní kouř každého s každým, špína, v níž si všichni nabízejí křížem své krabičky a nezačnou a nezačnou myslit, dokud si všichni nezapálí. Je to jak bahnitá kaluž, kde samci podráždění po celém svém povrchu všemi přítomnými samičkami, jež všecky stejně smrdí, vypouštějí anonymně své slizy k anonymnímu oplodnění kterékoli samice bloumající s křivou hubou tím prostorem. Tímto ona bude cítit, ať přijde odkudkoli, tak se vypařovala vlasama vedle Adama, patřila tehdy k němu, splynuli názorem i pachem. A ona se lituje? To já ji lituju líp!

Především nesmím už čekat, kdy se za bledými dveřmi objeví stín, zmáčkne kliku a vejde. Musím toho nechat. „Na to zapomeň," říkával vojín Matyák na vojně první dva měsíce každému, kdo po večerce vzpomínal, co by teď dělal doma a co dělají lidé, od kterých je odtržen. V písničce, kterou zpíváváme s Luckou, taková potvora praví: „Já sem zapomněla, bár sem ráda měla, mysli si, synečku, že sem ti umřela." Mám-klidné-srdce-mám-klidné-srdce... opakoval jsem si a opravdu se mi srovnalo do rytmu mých slov, až jsem usnul, skoro. „Je mi to líto," řekla nade mnou bledá postava, jejíž stín za dveřmi jsem zaspal. „Já hned jdu," řekl jsem, vzal pokrývku a šel s ní. Ne, nespustím už žádnou srážku, když jsem se rozhodl jednat správně. Když jsem se složil vedle ní a z jejích vlasů se na mne vylil ten kouř, napadlo mi cosi: z ohně bys ji přeci jistě tahal, a tady kouř, kouř...

Usnul jsem hned. Ráno jsem měl vést Lucku do školky, ale nevstal jsem: já už tu nebudu nic muset. Xenka byla v práci. Srovnal jsem si papíry a jel domů (!) bez nějakého úminku a se žádným vzdorem. Nemusím nic prestižně dodržet. Proto jsem si neřekl, že už nepřijdu, je totiž nepravděpodobné, že bych už nepřišel. Ještě máme jít s dětmi na hory, jsou předplacené, máme ještě přijmout nějakou návštěvu z Německa. Brzo potom, co jsem přistál doma, Xenka volala: teď jde na tu schůzku s Vinckem do Klášterní vinárny, vyřídí s ním jakousi věc a o tři čtvrti hodiny později ať přijdu za nimi. Řekl jsem, že přijdu. Nechám její podvědomé moudrosti, ať jedná. Možná chce žít dál, jako by se nic nestalo, a já jsem se přeci nezařekl, že už nechci. Já jsem jí jenom nabídl, že můžu jít. Ale asi musím svou nabídku zopakovat, aby se nebála, že jsem na to zapomněl. Zve mě možná proto, abych si nemyslel, že hned vplouvá do styků s někým, kam by mohla jít od Vincka.

Přišel jsem tedy do vinárny, a zdálo se mi to trochu trapné. Nemyslí si Vincek, že jsem hned žárlivě přikvačil, aby nemohli odejít spolu? Začal mi hned stručně shrnovat obsah jejich hovoru. Řekl jsem, že to nemusí, nejsem tu proto... „Proč jsem tu?" zeptal jsem se Xenky. „Protože nerada chodím z hospůdky sama." Vincek odešel a já s ní šel k tramvaji. Chtěla, abych s ní šel vyzvednout Lucku ze školky, šel jsem. Zvala mě nahoru na kávu, ale nemohl jsem, vždyť jsem slíbil, že budu s vnoučaty, jsem trochu i dědeček a Marie je nemůže mít na krku celý týden sama.

Dneska jsem Lucku vyzvedl a jeli jsme do města: byli jsme na

Střeleckém ostrově, na Žofíně, na Kampě a krmili labutě a kačeny. Cestou mi podala z kapsy složený lístek papíru. „Napsala jsem něco, ale některá písmenka neznám, tak jsem si je vymyslela. Můžeš mi to přečíst?“ Měla tam několik písmen C, B, M, řádek svislých čárek jako I, řádek opačně skloněných jedniček, řádek křížků a hvězdiček. Přečetl jsem jí to. Užasle řekla: „Je toto vůbec možný? Já myslela, že tam mám napsáno Fronda!“

Máma zatím dřímala doma, unavená z práce. Bolí ji v zádech. Požádala, abych ji namasíroval. Má záda kostnatá a křehká, s viditelným znamením svého pádu ze skály v dětství. Usínáme vedle sebe už několik dní jako čtenáři. Zadržuju řeč, protože jak jí mám říct jsi volná, když jí k tomu nemůžu říct dám ti měsíčně tři tisíce? Mám peněz dopředu všeho všudy osmnáct tisíc a nevím, na jak dlouho, může to být i na rok! Nic, žádný důchod. Ona nic neví; neptá se, neříkám. Koho znám, každý si něco zařídil: nějakou invaliditu, snesitelnou, nebo aspoň malý důchod tím, že přijal na pár let nějaké nudné nebo zničující zaměstnání.

Sedím a hledím. Bylo by mi dobře z povzneseného vědomí, že jí pomáhám, jsa na ní nezávislý. Až na ní nebudu záviset, budu ušlechtilý, nikoli blbý. Vyhlížel jsem chvilku, kdy jí to říct. Mělo by to být jinde než z tohoto křesla, kde pokaždé sedím a všecko dopadne stejně. Pozvu ji někam jinam. Do Dejvic k tomu stolku pro dva, kde se mi nabídla za gejšu a zdrtila mě k breku, který jsem nemohl však spustit. Řeknu: „Gejša se nám nepodařila, otočme to: budu ti mecenášem.“

Lucka, která všecko pozná, řekla: „Ty jsi zase smutný! Ty se na mě zlobíš?“ – „Vůbec ne, Lucinko.“ – „Tak na mámu? Co dělá?“ – „Odpočívá.“ – „Budeme si hrát na loď,“ řekla a vystoupila na kámen, „toto je loď, a ty mi dávej rozkazy.“ – „Vylez na stožár.“ Usmála se, pokrčila rameny, slezla z kamene. „Tak na něco jiného,“ pravila. Mluvil jsem s ní těžce, minutu po minutě jsem prodlužoval procházku, abych s ní nemusel domů a nestál zas před otázkou, co mám dělat.

Odpoledne jsem se pokoušel psát. Xenka přišla a lehla si na postel za mnou. „Chystám se ti něco říct,“ začal jsem. „Do nedávné doby jsem si myslel, že trpíš, protože nejsem pořád s tebou. Teď mi připadá, že trpíš tím, že ses vůbec se mnou nějak svázala a nevíš, jak z toho. Že bys teda trpěla, i kdybysme byli ženatí." Čekal jsem, neříkala nic, pokračoval jsem. „Ty potřebuješ jiný život a jiného muže. Nechceš změnit život?" Vleže se zeptala: „Jak to myslíš?" Řekl jsem: „Že bysme se teď bez hněvu a konfliktu, protože teď žádný nemáme, dohodli takto: budeš žít podle svého přání a já se o vás budu starat jako dosud, jenomže tu nebudu spávat. Nebudeme tedy spolu spávat, odpoutáš se ode mne, najdeš si někoho mladšího, třeba za rok... Já nechci, aby toto trvalo jenom z nouze a kvůli dětem." – Co asi na to řekne, Xenička? Řekla: „Dobře. Tak až to budu chtít, já ti řeknu. Když teda to má být takhle volnej vztah." Samozřejmě to takhle volnej vztah být nemá, proto jsem si její odpověď vyložil jako odmítnutí mého nesmyslu a v noci jsme zase splývali. Pak jsme nemohli usnout, což byl asi euforický efekt z úlevy, že neštěstí je zas odkopnuto. Jedli jsme klobásu s chlebem.

Ráno odešla do práce a já šel naproti Josefovi, který se přijel podívat na film. Když přišla z práce, pozdravila se vroucně s Josefem a mně zašeptala: „Menstruuju. Co myslíš, nejsem neplodná?" – „To ať ti nenapadá," řekl jsem. Když odpoledne chtěl Josef jít k autobusu, rozhodl jsem se, že ho domů odvezu, a Xenka s Luckou vesele jely s námi. U Josefa jsme se podívali na nové hříbě, dal nám kávu a jeli jsme zpátky. Při loučení pravil Xence: „Ty seš nějaká přepadlá, zatímco on kvete." Měl jsem asi říct: právě zas není těhotná, neřekl jsem však nic. Celou cestu, přes hodinu, na mě nepromluvila. Vzal jsem tašku a jel sem, kde to píšu.

Jedno dopoledne, když skončila úklid, šli jsme na film „Swanova láska". Je tam scéna z nevěstince: Swan polosvlečen stojí a žena mu něco dělá u kolenou. Pak se žena předkloní, hlavou k nám, a on si stoupne za ni. Oba mluví, on navíc kouří cigaretu a pomalu se pohybuje. Náhle přestane, ale nezdá se, že to dokončil: přestal, když se dověděl od té ženy, co chtěl. Shodli jsme se, že nám ta scéna připadala milá, vůbec ne pohoršlivá. „Takový manželský výjev," řekl jsem. „Já jsem skoro celý film měla zas... to. Ne přímo to, ale to vzrušení předtím." – „Tak proč ses nechtěla se mnou držet za ruku?" – „Právě proto. Nešlo by to už vydržet." Za chvíli mi napadlo: „Ale to znamená, že v tom kině se odehrával hromadný ženský orgasmus?" – „Já nevím, jak to mají jiné. Nikdy jsem o tom s nikým nemluvila." Jít s někým takto nadaným do kina znamená přípravu na soulož? Vzhledem k povaze dnešního kina a dnešních žen asi ano.

Po kině jsme šli na oběd, kam jsem pozval i mladého muzikanta, který by Xence měl zhudebnit text pro Martu Kubišovou. Ten hoch mluvil plaše, ale určitě: text není na píseň vhodný. Xenka to vzala klidně: jako nesoulad dvou autorů. Když jsme šli domů, řekl jsem: „To je dobře. Kdybyste se měli vídat často, byl bych neklidný." Věcně řekla: „To bych už neudělala. S tak mladým klukem. Možná až mi bude pětačtyřicet, to každá žena asi ráda. Není nic snadnějšího než klofnout takhle mladého kluka. Ten Adam byl přesně takhle starý." Zeptal jsem se: „Kdyby ses tenkrát nebála, že mi to estébáci vyzradí, byla bys začala psát ten román?" Přemýšlela. „Nevím. Asi ano. Já jsem se s tím stejně trápila... Já jsem si dokonce o tom začala psát deník." Užasl jsem. „Co v něm bylo, když říkalas, že se to stalo jenom jednou?" – „Všecky ty dny předtím, jak šly. Pak jsem ho roztrhala." – Škoda, že jsem to nenašel, byl bych to slepil.

Přišli jsme domů, začala se hned odstrájet, ani jsem to okamžitě nepochopil. Večer jsem psal, ona také, ale co, nevím, ten román to není. Nacházím jakési zlomky veršů, neptám se. V posteli, když jsme zhasli, jsem jí řekl: „Ale před tím románem neuhýbej. Právě to ochladnutí je dobrá podmínka, abys to viděla líp." – „Budou mi zas říkat, že je to povrchní." – „Nesmí to být povrchní." – „Já tam nebudu přeci vpisovat úvahy." – „Kde bys je vzala!" řekl jsem, ale neurazilo ji to. „Přes popis jednání postav se musí poznat tvůj pohled. Ale musíš si být jistá, jaké má ta knížka mít poslání." Odpověděla: „Jsou různí autoři. Tak já budu ten populár, no!" – „Populár ano, ale bulvár ne, to ti nedovolím." Přitiskla hlavu k mému rameni. „Jsi stejně můj nejlepší kamarád."

Když jde život klidně a normálně, bez výstředních úchylek, nemám tu vlastně co psát. Tyto moje zápisy tedy zkreslují jeho podobu a běh. Jsem Luccin tatínek, chodím pro ni do školky, všichni chodíme na procházky, jenom Magdaléna se chce osamostatnit. Mně vadí, když s námi nejde. Xenka jí nechává volnost, nevím, jestli je to správné.

Potom my máme vzpomínky a hovory, které Magdaléna poslouchá mlčky, v pozici vyřazené osoby.

Dneska jsme měli měsíční schůzku, tentokrát u Karla. Když skončila a rozcházeli jsme se, Xenka se nezvedala, divil jsem se. Řekla, že tam ještě chvíli zůstane. Pravila, že však dětem to jistě vadit nebude. Řekl jsem, že jdeme domů, odpověděla, že nepůjde. Odešli jsme s Ivanem a Petrem a chvíli se před domem rozmýšleli. Ivan mě pro ni posílal, odmítl jsem jít. Šel tam on a přišel s odpovědí, že zůstane na cigaretu a přijde. Odešli jsme. Já se špatným tušením.

To bylo v šest, a je tři čtvrti na deset. Chodím od jednoho okna k druhému. Chvíli si přeju, aby to vydržela a zůstala tam přes půlnoc, a jsem volný. A pak se skoro modlím, aby už tu byla. Magdaléna, když jsem přišel, se divila, kde je máma. „Je u Karla. Jak si to máme vysvětlit?“ řekl jsem. „Že o něho stojí,“ odpověděla. Nevím, jestli moje rozčilení je přiměřené té události. Jako událost je to malé, jako znamení je to veliké a těžké: mým trápením nebude konce! Proti výroku, že to nic neznamená, jímž se volám ke klidu, mám hned námitku: Je myslitelné, abych já s ní šel do nějaké společnosti a pak ji poslal domů samu, protože bych chtěl zůstat s nějakou ženou? Josefe, uteč. Nejde o příhodu, jde o povahu. Máš čekat na čím dál větší ponížení? Poslouchal bouchání v domě: výtah. Svištění autobusu v dálce, spočítané minuty ticha, konečně ostrý cvakot podpatků, ale ne jejích. Za tři dny mají jet na hory! Co čeká? Vezmu si svůj život zpátky, nic víc.

Přišla, včera, po jedenácté hodině. Josef nespal, ani nečekal, ležel potmě v její pracovně, aby nemusel vědět, kdy přijde, když usne. Vešla, stoupla si nad něj a řekla: „Ty jsi tady?“ Pach pití a kouře snášel se od ní k němu. Sedl si, udeřil ji dlaní do tváře a odstrčil ji na zem. Zmizela, nikde si ani nerozžala. Usnul, jenže kdykoli se vzbudil, bylo jen o půl hodiny víc. Začínalo ráno. Přišla a zeptala se: „Můžu na chvíli k tobě?“ – „Já nechci,“ řekl jsem.

Je v práci. Lucka, která pro teplotu nešla do školky, si pouští desku s maxipsem Fíkem. Denní světlo zas šalebně zlepšuje věci. Cítím ten lstivý známý svod: že to je dráha. Na té schůzce jsme seděli vedle sebe, mluvilo se, Karel doléval sklenice. Mně přestalo brzo chutnat, a že ona začíná být opilá, poznal jsem až podle toho, že do diskuse začala vskakovat krátkými námitkami, povrchními, jako kibic mimo hru. To nedělává. Řekl jsem si hned, že to tedy s těhotenstvím nepočítá, ačkoli se chováme, jakoby ano. A už i vím, kde jsem udělal chybu. Když si zas nechávala nalét, zašeptal jsem jí těsně do vlasů: „Prosím tě!" Usmála se a mávla rukou. To je dráha: na silvestrovský sabat šla proto, že jsem si nepřál, aby šla.

Přišla z práce. Seděli jsme s Luckou a zpívali si písničku „U strážnickéj brány stojí tam kůň vraný, už mojéj galánce vyzváňajú hrany...", a Lucka se rozbrečela, že je jí galánky líto, Xenka vešla tvář v úsměvu: „Vy si tu zpíváte?" A chtěla se přimazlovat. Nevzal jsem to. A divil jsem se tomu: svému pádu. Pouštím se jí? Později večer přišla mi říct: „Jenom se mi u Karla chtělo ještě chvilku si povídat! Pořád se jenom jednalo, pak to náhle skončilo a všichni odcházeli. Trochu hovoru, chápeš to?" Řekl jsem: „Představ si to naopak. Že já bych zůstal s nějakou ženou a poslal tě domů." – „Ty to bereš takhle?" divila se. „To mi nenapadlo!" – „Úplně ti věřím, protože ty na mě nedbáš." – „Už to nikdy neudělám." „Uděláš něco jiného." – „Ale tohle ne." Musel jsem se chechtat. Řekla: „Vidíš, není to krásný? Život je dlouhej. Ale já už toho moc nestihnu." Držel jsem ji a do vlasů jí říkal, že nikam s ní už nepojedu. Neslyšela to. „Teďka se těšme na ty hory," řekla. „Snad nechceš říct, že nepojedeš!" – „Nepojedu." – „A já tě mám čím dál raději. Přece bych nechtěla dítě, kdyby ne." – „To jsem si právě všiml, že s tím už nepočítáš. Přišlas opilá." – „To se snad vyřídilo tou fackou, ne? Tak jsi mě měl zbít pořádně, ale tyhlety slova nechci slyšet: nepojedu."

Lucka plakala, tahala nás za ruce jednoho k druhému. Naše hádky a scény se totiž hrají zatím bez dětí, toto se stalo prvně. „Nehádejte se, dejte si pusinku, usmiřte se," prosila a vedla nás, jaksi automaticky a přirozeně, k posteli. Vlezli jsme si tam všichni tři. A zatímco po nás hopsala, my jsme to pod pokrývkou zase dali dohromady.

/ BŘEZEN 1987 / Za pár dní má začít jaro, a venku padá nový, měkký čistý sníh. Jsem tu ve Zlíně u Mirka a za pár dní odjedu do Brumova za Marií. Mám s sebou psaní, ale nedokážu dělat nic; nebo spíš proti sobě stávkuju.

Vzdáleností se můj vztah ke Xence křiví a bortí: tělesná touha mi připomíná mou bezmoc, neoprávněné spolehnutí a vlastně se mi vysmívá. Hněv a podezření se mi spojují v souvislý názor: že bych se měl od ní odtrhnout. Starat se o ni dál, jednat k jejímu prospěchu, ale urvat se: s počáteční bolestí a surovostí. Ještě nedávno jsem věděl, že náš normální stav je milovný a povzbudivý a moje rozdrážděná nechuť že je jenom otřes po události s Adamem. Když jsme se k sobě blížili, nechuť mizela. Teď je to skoro opačně: když zas okolo ní lozím a když Josef do ní semení, cítím, že se odchýlil od pravého poznání obsahujícího generační nesouhlas, nechuť k jejímu životnímu řádu a nelibost až k její kolíbě. Když jsem od ní pryč, stává se mi poslední dobou, že se Josefovi zdvihne tzv. úd, a když k ní přijdu a je večer, sedíme, pak si jdeme lehnout, a mně se nezdvihne nic. Nesouhlas s mým jednáním mě přitiskne k zemi, a já si musím připomínat, že to je jistě choroba, kterou mám překonat. Překonávám ji, ale „spíme spolu" nápadně míň. Chybí mi možná, aby mě chtěla: zřetelně, přímo ručně. Ale uvědomuju si, že jsem starý a že to není nic do mladé ručky. Ano, ona si ukrojí kus chleba na hrubý hlad, ale na požitek to není. Ostré koření, opojení... to je kdovíkde. A já beru, jen co ona dává, dál mě to uráží: ta moje chuť na její chuť, jíž však není. Ve svém předchozím spise mám na straně 58 zapsánu její větu: „Budu tě mít ráda, i kdybysme to vůbec nedělali, vsaď se!" Vsadil jsem se, ale jen se sebou.

Kdysi dřív říkávala v dobré náladě: jak se k sobě hodíme, jak jsme si blízcí. Když jsem opatrně upozornil na nějakou neshodu, bylo jí to líto, nechtěla to slyšet. Nikdy mě nevzala takového, jaký jsem! Napsala a teď dala do našeho časopisu krátkou povídku o tom, jak dvě ženy najdou v řece u břehu mladou ženu přimrzlou vlasy k ledu. Ten obraz jistě vznikl, když jsme před silvestrem byli s dětmi u řeky: smutné místo, zpustlé, těžký pohyb vody působil děsně. Děti se bavily, hrál jsem si s nimi, ona stála zlověstná. Čím jsem vinen? Bránil jsem se jí přece ze začátku, a můj popis mohla znát, dával jsem jí číst, co jsem o sobě psal. Proč neopustím Marii, jsem jí pověděl. Jsou věci nad vším: nad mládím, nad vášní, nad radostmi. Já si myslím, že v tom, jak moje poslání u ní mohlo vypadat, jsem se osvědčil. Jenom jsem po Lucince už nechtěl další dítě. Důvody znala, ale neuznala. Myslel jsem, že při tomto rozdílu věku a povah, v tomto režimu, při naší chudobě a tak špatných vyhlídkách je náš život nejlepší, jaký mohl být. Pro ni je to na sebevraždu? Připadám si, jako bych byl na nějakém místě, kde má dojít k výbuchu, a dojde k němu proto, že tam jsem. Tedy chci utéct, abych vás zachránil, ale když uteču a výbuch tím odvolám, budu označen za zbabělce, který utekl, ačkoli nic nehrozilo! – Já to mám na zabití víc než ty!

Dostávám podezření: já bych možná už dávno a rád zapomněl na Adama, kdyby mi ho pořád neservírovala v podobě své knihy. Obětovala jsem ti nejlepší svá léta, řekla. Kdybych přijal její nabídku, že odloží rukopis, přidala by: A svou nejlepší knihu! Nevydrží o svém románě mlčet ani půl jednoho dne: „A myslíš, aspoň, že je to lepší než ten Klíma?“ – „No…,“ uvažuju, protože její psaní je aspoň vášnivé a spontánní, „to asi je.“ – „Žejo! Proč on tam furt plete toho Kafku? Akorát že jsou oba Židi.“ Chechtáme se. Ona cosi takového říká spíš z příležitosti říct něco takového než z názoru. Napomínám ji: „Xenko! Nebuď tak na lidi ošklivá! Budeš potrestaná!“ – „Ale tak ať,“ souhlasí. Trest každý ona ovšem převede na někoho jiného. Měl jsem udělat to, nač jsem hned nepomyslil: nechat si všecky námitky pro sebe, ať knihu vydá tak. To by byla lekce! Jenže to mi tehdy ani nenapadlo, a to bych jí udělat nedokázal.

„Najdu si novou ženu,“ řekl jsem onehdy. „Zkusím to, a pak ti možná porozumím. Já vlastně žádné ženy neznám. Proti tobě jsem zelenáč.“ – „To říkáš vážně?“ – „Ano. Přeju si to. Ale nevím, jestli bych to dokázal vůči tobě.“ – „A na tohle myslíš odkdy?“ – Od doby, co jsem poznal, že svou věrností tvou neudržím, pomyslel jsem si, ale neřekl to: aby se neroztočila gramofonová deska „já jsem musela“. Vlastně je mi už jedno, co udělala, jestli se nemýlím. Je hloupé urážet se, že liška je zrzatá: nahmátl jsem nesprávné zvíře. „Přeci nechceš říct, že jsem… děvka?“ – „Nejsi.“ Toto jsme si řekli před čtrnácti dny, ani slovem se k tomu nevrátila. Jistě by mě jiná žena od ní uvolnila. Ale co potom zase s tou?

Pololetní prázdniny se nám nevydařily. Skály, zámek Hrubá Skála, les a sníh – pěkné. Děti – spokojené. Prostředí pohodlné, jídlo slušné. Jen světnice, kde jsme byli dohromady s holkami, dost ponurá.

Naše ležení – špatné. Byli jsme oba nemocní jakýmsi náchladem, a to posunutě o dva dny; ona, potom já. Její „plodné dny“ se potkaly s malou slávou. Byli jsme na seznamovacím večírku. Samozřejmě jsme se nemínili s nikým seznamovat, chtěli jsme sedět chvíli bez dětí. Poslouchat hudbu, a já jsem s ní chtěl tančit. Tančit zamyšleně: dělat nové, neohmatané pohyby? Tančit spolu třeba každý sám to své. Seznamovat se – spolu, znovu, od začátku! Sotva jsme vešli do sálu, ještě jsme ani nedošli ke stolu, ona řekla: „Já tančit nebudu.“ Bylo to jak zásah nožem. Proč by to říkala, kdyby necítila, že chci tančit? Ona přede mnou ráda tančí s někým jiným. Bylo těch příležitostí za naše léta jen pár, ale využila jich vždycky. Tančí živelně a je při tom krásná. Se mnou potom tančila vždycky jenom *také*. Nedává-li jí to nic, co nadělám? Teď ani nepočkala, jak se vyvine nálada. Nevzpamatoval jsem se z té rány do konce týdne, co jsme tam byli. A je mi i teď, při vzpomínce, ošklivě. Beze slov jsme vypili láhev červeného vína. Když jsme dopili a já platil, řekla: „Mohli bychom si zatančit tenhle ploužák…“ Milost jsem nevzal.

Když jsme se odtamtud vrátili do Prahy, cítil jsem jakési osvěžení: buďto jsme si přece jen nějak odpočali, nebo „doma je doma“. Já se vrátil k tomuto svému psaní, dohnat zpoždění. Ona… špalek jejího rukopisu leží odložen na knihovně. Považuje knihu za hotovou. Změnila a dopsala některá místa. Přizdobila Adama několika půvabnými scénami, Josefa nechala už být. Jednou ráno Josefovi pravila: „Chci si tě takhle vyfotit.“ To „takhle“ bylo, když si Josef nahý dřepl k nočnímu stolku a něco v něm dole hledal. Nachystal jí aparát a uvedl se do té polohy… a poznal nečekaný stud. Ale hned pomyslel na to, co kdy žádal po ní a ona to dělala. Rovnoprávnost? Jak veliký rozdíl může být v jejich vnímání téhož děje, si uvědomil, když mu, nedávno, řekla při „souloži“, že má poprvé vizuální představu, jak to dělají. On ji měl vždycky. Komponoval z toho obrazy, skládal nevyslovitelná souvětí. Dále se jim v posledních týdnech stala zvláštní nová věc. „Mám brnění,“ pravila Pavla. „Od čeho, kde?“ – „V rukou, v hlavě, jde to takhle odspodu,“ sáhla dolů mezi sebe a Josefa. „Teď?“ – „Teď… už ne. Před chvílí. Když jsi… to.“ Polekal se: není to něco nebezpečného? Má to být? Pak mu napadlo, že to, co dosud považovala za vyvrcholení, možná byla jen příprava a shromažďování rozkoše a že cíl je až za tím brněním. Možná, že teprve teď, v tomto jejím věku a v tomto stupni jejich spojení jí „cuká splávkem“, jak říkají Angličani. Když se potom zastavili u Jiřiny a nechali si úkaz posoudit a pochválit, pokoušel se Pavlu dostat dál přes brnění. To však mělo vážný háček: „Brníš?“ ptal se. „Ne.“ – „Proč!“ – „Nemůžu, dokud... mi... to nedáš!“ Dal jí to, byl u konce; ještě v předchozím svém spise byl by ji hned mohl postrčit dál. Asi by mu teď měl, experimentálně, přiskočit na pomoc Adam?

Včera jsem jí telefonoval. „Jsi zdravá?“ – „Celkem ano.“ – „A jináč?“ – „No, jako vždycky...“ – „Mrzí tě to?“ – „Beru to na vědomí.“ V takovém případě se u nás pravilo o koze, že „neostala“. Nad mou úlevou však trčí úzkost: jakási touha po „věrné lásce“. Mirek přinesl od brány noviny a dva dopisy. Jeden pro mne: obsahuje Xenčinu pohádku – text pro zahraniční publikaci k dvacátému výročí „bratrské pomoci“. Pohádka je roztomilá. Pocítil jsem Xenku hned jako hodnou ženu: když jsem pryč, jenom pracuje. Rozštěpuje se mi ve dvě bytosti: ta původní je věrná a dojemná dívka a ta druhá je nebezpečná žena čím dál víc k trápení. Na světě jsou různé kultury. Budu si možná muset opravit názor na pohlavní bytí. Stingl v knize o Mikronézii píše, že manželská věrnost se tam moc necení, naopak. Při zachování jakéhosi nutna mezi manželi si obě strany volně doplňují pohlavní stravu z okolí. Vlastně to začíná i u nás. Co tento režim usnadnil všem, ať to chceme či ne, je volné páření mužů a žen.

V úterý jsem byl na večeři u „paní inženýrky“. Mluvili jsme o jejím domě, od čehož bez mého ptaní přišla řeč na její manželství a rozvod. Je to silná žena, žensky. A pěkná! Mluvila proti „emancipaci“: ona by raději žila v podřízení dobrému muži. „Co vám brání?“ zeptal jsem se. „Jako byste neznal Zlín. Kolik je tu žen na jednoho chlapa?“ Ptal jsem se, jak dlouho trvá, než člověk odoperuje svého člověka od sebe. Dlouho! Moc dlouho! Několik let si myslela, že musí běžet podívat se na něj. Byla to setkání bez komunikace. „Myslíte si, že jsou muži?“ řekla. „Snad nějací ano,“ odpověděl jsem, „loni na podzim jsme tu jednoho nadějného měli, ne?“ V údivu jsem si uvědomil, že tedy z mého prostřednictví, tak úspěšného v té chvíli, nevzešlo nic. Zastyděl jsem se. Mlčela, plná zadržených slov. „Mluvme račí o vás,“ poručila. – Ó, to není šťastné téma, Marianno!

Skoro by jí byl všecko řekl, svod byl silný. Jenže se styděl. „Znechutil bych vás. Mám o sobě letos horší mínění, než jste loni měla vy.“ – „Na mě děláte dojem člověka velice sebejistého. Vám se…,“ hledala výraz, „život se vám pokládá k nohám. Či ne?“ – „Soudíte podle čeho?“ – „Tož…“ – „A protože nemáte podle čeho jiného, nesoudíte podle sebe?“ Sesula se na pohovce naproti, zrudlá. „O čem mluvíte?“ zeptala se. Chvilku se rozmýšlel, má-li jí připomenout, co mu tehdy řekla: Chci být s vámi. Ale nedokázal to říct, připomněl jí něco jiného: „Řekla jste mi, že jsem děvkař.“ – „To jsem si dovolila?“ zasmála se jako člověk, který chce trošku zmírnit svůj výrok, na němž však trvá. Josef pocítil, že se začíná točit kolem stejné kaše, z jaké tehdy ujížděl. Napadlo mu, jako úleva, že by mohl poděkovat za večeři a jít. Žena se neklidně pohnula. Přilila sobě i Josefovi a řekla: „Když se o vás a o vaší Pavle začalo povídat, byla jsem zklamaná. Já jsem si vás tolik vážila,“ ukázala dlaněmi asi na metr, „a teď jsem musela tolik ubrat,“ ukázala asi o třetinu míň. „Od vás, ale to přece musíte vědět, si lidé zvykli něco čekat. Jste jim čímsi zavázán…“ – „Já nejsem hokejista hrající za diváky!“ vykřikl jsem a vstal. „Jdete? A tož nechoďte!“ Uvelebila se markantněji na svém místě a ukázala rukou na místo vedle sebe, ale na opačném konci pohovky: bylo to ovšem jen takové valašské gesto na usmíření, rozesmálo ho. Sedl si na své místo proti ní. „Co se o mně a o Pavle začalo povídat?“ – „Všecko, až po to vaše děcko.“ Jakousi odestřenou clonou uhlédl, jak ho zřejmě vidí cizí lidé: jak žije, v jakém vztahu. A že takto to možná pořád cítí Pavla a jenom v lepších chvilkách na to pozapomene. Vstala, šla kamsi a donesla loutku princezny: „Slyšela jsem, že máte dcerku pěknou a chytrou. Vemte si to pro ni.“ Hrál si s princeznou a uvažoval, má-li to říct. Silný bude, když neřekne. Byl však slabý. Řekl: „Velice jsem s vámi tehdy potřeboval a chtěl být. Ale bylo dobře, že jste nepřišla.“ Dívala se na své ruce, v nichž čímsi točila, potom vzhlédla a řekla: „Nemohla jsem napřed přečíst, co jste mi připsal na okraj svého textu, a když jsem to přečetla, nemohla jsem tomu uvěřit.“ Podivil se, nerozuměl jí: ona zapírá, nebo zapomněla? „Schovala jsem si ten fejeton samozřejmě, ale nemůžu ho už nikomu půjčovat, s tím přípiskem." – „Můžete ho začernit," poradil jí. „To zas...," usmála se, „to se mně nechce. Chci to mět." Rozmýšlela se, než dopověděla zlejším tónem: „Měla jsem být vaším nástrojem pomsty?" To ho překvapilo a urazilo: „Takovou škaredou myšlenku vy o mně chováte od té doby? Moje přání se netýkalo ničeho okolo nás, a vzešlo z vás!" Teď žasla ona: „O čem to mluvíte?" Zkoumal v jejím obličeji, co vlastně je pravda. „Já vám to připomenu: řekla jste mi chci být s vámi." S úlekem, ale s důvěrou na něj hleděla a zčervenala. Položila si prst před ústa a řekla: „To jsem musela ale být opilá!" – „Jenom trošku. Právě k odvaze slovem," řekl Josef. „Máte příležitost zrušit ho. Odvolejte to!" Na její odpověď čekal se strachem, ale oč? Odpověděla: „Měla bych to odvolat. Ale myslím... jsem zas trošku opilá." Teď kdyby jenom šel a dal hlavu do jejího klína, asi by ji na zem neshodila. Ale nezkazil ten rozhovor ani příběh. Pravil: „Jsem rád, že ta slova neodvoláváte, a když zítra zas nepřijdete, jako loni, bude to perfektní!" rozchechtal se a pomyslil si: To jsem, Marianno, ovšem já: musela bys přímo přijít.

Když odcházel, v předsíni jí připomněl: „Tu, právě v tomto postoji a s tou tváří, jsi mi to řekla." Podivila se radostně: „My si tykáme?" Odpověděl: „Přeřekl jsem se, ale neodvolávám." Řekla: „Já bych ráda, ale bojím se rána. Takových bylo, co řekli tykejme si, a druhý den vykali!" Pomyslel si „fuj", a myslel to na sebe.

Ujel mi poslední trolejbus, šel jsem pěšky hodinu a musel jsem Mirka zvonkem budit. „Tak tě přilehla?" zeptal se. „Na to nedošlo," řekl jsem. Ani jsem se nemyl, byla mi zima, zima. Děvkař? Já myslel, že to je něco jiného než já, něco snadnějšího. Ráno jsem se Mirka dovolil a telefonoval jí. „Dobré ráno, paní!" pozdravil jsem. „Dobré ráno," odpověděla zdrženlivě. „Chci ti jenom poděkovat," řekl. – „Já ti také děkuju." – „Ty, mně, za co?" – „Že mně ráno nevykáš."

Šel jsem odhrabávat sníh z cesty, abych vyjel. Nemysli si, říkal jsem si při tom, že už tě nic zlého nečeká. Ale toho dne jsem ještě neodjel, Mirek mě zlákal, abych se s ním večer díval na cosi v rakouské televizi. Dělal jsem odpoledne fotky. Ale už ta moje žena milenka také stárne. Na snímcích většinou zas chyběla Magdaléna, to je mrzuté. Děje se něco špatného: já s ní jednám jako se svými dětmi, což ona může vnímat jako nespravedlnost. Ve Xenčině knize je Josef i jako otec dost blbý. Přemýšlel jsem nad fotografiemi o směsi své vilnosti a nároků na čistotu. Občanské pořádkumilovnosti a samčího intelektu.

Na Xenčině záběru jsem vyšel hůř než indický muž a překvapilo mě to: proč si takový záběr přála? Všiml jsem si jednou, když jsem v Mirkově knihovně prohlížel indické oddělení, že na indických sochách muži nemají žádné koule. Sáhl jsem po Kámasútře, a zas: popisuje se tam sedmdesát způsobů naklonění lingamu, ale že k němu něco přísluší, dozví se ženuška až po svatbě? Mirek má dvě anglická vydání té knihy, odlišná překladem, a dvě slovenská. Začal jsem je srovnávat. Ve slovenských vydáních je hodně vynecháno. A tváří se jako báseň, kdežto anglická vydání znějí jak sexuologie. Kdysi jsem v českém vydání četl o felaci a kunilinktu; ve slovenském není nic, v anglickém se o tom mluví jako o zvláštnosti drávidských žen. Mirka napadlo, co o tom praví Van de Velde. Hledali jsme v něm zas oba marně: on pod heslem cunnilingus, já pod heslem Xenie. Podle Kámasútry trvá mužství do sedmdesáti let. Ale jdu odhrnovat sníh zas, abych vyjel.

Píšu už v Brumově. Bydlím u sestry, Marie u paní učitelky. Takto jsme bývali rozděleni, už když jsme sem před dvaceti lety jezdili s malými chlapci na prázdniny, protože všichni dohromady jsme se nikam nevešli. A mně vyhovovalo, že jsem jak malý svobodný bosý osamělý chodil potokem a loukami, jenže mě trápilo, že jsem, už veliký a ženatý, skoro nemohl na svou ženu: na rande u sv. Anny musela paní učitelce skoro utéct, a když jsme chtěli jít sami na půldenní výlet někam dál a výš, paní učitelka nám místo našich cpala sousedovy děti, aby prý se také někam dostaly. Zuřil jsem potichu i nahlas tím víc, že Marie se stavěla na její stranu, proti mně.

Sestra se mě nikdy na nic neptá, na moje psaní, jeho výsledky, ani na můj život. Je plachá. O Xence ví a je pohoršená. Těch lidí, ke kterým tu můžu, není moc. Bratranec Ludvik umřel. Ale ani s ním jsem přímo o sobě nemluvil skoro nikdy, a o ženách tím míň. Tady když někomu umře žena, je vlastně vyřízen. Nemám tu co jiného dělat než psát. Píšu, a nemůžu ani napsat, co se mi chce psát. Leze na mne zas ten strach. Je možné, že ona si v divadle v některé plyšové lóži dává do těla nějakého jednoduchého silného kulisáka. Úplně to vidím, teď v noci, při lampě. Noc je těžká. Ráno na ulici, jak už to znám, bude z toho zase jasná hloupost, dokonce radostná. Buď věrný, a bude ti věrná! – Zní to trochu jak umělé dýchání: dýchej, a budeš dýchat. Myslím, že Josef začíná být blbec i v mém rukopisu.

Šel jsem za Marií a myslel na to, jak by Xenka asi zacházela s mladším mužem. Byla by hodnější? Ona se uchází o chlapce ze mne, a dokáže říct takovouto věc: „Hloupé bude, jestliže otěhotním, že už tě nebudu moct opustit." Ona mě vlastně týrá úmyslně! Nad tímto zjištěním se mi až zastavily kroky. Ověřuje si svou moc? Jak jsem ji vezl do práce, a když vystupovala, řekla: „Nemám tě už ráda!" S těmito slovy mě zapráskla, a já měl normálně dál jet, pracovat, žít? Toto neradím žádnému muži. Jednou v srpnu jsem přijel z D. v pátek odpoledne, abychom podle domluvy příští dny podnikli něco s dětmi. Odemkl jsem a našel list: Odjely jsme na sobotu a neděli na chatu k Jarině. Kam, neznal jsem, a ani mě za sebou nezvala. Věděl jsem hned, jestliže za ní ještě přijdu, že jsem si každou další její urážkou, drzostí a surovostí vinen sám. Toto žádnému neradím! Že jsem za ní šel, je moje slabá stránka: zdálo se mi, že po takovém činu musí velice trpět a ode mne se nehodí nechat ji v tom. A co moje malá dcera, jediná? Zdá se mi, že hodnou ženu musím z Lucky udělat já: s nevýhodou. Vzpomínám, jaké asi surovosti dělám já Xence, a nepřicházím na žádnou, o níž bych věděl. Žádnou úmyslnou. Krom jedné, zrovna teď: jsem v Brumově s Marií. A podaří-li se nám s pomocí přátel obelstít zdejší národní výbor, získáme tu hrob. Xenie udělala chybu: kdo se chytne nesvé hvězdy, neuřídí ji na dráze. A já jsem také nevěděl, co dělám, ani proč.

Marie s paní učitelkou si povídaly. Spadl jsem mezi ně jak z měsíce: to, o čem mluvily, nesouviselo s ničím ve mně. Paní učitelka se mě ptala, co píšu a jak mi to jde. Něco jsem řekl. Marie ví, co asi píšu, a cítí, že je zle. To nemá ráda, má strach. Vztahy, jak vyrostly nebo jak se dohodly, mají zůstat v pořádku. Ona cítívá lítost nad tím, jak chudobně jsme žili my s chlapci, a že tato mladá žena mě strhává k panskému stylu, který mě kazí. Nakonec mě stejně opustí, a toho se Marie snad bojí, proto se mnou o tom nikdy nemluví. Paní učitelka mi nabídla čaj a Marie ho šla dělat. Pil jsem čaj a měl pocit, že když se poddám svému věku jako tomuto čaji, mohl bych tu zůstat, do Prahy se nevrátit a mávnout nad vším rukou. Nejlepší je nic nechtět. Potom jsem řekl, že jsme přece nepřijeli, abychom jenom seděli v domě. Pojďme někam ven, navrhl jsem Marii. Paní učitelka, protože skoro nevidí za okno, řekla: „A co tam uvidíte? Je to pořád stejné." Podle světla nepozná ani, zda je ráno nebo večer. Šli jsme.

Umínil jsem si náš výlet později zapsat, ale tam jsem už neměl čas a tu v Praze nevím, jak do toho. Jsa zase tady, cítím jinou část osudu. Je to jak přestup ze života do života. Mám lítost. Vrátili jsme se včera, byl první jarní den, oslnivý. Celou cestu jsme si povídali – o čem? O paní učitelce, o mé sestře, o osudu bylnické rodiny Rufrů. Vzpomněl jsem si, že předtím v televizi říkali, že letošní březen je nejchladnější za stopadesát let. Řekl jsem to Marii a ona pravila: „Jsem ráda, že jsem ho prožila!" Má ráda přírodní úkazy a katastrofy ji vábí. Na jeden spravedlivý přírodní úkaz tu musím vzpomenout. Byli jsme mladí manželé, byli jsme u našich a jednou jsem se tam s Marií pohádal. Potom byl večer, mělo se jít spat a chystala se strašná bouřka. Šli jsme do postele a do vedlejší si lehli naši. Venku ve tmě začal liják. Dlouhé fialové blesky bez hromování, jenom se sykotem jezdily nad naší dolinou a přes strop bylo slyšet, jak se na střechu sypou kroupy. Chtěl jsem Marii obejmout, odstrčila mi ruku a odtáhla se až k deskám postelí. Zuřil jsem a teď teprv jsem věděl, že v hádce mám pravdu já, protože kněz, který nás připravoval ke svatbě, nám dal zvláštní poučení: „Nad vaším hněvem ať slunce nezapadá." Musel nám to nakonec vysvětlit, nepochopili jsme to hned: žádný hněv nemá se táhnout přes noc. Noc v naší chalupě vždycky vynikala tmou. Ženské tělo v peřinách – to jsem tu měl tehdy poprvé. A ona mi odpírala. Že vedle leželi naši, neviděl jsem jako moc velikou překážku, však jsem nechtěl nic jiného, než se tiše vtělit. Rozmýšlel jsem, že odejdu spat na hůru do sena. Tak mi moje manželka připadala zlá a blbá. Vtom roztrhl tmu blesk a hrom tak veliký, že se otřásla chalupa: v tu ránu byla Marie na mně a zavrtávala hlavu pod mou paži. S jejími prsy v dlaních a zadečkem v klíně jsem usnul, jak radil velebný pán. Marie byla mladá žena velice pěkná.

Když jsme se včera vrátili do Prahy, jenom jsem se převlékl a jel sem. Tu nikdo doma, Xenka s dětmi, napadlo mi, jsou na matějské pouti. Všude měly pronikavý pořádek! Prohlédl jsem, jenom očima, Xenčin stůl. Zdá se, že psala tu Modrou pohádku. Nikde jsem neviděl rukopis románu. Za chvíli volala z města, že už jedou domů. Jel jsem jim naproti na stanici metra.

„Viděls, jak jsme uklidily?" zeptala se Lucka. „Těšil ses na mě?" ptala se její maminka. Rukopis čte jedna kamarádka. Magdaléna mlčela, výrazně: jako by měla co říct. Mou vítací pusu přijala pasivně, a je to tu zas: líbat ji jako svou, nebo se jí nenabízet? Nosím samozřejmě vždycky dárky. Když si je vybalily, Xenka mi předváděla ty troje kalhotky a Lucka hrála: „Dámské kalhotky bílé, s krajkou našitou vpředu..." Žasnu nad jejím dospíváním, zřetelným i za ten týden. Xenka nahatá jak koza mi předváděla ještě cosi jiného, co koupila nebo vyměnila. Lucka mě požádala, abych s ní šel do vany. Stříkali jsme po sobě vodu z plastikových delfínů a Xenka se ptala, co dobrého mi má do vany podat: grog? Pil jsem grog, jehož páry mě vždycky dráždí ke kašli..., a nemohl jsem pochopit, v čem by měl být nějaký problém, nějaká hrůza, tíseň, strach, podezření, žárlivost. Lucka se válela mezi mými koleny jak lachtánek. Xenka vstoupila do otevřených dveří koupelny a řekla: „A rozhodla jsem se mít další děcko." – „S kým?" zeptal jsem se vážně, zapomenuv na sebe. „S tebou." – „To je zvláštní," řekl jsem, „já jsem si v tom týdnu také řekl, že se ti poddám." Z kuchyně se ozvalo: „Chci kluka, když už!" Napadlo mi, jestli tu snad mezitím o tom nejednaly. „Kluka," opakovala Xenka s břichem šitým po císařském řezu s Magdalénou, „to záleží na tátovi." Magdaléna volala: „Hedvičin táta udělal Hedvice bytový skleníček na tropické rostliny!" Xenka se usmála puklinou sedm centimetrů od mých očí, jak se vzpínala po košilce na šňůře nad vanou. „To náš táta nedovede, skleníček," řekla. Lucku to urazilo: „Dovede, dovede!" pravila s bříškem hebce vypouklým pod vodou, s nohama mezi mými stehny. Zvláštní rozkoš i úzkost z tohoto pravého babince braly mi rozum. Nejsi náčelník! Jsi řízený samec! A jako takový jsem se hned také ucítil a chtělo se mi okamžitě na to jít. Josefe, Josefe!

Po večeři jsme seděli před televizí: zprávy. Pak jsme popíjeli Müllera, dokud Magdaléna nešla spat. Xenka se ptala, jestli jsem dělal u Mirka fotky. Řekl jsem, že jsem jenom vyvolal filmy, na obrázky nebyl čas. Neřekl jsem, že jsem měl nechuť dělat je; ani jsem to teď nechápal. Zeptala se, jak jí vyšel můj obrázek. Řekl jsem, že dobře, ale že mu nerozumím. Jaký půvab v tom viděla, když nešlo o mužský kuloár, pardon? „Tvar. Čistě výtvarně," řekla. Zastyděl jsem se, ale nevěřil jí to. Přesněji řečeno, podařilo se jí zahanbit mě. Šli jsme ležet a složili se, byla velice připravená. Za chvíli jsem jí do uší říkal věci, které tu nenapíšu, abych z Josefa nedělal dalšího vola. Dnes ráno mě vzbudili kosové, jak v zasněžených zahradách zpívali.

Dopoledne jsem psal, v poledne šel pro Lucku. Odpoledne se Xenkou a Luckou do samoobsluhy... vybírání věcí do vozíku, vracení některých zpátky na regál, úzkost. Loni jsme už málem koupili vesnickou chalupu. Účastnil jsem se jednání s údivem a úlekem: nejen že by na to padlo moje heidelberské stipendium, uložené pro případ nemoci, ale ještě bych si musel od někoho z přátel vypůjčovat. Koho poctít tou žádostí a nestydět se? Ona nemá úspory žádné. Zachránila nás majitelka, která pořád zvyšovala cenu. Vyhodili jsme osm set za úřední odhad. Večer běžel v napětí zaviněném televizní hrou jak opsanou z našeho života, nemanželského.

Ale končí březen, sleze sníh, a já jsem si umiňoval vrátit se k procházce s Marií po krajině. Jeli jsme do Štítné, tam nechali auto a šli cestou do údolí k přehradě, odtud jsme vystoupali k samotám na hřebeni kopce a po něm, místy po kolena ve sněhu, jsme šli dál. Tu jsme nikdy nebyli, sem jsme se vždycky jenom dívali z protějších kopců. Ty se nám, a celá známá krajina, jevily z neznámého pohledu, a byl to divný pocit, jak ze sna: povědomé neznámo, variace na povědomou melodii. Prázdnota krajiny vyvolávala až závrať, jako asi v beztíži. Tak působily holé stromy a keře, stejnotónnost sněhu, jenom někde svátého až na čerň pole. Člověk šel a nevěděl, jestli se dalším krokem propadne o čtvrt metru nebo definitivně kamsi. Marie se bála. Ačkoli bylo vidět na všecky strany a hlavně ty stokrát prochozené obrysy Holého vrchu, bála se, že se ztratíme. Viděli jsme srny, stopy zajíců. Ti po svém jarním honcování nechávají rozrytá kola – sníh smíchaný s hlínou a močí. Bylo vidět, jak párky běžely těsně za sebou, stopy se téměř slévaly každou tlapkou. Slunko svítilo. Na vrcholu jsme obloukem zahnuli nazpátky. Jít dál, došli bychom konečně jednou do dědiny jménem Kochavec, kterou znám opravdu jen podle jména. Co je láska? K čemu je život, kam ho dovést, komu ho věnovat? Kdo si ho zasluhuje?

Ten nádherný obraz, svět jako vesmírný dar, tlačí se mi teď do očí. Když jsme se přebrodili a prováleli sněhem, protože pod neviditelnými závějemi ho bylo přes metr, až zase k cestě, pravila Marie: „Když jsem to viděla, nemusím už nic vidět.“ A vyprávěla mi zas, co předtím několikrát: jak si v dětství, podle učitelova vyprávění, udělala obraz o Valašsku a touha po něm ji potom vedla do Zlína. Tam každou neděli utíkala z města do krajiny, do dědin v roklích a k samotám na pasekách. Kráčeli jsme po uježděné silnici a ona mi jak hloupá povídala, za co mi vděčí: že jsem jí dal tento kraj a takovéto odpoledne, donutil ji vylézt z tepla, a ty naše všecky chlapce, kteří také, třebaže žijí jinde, patří sem a vědí to. Nedokázal jsem to poslouchat, nemohl jsem uvěřit, že by zapomněla na to ostatní, co jsem jí také dal. „Tys na něco zapomněla. Měla bys litovat!“ řekl jsem. Ušla pár kroků, než řekla: „No... nezapomněla. Ale to se předem neví, a za všecko se platí, já jsem ani nepočítala, že se dožiju tohoto věku. A že já, člověče, ještě můžu na takovou túru! Já jsem vděčná.“ Má dvaašedesát roků a od třiceti mám strach z její smrti.

/ KVĚTEN 1987 / Je konec května. V dubnu Josef nepsal a už psát nechce. Pro přítomnost to nemá smysl, je rozhodnuto: Pavla je ve třetím měsíci. Takže konec sebezpytu a luxusním depresím. Je zdráv. Dál už je to jenom otázka síly.

Šla k doktorce jednou po ránu, zatímco on u svého stolku v ložnici množil na paměťovém psacím stroji IBM svůj velikonoční fejeton, začínající větou: „Pletu si karabáč osmerák a myslím na vládu.“ Už léta píše o čemsi jiném, než o čem by chtěl a potřeboval napsat. Když uslyšel odemykání, šel do předsíně. Pavla stála ve dveřích s povzneseným výrazem bledé tváře v tmavých vlasech a držela kytici květin. „Jsem těhotná a koupila jsem ti kytku,“ řekla svým nejmilejším hláskem, radostně pokorným. Odebíral jí kytku, plášť a nad rozporným pocitem úleku a úlevy si opakoval větičku „koupila jsem ti kytku“. Uklidňovala ho. Kytku postavil na stůl do kuchyně a Pavla začala, tak jak přišla, chystat oběd. Nechtěla odložit pěkné šatičky. Seděl u stolu a díval se na ni. Pracovala opatrně, ruce držela od boků, břicho od pracovní desky. Každou loužičku vody hned stírala. Vyprávěla, jak je to něco docela jiného hlásit se k porodu než k interrupci: sestra i doktorka s ní hned jednaly jinak. A vitaminy, rady, doporučení. Josef na ni hleděl a myslel si: je to správné, ale jak to řeknu doma? Občas se užasle zastavila v pohybu a otočila se k němu. „Budu mít děťátko," řekla. Za chvíli: „Tak jsi mě zbouchnul!" a rozchechtala se. A za chvíli: „Nechceš... si zašoustat... . teď hned?"

Prudká, krutá chuť, okamžitě. Servala si šaty v běhu a byla na místě dřív než on. Jen se do ní vtělil a s úlekem cítil, jak se mu šťáva, neposlušná, sbírá a dere do špice, ani nezačal „šoustat". „Nezlob se," řekl. „To je v pořádku," pravila. „Je to pro tebe. Od teďka to bude jenom pro tebe, já ho nechci vzrušovat." Ležela vyplněná, dívala se mu do tváře a něžně mu prohrabovala vlasy. Počítal, že toto dělá asi počtvrté: zaměřena výjimečně ven ze sebe, na něj. Když se od ní vzdaloval, pohlédl jí do klína: byl opravdu trochu jiný. Je to třetí bytost.

Převlékajíc se prohlížela si bradavky pro chlapce a pravila: „Holkám neřekneme nic. Až si samy všimnou, jo?" – „Ale Jiřině bysme měli," řekl. „Například proto, abys věděla, jestli smíš ještě brnět." – „Nebudu brnět, nepotřebuju." Odešla a on si sedl ke stroji. Za chvíli z kuchyně volala, jak vždycky volává přes celý byt až na chodbu k výtahu: „A to si pamatuj, odteďka jsem tu pro tebe a pro amiga! Můžeš mě mít kdykoli, třeba v metru! Budu to, co si všici chlapi asi přejou: ženskou, která jim podrží a víc nechce!" Za chvíli přišla a ve dveřích mu řekla: „A na nikoho z tvé rodiny se už nehněvám, není to krásný? Divný!"

Nechal na stroji doběhnout stránku a šel do kuchyně za ní. „Jak se bude jmenovat?" zeptal se. „Jak myslíš ty," odpověděla, „aby to šlo dohromady s ostatními tvými jmény." – „Teda Josef," řekl. „No, a máme hned i kmotra," pravila nadšeně. To byl výborný nápad.

V poledne přišly obě holky ze školy. Byly po obědě, ale přidaly se k jejich slavnostnímu jídlu: číně, kterou Pavla umí a dělá ráda. Magdaléna řekla: „Hm, tys dostala kytku. Od táty, jo?" Pavla odpověděla: „To jsem si sama koupila." Josef přemýšlel, zda rozdíl mezi první a touto verzí té věty má nějaký význam.

Holkám to neřekli, ale Pavla to napsala sestře do Německa a ta jí hned poslala povzbudivý dopis, takže estébáci už taky to vědí. Chlapec se narodí ke konci roku. Aby to tak vyšlo na silvestra! „Chtěl bych být u porodu," pravil. „Nevím...," odpověděla. Stydí se? Jestliže ano, tak jenom z obavy, jak se u toho bude chovat. Při četbě knihy o kinematografii se nestyděla. Na obrázku, jak čte knihu o kinematografii, leží, má rozevřená stehna a ze zrytých, zpřeházených brázd osetého pole vytéká široká bílá stružka. Chtěla to mít a vidět: láska, vášeň, stopa chlapa. „Uděláme si... sexuální víkend?" řekla. Děti dala k mamince. Nejeli nikam, máj v Praze je také něco. „Já vím, miláčku," omlouvala se, „že by sis to představoval trochu jinak." Ano, pomyslel si Josef: s pořádným žlučníkovým záchvatem zas. Bylo to potom rozmarné, hrubé i něžné. Komické figury a grimasy. „Ale udělej mi taky pár fotek, které bych mohla posílat nakladatelům," smála se. Rostou jí veliká prsa. Na výsledek byla zvědavá. Při vyvolávání obrázků Josef přemýšlel, jak se vyvléct z definice a kategorie pornografie: je to přece věc až metafyzická – že do takovéto lidské rýhy vstříkne se takováto lidská šťáva a tudyto vyleze malý člověk. Ucho či patu když si vyfotíte, tak žádné pohoršení. Prohlížeje znovu a znovu fotografii, uznával si, že konečně se mu podařil snímek semene v piči, za který se nemusí stydět.

Rozhodli se, že nebudou hledat venkovskou chalupu, ale vymění tento byt za větší. „Neboj se, zařídím všecko sama." Dala si inzerát, odpovědi samé nevhodné. Šli spolu do Vašinkova bytového divadla na jakousi rozkošně režírovanou naivnost. Josef měl potěšení, když Pavla seděla vedle něho a všichni viděli, jak patří k němu, ale netušili jejich neviditelné spojení vnitřkem.

Přistihoval se někdy při myšlence, zda se chová správně před ním – před chlapcem. Na mamince mu říkal: Jdu k tobě. Buď silný a veselý. Pavla si klidně pobrnívala. Zastavili se v nemocnici, aby se zeptali Jiřiny, jestli se to může. „Proč ne?" podivila se. „Dokavad to děláte, tak to holt děláte. Kolik je ti let," zeptala se Pavly a řekla: „Šestatřicet, tak to si nechejte udělat takzvaný karyotyp. To je chromozomová zkouška, která zjistí, jestli je plod v pořádku." Pohlédla na Josefa a řekla: „To není kvůli věku otce, ale kvůli věku ženy. Je to sprosté, ale je to příroda; samečkové jsou dobří, dokud mají schopné semeno. V Americe je to pro ženy povinné dokonce už od pětatřiceti let." – „Já bych chtěl být u porodu," řekl Josef. „To se dnes dokonce vítá," řekla. Šli tedy jednoho dne do ústavu v Podolí, kde Pavle nabodli dělohu, aby jí odebrali vzorek plodové vody. Odběr se však nepodařil, řekli jim, aby přišli za měsíc, ale oni se rozhodli vykašlat se už na to. „Myslíš si snad ty, že já...," podívala se Pavla na Josefa. „Jsi stoprocentně v pořádku," odpověděl. A myslel si to ne jen tak bezdůvodně: ta vášeň po děcku! Jindy si povšiml, že Pavla opouští formu twigy a dostává slušný zadek.

Byla hodná, smířlivá a pilná: psala povídku, dělala opravy svého románu. Dala ho číst Vladimírovi, který jí odepsal lišácky: Ženské postavy jsou napsané dobře. To ji potěšilo a Josef jí to musel zkazit: „Znamená to, že ten Josef je napsaný špatně." Vladimír dále napsal, že celá první část o tom, jak sestra utíká z republiky, je zbytečná, oddaluje začátek děje... Po kletbách začala tu část předělávat, ze třiceti stran udělala čtyři. Když to měla, divila se, že na to nepřišla hned sama. Kniha začíná tím dobrým silvestrem, kde s ní Josef byl v tygří kůži. „Vidíš, a bude to aspoň mít rámování," pochválil ji.

Po svátcích dostal Josef telefonické pozvání k „rozhovoru" se Státní bezpečností: do restaurace Expo. Čekali ho tam titíž muži, co s ním v poslední době vedli výslechy. Vyzvali ho, aby si něco poručil. Dal si kávu na svůj účet. Přikročili rovnou k jeho otázce: Být, či nebýt? „Víme, že byste rád cestoval. Člověk vašeho jména a talentu," Josef se v duchu ušklíbl, „by cestovat měl. Snad byste si potom udělal i správnější obraz naší společnosti. Jsme pověřeni nabídnout vám pas, jestliže nám podepíšete prohlášení, že budete v zahraničí dodržovat československé zákony. Text prohlášení si formulujte sám." Nerozmýšlel se ani chvilku: nic a nikdy! Odpověděl: „To je samozřejmé, že nebudu porušovat žádné zákony. Dáváte takové prohlášení podpisovat jiným lidem? Nejsem nic jiného než oni." Míchali si kávu, také přemýšleli. „Mýlíte se. Za vaše jednání my totiž odpovídáme." Hm, to jistě byla pravda. Uvědomil si, komu všemu odpovídá on: co by řekl přátelům, jaký zmatek by zavinil? Pokračovali: „Doba se vyvíjí a my také. Nechceme vám dělat žádné příkoří. Nepřichází vám náš návrh zrovna vhod?" A už je to tu!

Dopili už při řeči bez námětu a zaplatili. Josef platil za sebe. Oni si nechali napsat stvrzenku. Podali mu ruku. Neúmyslně podržel o něco déle ruku toho z mužů, který byl směšnou postavou Pavlina románu. Ten naň pohlédl udiveně. Cestou dolů do města přemýšlel, co ten člověk asi udělá, až se toho dočte. – Milá Pavlo, opakoval si, milá Pavlo! Já vás mám všecky chránit? Budu nějak muset.

Byla to trochu drzost, když zamířil ke knihárně pro svázané strojopisy Havlovy „Asanace". Rozhlédl se Valentinskou ulicí, než vešel do domu, rozhlédl se, když vycházel. Tak už je to zas tady: být, či nebýt. Kdyby se byl tehdy, před mnoha lety, kdy mu tu otázku dali prvně, rozhodl být, už by dnes nebyl. Co by ze mne bylo, říkal si.

Co by ze mne dnes bylo, říkal si, kdybych byl pevně odmítl přijít na první schůzku, k níž mě pozvala Pavla? Jak se vůbec odmítají ženy, jež nás vzruší a chtějí? Kdo to umíte? Vzpomněl si na den, kdy ležel na Pavlině posteli a nikdo, nikdo, ani Státní bezpečnost nevěděla, kde je: měl vstát a odejít zpátky do svého původního života. Opustit tento dům a pokoj, v němž byl jen mužem pro ženu, vyjít na ulici a tím se znovu policejně přihlásit ke svému osudu. Bylo mu z toho špatně a řekl velice mladé ženě: „Teď bych si přál, aby se otevřela tato stěna," byla to stěna směrem pryč z Prahy, „a za ní aby se objevila úplně neznámá krajina. Já bych odsud vyšel, a šel bych. Nic bych nepoznával, nic by mi nepřipomínalo nic." To se však nestalo. Vyšel na známou ulici. Ale k té ženě se vracel. Protože měla ve svém bytě stěnu do neznámé a nevinné krajiny? Stěna se však nikdy neotevřela jako její žena.

Když tenkrát otěhotněla, užasl nad tím, co všecko neznámého se mu dokáže přihodit na starém území, a když vybíral den, kdy o tom zpraví manželku, nevybral žádný: ona skoro každý den kupovala a nosila domů věcičky na své první vnouče. Až se to musela dovědět od cizích lidí.

Pavla se ptala: „Kam pojedeme tentokrát pro pleny?" Pro Lucku dostali tenkrát pleny na Kladně, v Praze se špatně sháněly. „Nezajedeme si pro pleny do Karlových Var?" dráždila. Plen však, jak se ukázalo, byla plná Praha. Jen dětí viděli ve vnitřní Praze vozit mizivě. Pavla v myšlenkách o výměně bytu mířila ke středu města, což Josefa zneklidňovalo. Cvičila a skoro nekouřila. Chodila pořádně spat. „Taky se těšíš?“ ptala se. „Musím vidět pěkné věci, slyšet pěknou hudbu. Na tuto blbost ho přeci nenecháme koukat,“ řekla a vypnula televizi. Když mluvili o její knize, pravila: „Teďka mě přeci tím tuplem nemůžou zavřít, ne?“ Myslel si, že tím tuplem neměl by se nechat zavřít ani on. A dvojnásobně nerad si představoval, jak ta kniha vyjde.

Zajeli jedné soboty k Josefovi a Pavla mu cosi hned šeptala. Vesele zmračil čelo od očí až do půl lebky, chytl Josefa za rameno a pravil: „No, fajn, fajn... akorát...“ Josef ho pobídl, ať to dopoví: „Akorát jsi to moh mít za sebou už před těmi dvěma roky, kdybys byl býval už tenkrát tak moudrý... nebo blbý, vyber si!“ Kmotrem, řekl, že bude rád. Potom, bokem, se zeptal: „Vy ho chcete křtít?“ Josef se zamyslil: „To je správná myšlenka. Ale pokřtím si ho sám.“ – „Jak?“ – „V potoku, tam u nás.“

Když za nimi Lucka lezla do postele a válela se po nich, maminka si pořád chránila břich, až to Lucce bylo divné: „Ty tam máš nějakou bolest? Nebo snad děťátko?“ Pavla si přitáhla její hlavu a něco jí šeptala. Lucka šeptem řekla: „A táta to může vědět?“ Magdaléna přišla ze školy a hrála uraženou: „Člověku se doma nic neřekne! Já se to musím dovědět ve škole od holek!“ Pavla se podivila a Magdaléna řekla: „Dášina máma přeci dělá na středisku.“

Ve čtvrtek pravila Pavla, že by mohli jít v sobotu k babičce. Josef jí připomněl, že tuto sobotu a neděli má být pryč, a že odjede už v pátek. Řekla, že zapomněla, ale to nevadí, půjde tam jen s holkama. Když Josef začal rozdělovat strojopisné knížky do hromádek pro přátele a pořádal účetnictví, pravila Pavla, že by jednu Havlovu „Asanaci“ taky chtěla, a možná dvě. Řekl jí, že může mít jenom jednu, pro sebe, že stojí čtyřicet korun, že mu však ještě pořád dluží osmdesát za Edvarda Valentu. Odpověděla, že tedy už žádnou nechce. Přišel večer, dívali se na zprávy a potom na něco, o čem si Josef pomyslel, že to chlapec vidět nemusí, a šel vedle. Psal dopisy. Potom si lehl, četl a napjatě čekal, kdy přijde Pavla. Slyšel dlouho její psací stroj, až usnul. Ráno s dětmi posnídali, byl pátek. Pavla odcházela do práce, když se holil. Řekla mu do koupelny: „Ahoj!“ Vrátil se do ložnice. Na svém psacím stroji našel dopis: Milý Josefe!

Byl dlouhý na dvě stránky a celý byl pravdivý. Pavla mu psala, že připomínkou dluhu ji ponížil. Tu knihu chtěla pro svou sestru k narozeninám, na které on jistě nemyslí. Všimla si, že v poslední době se víc zmiňuje o penězích, a ví proč. Je skromná, nosí šaty, které jí nesluší, spokojí se v neděli se sáčkovou polívkou a brambory, na druhé straně však si dovolí koupit ze *svých* peněz blbůstku pro radost sobě nebo Lucce, aniž cítí povinnost skládat mu z toho účty. Nechodí ke kadeřnici ani ke kosmetičce, a vypadá líp než ty krávy, co tam chodí, což je spravedlivé: její obličej odráží její vůli žít hezky. A hezky snad žijí, ona si někdy dokonce myslí, že je šťastná. Ale stojí ji to všecku sílu. Zatímco její kolegyně sedí na svých chalupách, píšou romány a jejich manželé na ně vydělávají, ona chodí uklízet, taky píše a teď chystá výbavičku pro třetí svobodné dítě. Přitom udržuje zdání společenské ženy. *Ty sis na to zvykl, považuješ to za samozřejmost. Ano, jsem zázračnice, pokud chci být! Na zázračnicích se však nesmějí hledat chyby. Uvědom si, že jsem v mládí nebyla vedena k tomu, abych byla vzornou hospodyňkou a matkou, a jsem jí. Měla bych, milý Josefe, právo čekat, že mi všecky ty knihy, o které mám zájem, dáš zadarmo jako dárek ženě. Nejde však o ty knihy, ale o to, že jsem si uvědomila, jak je to všecko křehké a že se může stát něco, co prostě nesnesu. Moje vnitřní svoboda je pořád absolutní a nedám si ji omezit počtem společných nocí – ani dětí, milý Josefe.*

Vzal dopis, složil ho do kapsy a šel. To je všecko pravda, říkal si za jízdy v autě. Zastavil a četl ho znovu, ale byla to všecko pravda. A jestliže to všecko je pravda, já nemám pravdu žádnou, a tak co? Je to dopis s vyloučením odpovědi, krom nějaké jediné. Kupodivu se mu však místo jediné odpovědi nabízely dvě. Vybrouzdal autem z Modřan a Zbraslavi a byl na dálnici. Samozřejmě věděl, s kterou z těch odpovědí by teď laškoval jinší blbec než on, a stejně by se to neodvážil udělat, ten vůl. Když tuto odpověď zamítl a odstrčil, mohl si ji z odstupu už klidněji prohlížet. No tak co. Podívejme se na to z druhé stránky. Myslím, že je horší takový dopis napsat než dostat. Sotva mu tato dobrá myšlenka napadla, vyjížděl z dálnice a výkrutem pod ni a zas nad ni dostával se do údolí vedoucího k D. Jel pozorně a přesně, protože v zatáčce pod mostem naň jednou čekali, kontrolovali ho a z vymyšleného důvodu odebrali mu řidičský průkaz. Sotva mu však ta dobrá myšlenka napadla, představil si, jak se asi Pavla trápí: probírá ve vzpomínce, nemá-li kopii, co mu všecko napsala a měla-li to přece jen udělat. Vždyť on čeká děcko! A vtom ucítil, že se v něm cosi slabě pohnulo, a polekal se. Teď ale rychle dojet! Dobře známý pocit se mu plazivě a zatím bezbolestně rozlézal vnitřnostmi. Za minutu se zpřesnil do jednoho místa, jež sahalo od podžeberního důlku vpředu až k ledvinám vzadu, a zároveň zesílil v nůž. Ten ale rychle zesiluje, sakra! Rychleji, než můžu já pustit tento krám z kopce dolů. Umínil si, bylo to přece jasné, že musí dojet i s bolestí; když neztratí vědomí. Přece i se záchvatem můžeme jet, víme-li, oč jde. Akorát to bolí. Jenže vypadalo to, že to nepůjde. Dalo mu moc práce držet auto uprostřed a před zatáčkou na konci kaňonu zpomalit.

Tu ho napadlo, že může zastavit u Karla. Vjel mezi chalupy, a když dojel na výhled, viděl, že okenice Karlovy boudy jsou zavřené. Přesto však zahnul k můstku přes potok, už musel, a zastavil. Napadlo ho jediné: zazvonit u Čísla domu. Říkali s Karlem tomu člověku Číslo domu, protože Karel si nemohl jeho jméno zapamatovat, ač to byl jeho fízl. Hlásil na estébé Karlovy návštěvy: hovor až do hlasitých hádek a smíchy při zahradní společnosti. Vylezl tedy z vozu a trochu ohnutě došel k brance. Stlačil zvonek. Muž jenž ho poznal se ze dveří zeptal, co si přeje. Josef odpověděl: „Prosím vás, mám to a to, mohl bych si u vás někde na chvilku lehnout?" Muž jenž ho poznal odpověděl: „To bohužel nejde, my nemáme místo." Josef řekl: „Mohl byste mi aspoň půjčit židli?" Muž odešel, přinesl kuchyňskou židli a postavil ji na betonový chodník. Josef pravil: „Bude to jenom na chvilku, já to znám..." Sedl si a mohl se konečně věnovat svému bytí: jak se mu zužuje zorné pole, jak ho zalévá pot a jak důkladně a správně ho to žere uvnitř. Věděl proč, byl s tím úplně srozuměn a doufal, že se usmívá. Vtom se bolest přestala zvětšovat. Uviděl život a usmál se.

Ludvík Vaculík
JAK SE DĚLÁ
CHLAPEC
II.

/ 1 / 23. SRPNA 1988, D. / Chlapec má dole dva zuby. Oči hnědé jako já, a jináč zdá se mi být na Pavlina otce Jana. Říkám to, a oni mi to vyvracejí. Asi myslí, že mě to mrzí. Vlasy má světlé, s rezavým leskem (klátivý Ir?), ale takový má Pavla na svých tmavých vlasech. Které si kradmo po kouskách ustřihává, protože jsem jí zakázal zkrátit je. Obličejík má chlapeček čtvercový, pusu dlouhou, jak mají naši z Návojné – tatínkova strana; ale i na maminčině straně jsou dlouhá ústa. Oči má, myslím, dál od sebe, než já mám. Když jsem si jeho podobu na Pavlina otce Jana uvědomil, pomyslel jsem si také, že Jan chtěl žít: a když musel umřít, že tam možná čekal, až se bude moci vrátit. Mám opravdu pocit, že jsem mu otevřel dveře ze smrti a vpustil ho na svět. Myslím na to už několik měsíců a minulého týdne jsem se rozhodl a osmělil se to Pavel říct.

Pavla je maminka velikolepá! Vrátila se z porodnice změněná žena: se synem! Začala s ním jakoby od začátku – s novou náladou i silou. Chlapec ovšem – není tak hodný jak cerečka byla! Například se budil k pití třikrát za noc, několik měsíců. Kojila ho do půl roku. Odstavil se vlastní vinou: začal ji hryzat. Není tak hodný, jak Lucinka byla, a ve srovnání s Magdalénou je snad desetkrát horší. Měl jsem pro něho v prvních dnech jen půl pozornosti, protože napůl jsem obdivoval maminku. Jak ochotně, při únavě, s ním všecko dělá, a tak poctivě. Hledě na ni chtěl jsem ucítit, jak to prožívá. Prožívala radost. „Teď se octnu na podřadném místě," řekl jsem jí. Dokazovala mi, ne slovy, že se nemusím bát. Ale já sám jsem se sunul do pozadí, ve shodě se svým stavem. Zatímco Lucinku jsem v noci někdy i přebaloval a krmil, teď jsem se sice vždycky vzbudil, ale nemohl jsem se skoro hnout malátností, nevyspáním. Mohl jsem odejít spat do pracovny, ale chtěl jsem Pavlu podpořit aspoň tím, že tam jsem. Podat zapadlý dudlík. Vidím drsně, jaký je to rozdíl být mladý, a být jako já.

Moje ctnost je snad v něčem jiném: že tomu víc rozumím a prožívám to. Mám rozkoš z toho úkazu: žena a děcko. Mám znovu syna, nepotřeboval jsem ho, vždyť jich mám tři, ale mohl jsem ho dát jí, a když to tak vyšlo, mám o něho strach. První dny jsem měl strach, aby nepřestal dýchat. Potom aby ona měla proň mléko. Teď mám pořád strach, aby si něco neudělal: lozí po bytě, na všecko sahá, strhává na sebe věci, u stolu se na své vysoké židličce odstrčí a může spadnout dozadu. Můžou mu přivřít ručičku do dveří, šlápnout naň. Padá ze sedu dozadu často, každou chvíli se bouchne do hlavy. U prvních svých dětí jsem se choval dle literatury: důslednost, vlídná přísnost. A když se má vlídnost unavila, přísnost neochabla. Nechával jsem, nechávali jsme s Marií kluka řvát: když jsi najezený a suchý, spinkej nebo hleď. Řvávali, dokud se to neodnaučili, vlastně neřvali ani tak moc. Tento řve pořád: suchý, najezený, vyspaný. Chce společnost! Ta bytost přeci chce mít dotyky, hlasy, uvědomil jsem si. A pocítil lítost, že jsem k tomuto vzdělání došel až ve dvaašedesáti letech!

Chlapeček je okamžitě hodný, když ho vezmeme, když mu zpívám, když ho nosím. Křičí v postýlce, a jenom mířím rukama k němu, ukáže se na jeho tvářičce taková radost – brečel bych. Má mě tak rád, že to bolí. Rád ovšem znamená, že mě potřebuje. Potřebuje mě i v maminčině náručí: krmí ho, objevím se, konec jídla: chce ke mně. Uspává ho tak, že mu nechává svou dlaň, prostrčenou skrz tyčky, objevím se – konec usínání, a musím ho vzít. Je to tak divné! Jako by se narodil ze mne, oddělil se ode mne, byl můj úd: hned mi chce zas přirůst. A já – moji velicí chlapci by se divili a souhlasili – nejsem přísný otec, já jenom vím, že musím tohoto chlapce pěstovat v muže. Když nahý leze, má pytlíček s kuličkama. A můj tatínek mým malým bratrům, když je maminka přebalovala, bral toto zařízení do pusy, šimral je bradou na břichu a ve slabinách, a oni se svíjeli rozkoší. Proč toto náš táta dělal, když o tom nic nečtl? Ale no tak! napomínala ho maminka.

Odložím ho na zem, hraj si chvilku sám. Byl jenom v tričku bílém, s holým zadečkem. Člověkovi dají tričko a nic, buď! Zůstal sedět a rozplakal se strašně lítostivě, ohnul hlavičku až k zemi. A pohled na jeho ohnutá zádíčka, obraz zhrouceného lidství, zklamání a lítosti byl pro mě k zabití: vždyť já ho jednou opravdu úplně opustím!

Můj největší strach je, že umřu dřív, než se mu vtisknu do života. A bývám dost unavený. Moje zdraví, spíš můj pocit zdraví se jaksi chvěje kolem neutrální čáry. Také jeho jsem, jako Lucku, od prvních dní ladil: hučel jsem mu tóny a písničky do těla, do lebky. Když zpívám, začne někdy vykřikovat: přidává se. Když zamávám rukama, začne také mávat. Když jíme, někdy ho krmím, držím ho na klíně, ale on mi klidně sedět nedokáže. Lucce stačilo, když ji člověk měl u sebe nebo na kolenou, a mohl mluvit s lidmi, číst, něco dělat. Chlapec to nevydrží. Chce další a nové akce. Změnu pohybu, místa, činnosti. To vůbec není takové děťátko, co se mu něco dá do ručky, a ono si s tím třeba chrastí. Každá věc ho baví sotva tři minuty. Teď, devětadvacátého, bude mu osm měsíců.

Je to děcko radostné – ale zdá se mi vždycky, že oči má velice smutné. Jsou to nádherné oči, chytré a úpěnlivé, volá jimi po styku, a já cítím děs nad světem, v kterém se bude muset udržet. Pravil jsem to Pavle, řekla, že to snad má být jeho práce, zlepšovat ten svět. Naše, napřed naše! To se ovšem říká od rodičů k dětem už sto moderních let, a svět se horší. Zlých, bezcenných lidí je přesila. Z koho se pořád rodí?

V neděli bylo jedenadvacátého brežněva. Pavla byla na Václavském náměstí demonstrovat. Já zůstal s děcky doma. Vrátila se nadšená. Demonstraci nikdo nečekal, hlavně ne já, protože jsem už úplně rezignoval na lidové svědomí a hrdost. Jsem překvapený. Byl to od okupace první takový projev. Myslím, že lidi povzbudí. Také já jsem při souhrnných zprávách o té události z Hlasu Ameriky pocítil zas trochu pošetilého nadšení. Pavla je mladá, patřila tam. Velice ji to povzneslo.

A Lucka má dneska sedm let.

/ 29. LISTOPADU 1988 / Dnes má chlapec jedenáct měsíců. Dlouho se chystám o něm psát. Zubů má už nejmíň osm a jsme přestěhovaní, včera týden. Poprvé tu otvírám stroj. Je půl desáté, venku noc, ve které se leskne Vltava. Na Petříně svítí červená světla. Je to neuvěřitelné – tato poloha. Zdá se mi, že to nemůže být nebo zůstat pravda, ale beru to smířlivě. V televizi právě skončil kterýsi díl Robina Hooda. Chlapec spí. Pavla uklízí v kuchyni, dezorganizované po odstěhování těch lidí, co šli do Lhotky místo nás. Chlapec chodí, už většinou chodí, po celém bytě, a vypadá tu ještě víc maličký.

Pořád chce být se mnou, cpe se ke mně, leze ke mně, věší se mi na nohy, vzpíná ke mně ručičky a zvedá hlavu. To je vůle. Říká „mamama“, ale je to slovo pro všecko, co chce. Včera ho Pavla učila říkat

„táta“, řekl „jaja“. Umí ukázat „jak je veliký“ a dělat „malá“. Je bouřlivě činný. Dívat se, být jen u toho, když se něco dělá, nedokáže: hned přidává svoje tělo a ruce. Když jsem na balíku knih zavazoval uzel, sedl si na zem, přiblížil ručičky k tomu špagátu a ve vzduchu s nimi motal, jako by také zavazoval. Když si všimne, že se chystám odejít, rozeřve se. Nikdo ho nijak nemůže utišit, jenom zas já, když se vrátím ode dveří a vezmu ho. Nedivím se své ústupnosti a nevyčítám si ji. On má potřebu být spojen, v rukou. Když s ním chodím, dívám se s ním z okna a zpívám mu, to je jediný klidný čas s ním. V noci se pořád budí. Pavla ho tiší hltem čaje.

Přestěhováni potřebovali jsme vybalovat, rozmisťovat a pořádat věci: to všecko museli jsme dělat s ním na ruce nebo na noze. Podáváme si ho jak černého Petra: Pavla se jde mýt, musím s ním být. Když ona se obléká, když chystá snídani, mám ho na sobě. Ze své práce neudělám nic, nejsem volný ani hodinu, pokud neodejdu z bytu. Má často dlouhý pohled, vážný, až teskný. Jde z toho strach: o život a ze života. Když jsem pryč, například na sobotu a neděli, každou druhou, myslím na ten jeho pohled, a je mi úzko. Vím, že mám být u něho, ale nemůžu tam být pořád. A tak věřím, že moje myšlenka ho snad také trochu chrání. Teď je i s postylkou vedle u děvčat. Pavla přišla a jde spat. Musím skončit a převézt postylku.

V tomto velikém bytě, v prostorných vysokých místnostech, se líp dýchá, je tu víc vzduchu. Když v kamnech žhne koks a povětří nad řekou se hýbe.

/ 15. PROSINCE 1988 / Nepřeháním: chlapec spadne a bouchne se do hlavy aspoň dvacetkrát za den. Velice potom pláče. Jediný lék – vzít ho na ruku. Nevím, jestli jsem se za těch pár roků, co máme Lucku, změnil já, či opravdu jsme dostali cosi tak velice jiného, než byla ona: ona ve mně nebudila tak prudký soucit a strach. Byla jemná, křehká a líbezná, jak se na ni patřilo. Dělala, co příslušelo jejímu rodu a věku: Jsem malé hodné děvčátko a snažím se prstíčkem vzít z polštářku toho natištěného broučka, zkouším to už deset minut, a ne a ne! Kdežto chlapec se dere nad to, čím zatím je: nad svou sílu a možnost. Když jsme o prázdninách v létě byli ve mlýně u Josefa, přijel tam za námi Jiří Ruml a byl svědkem toho, co se stalo: chlapeček za námi lozil a všelijak si pozvukoval a bublal a z toho chaotického zvuku jsme najednou uslyšeli větu: „Já budu jednat." – Ruml ztuhl a hleděl na něj dolů na zem: „Slyšel jsem dobře?" pravil.

V tomto novém bytě se chlapec uklidňuje. Míň se také budí. Vzbouzí se před sedmou hodinou, to Magdaléna jde na tramvaj do školy. Pavla mi ho nechává ještě chvíli v posteli, když vypravuje děvčata. Ale on tam nechce být ani se mnou, chce už jednat! Dopoledne spí asi hodinu na balkoně v nezdravém vzduchu dvora v Praze 2. Odpoledne už spát odmítá, ale potom padne únavou při procházce, v náručí. Do schodů nesu ho bezvědomého. Jak teď pořád v bytě něco řežu, vrtám a montuju, chce u toho být, na všecko sahá a bere mi to z ruky, a přece je to rozkoš! Někdy ho zvednu na ruku, stojím s ním u okna a říkám mu: „Voda. Labuť. Loď." Otevřeme si okno, abychom vyzkoušeli smrad zvenku a mráz. Mráz dnes dopoledne byl pouze jednostupňový, smrad skoro nebyl, byl vzduch, protože je větrno. Ptáci vysoko kroužili. Chlapec potom sám okno zavírá: bouchne do jeho rámu, zabouchne vnitřní křídlo levé, pravé. A můžu ho postavit na zem, kde vydrží tři minuty. Běhá, pokřikuje, padá, řve, mává rukama, potácí se, zakopává, přiletí a věší se mi na nohy, hlavu obrácenou nahoru ke mně. Je to veliká prosba. Pravím: jde si ke mně nabít baterečku, a může zas fungovat. U stolu při jídle je s ním nebezpečně rušno. Stoupá si v židličce a neposlouchá „sedni si". Jeden příkaz poslouchá: ne. Když strká ruku za lednici, obrácen ke mně čeká, co řeknu, a poví si to dopředu sám: nééé. Lomcuje něčím a hledí na mne: nééé.

Pravila Pavla včera, že šla po ulici a uvědomila si, že je šťastná. S chlapečkem umí jednat Magdaléna: jako dospělá. Lucka si s ním neví rady, neumí ho přemístit, odlákat, odvést, neunese ho, jenom ho vleče a on se zmítá a řve. Když tam nejsem, představuju si, jak chlapec zakopává a naráží hlavou do rohu. Viděl jsem, jak běžel s velikým nožem, který nahmatal na kraji stolu, kam ani nevidí. Rozčililo mě to, ale vyřídil jsem to zdrženlivě: řekl jsem Pavle, že musí všecko na stole odsouvat od kraje. Nemáš předvídavost, pomyslel jsem si proti ní. Nepřijímá úplně, že toto je teď jediná její práce, pořád chce dělat ještě něco jiného. Tak neděláme nikdo nic. Já ani nepíšu a skoro se mi to hodí. Ale kdybych psát chtěl, mohl bych a musel takto: jsem tatínek důležitého povolání a beru si děcko k pohrání na chvíli denně.

Lucka chodí do nové školy už rutinně. O ničem sama nemluví, musíme se jí vyptávat. „Soudružka už přišla na to, že jsem nepořádná. Že jsem nehodná, to ještě neví." Musela změnit své hry. Nic nemůže dělat na zemi ani na židli, do všeho jí kdosi vletí a všecko rozháže. Bezmocně na to hledí, potom se rozpláče.

/ 21. PROSINCE 1988 / Pavla šla s Magdalénou do města, chlapec spí na balkoně. Lucka zlámala houpací křeslo, jež ovšem bylo už jednou zlomené. Právě jsem je slepil a stáhl. Mám psát, a nechce se mi, vůbec. Chlapec umí slovo, co znamená, neví se: „béji!". V oboru „táta" postoupil přes „baťa" k „ťaťa".

V sobotu jsme tu měli kvartální sraz přátel. Konečně se podařil, předtím dvakrát nám ho zmařili: na Bezmíři a na Hrádečku. Bylo tu asi pětadvacet lidí, nálada výborná, výsledek mizivý: převážila radost ze společnosti, že se konečně sešla. Milan Šimečka měl obligátní referát o politické situaci: veselý. Podle něho se poměry vyvíjejí tak správně, že on sám už skoro věří tomu, co nám o nich dobrého říká. Připravit tento rozházený byt, plný škatul a prachu, na společenskou událost přijela pomoci chlapcova kmotra Ľubica ze Zlína. Vincek, vida stav bytu, požádal Pavlu, zda by tu „Hrobka" mohla pořádat silvestra. Poděsil jsem se a od té chvíle mě tlačí strach. Pavle jsem řekl: „Udělej, jak chceš." Vzala mou hlavu do dlaní a řekla: „Josefe, přece se už nemáš proč bát!" A už se těší. Děcka budou u babičky.

Dnešní noc byla mimořádně klidná, chlapec se vzbudil jenom asi dvakrát. Ráno ani nevím, kdy ho Pavla odnesla do kuchyně. Slyším odtamtud jeho pokřiky. Vstal jsem s radostí. A přece jsme se potom pohádali – poprvé za několik let. U snídaně se mluvilo o kapru: Pavla onehdy navrhla koupit živého kapra, aby ho děti viděly, a potom ho pustit do Vltavy. Souhlasil jsem. Dnes pravila Lucka, že když už ho zaplatíme, proč ho pouštět? Řekl jsem, že to je ovšem obecně pravda: ryba bude stát šedesát korun. Samozřejmě mi nešlo o peníze, chtěl jsem, aby Lucka s Magdalénou poznaly, uvážily tu věc ze stránky ušlechtilé i peněžní, a rozhodnutí bude platit. Jenže zasáhla nechápavě Pavla: „Mně na šedesáti korunách nezáleží,“ řekla. Tobě ne, pomyslel jsem si, ale peníze, které chybí, musím obstarat já. Neřekl jsem však nic a šel uklízet náš pokoj: utírat prach, vytírat zem. Přitom jsem sbíral pohozené věci, jež měl zvednout ten, komu upadly, hrnek od kávy, který měl odnést do kuchyně ten, kdo ji dopil… a od jedné věci k druhé můj hněv stoupal jak po schodech. Obě tři holky jsou nepořádné. Šel jsem do spíže, vymalované a uklizené od Ľubice, ale okno zůstává pocákané barvou. Pravil jsem v kuchyni Magdaléně: „Vy čekáte, že vám ta Ľubica přijede umýt to okno?“ Pavla to v koupelně slyšela. Hádka, první po letech. Křičela: „Já také budu zlá! Myslela jsem, že za dobu, co jsi se mnou, jsi na něco přišel.“ Nevím, co tím mínila, ale odpověděl jsem: „Ano. Že jsi vychovaná na paničku se služebnou a s architektem!“

/ 25. 12. 1988, HOD BOŽÍ VÁNOČNÍ / Venku svítí slunko, ráno se na západě dlouho jevil měsíc v úplňku. Je pět stupňů nad nulou, kupodivu. Šel jsem s Luckou a chlapcem na mši ke sv. Vojtěchovi, Magdaléna řekla, že je nemocná. Z kostelíka jsem s chlapcem musel za pět minut odejít, protože tam pokřikoval. Lidi to napřed brali jako roztomilost, ale když vykřikoval do evangelia, odešli jsme. Lucka tam zůstala, s kancionálem v rukou. Čekali jsme na ni na Žofíně, kde bylo pěkně: prázdno, vzduch čistý.

Stromek máme veliký, smrk z D. Děvčata ho nastrojila jen málo, aby prý byl přírodní, řekla Magdaléna. Ta udělala pro tyto svátky moc práce: pečivo sama upekla „devatero“. Udělala i dobré dárky, například mně větvičku posázenou malými barevnými ptáčky z moduritu. Chlapec, ať si nikdo nemyslí, vůbec nevykřikoval údivem a radostí nad stromkem, svíčkami, prskavkami. Bylo mi to divné, než jsem si uvědomil, že on to vidí v životě prvně jako všecko, je mu to tedy samozřejmé jak všecko, co vidí prvně. Jak víření racků nad Vltavou, lesk vody v noci, míhání světel, van větru. Pavla pronesla zvláštní myšlenku: že než se člověk narodí, ví úplně všecko, při narození to zapomene a musí to po kouskách dávat zas celý život dohromady. Chlapec dostal pod stromek veliký trojkolý „motocykl“, na němž dosáhne nohama na zem, odstrkává se a jezdí stylem ihned dokonalým. Uvázal jsem na řidítka jakousi zlatou šňůrku a tahal ho po místnosti. Šňůrka se utrhla, odhodil jsem ji do koše a vzal místo ní pevnější provázek. Chlapec slezl ze stroje, šel ke koši, vzal tu zlatou šňůrku a podával mi ji! První racionální a účelný úkon, kterým projevuje názor na svět a smysl pro to, co kam patří. („Já budu jednat!“) Já jsem od Pavly dostal malý promítač diapozitivů.

Venku je jasno. Žluté zdi domů na druhém břehu řeky vypadají lázeňsky. Šedý svah Petřína. Voda je poseta bílými body – ptáci. Z arkýřového okna ve vedlejším „salónu“ jsou vidět Hradčany. Ani na ně nedokážu klidně hledět: pro mne je to poštovní známka z mých dětských let. Že moje děti mají to mít všedně před očima, připadá mi nemožné. Budou to jiné děti než já s výhledem na stodoly pod lipami.

/ 9. LEDNA 1989 / Dělám si bez hřebíků regál na papíry a nářadí. Vrtačka chlapce přitahuje i straší. Regál bude částí mého pracovního výklenku u okna právě nad přístavem parníků. Odřezky dávám do veliké krabice u zdi: a chlapeček mi je nosí jeden po druhém a potom zase zpátky do krabice. Když mu denně nevěnuju určitý čas, není v pořádku: jako nenasycený. Když tu nejsem, musím to potom dohnat. Také Lucka při mně pořád stojí, když vrtám, řežu a dlabu. V sobotu jsme tu měli tříkrálové dětské odpoledne, přišlo jakýchsi cizích dětí a také dvě z mých vnoučat. Fotograf Stoilov se ženou a dcerkou. A z okruhu „Hrobky“ paní inženýrka – svlékací. V „saloně“, jak praví Pavla, tedy v ratejně, pravím já, děcka řádila, lítala, křičela, stavěla si z věcí domek. Potom jsme, já plus dvě děti, dělali tři krále – u babičky a u dvojích Havlů o tři domy dál.

Silvestr se asi podařil. Bylo tu osmdesát lidí a nic se nerozbilo. Všecko, co předem připravili a nanesli, potom zas odnesli. Předtím kreslili dekorace – šlechtické erby skutečné i smyšlené. Vincek jich udělal několik a bavilo ho to, mám o tom obrázek. Ráz večera: monarchie pro všechny. V ratejně stál trůn a král na něm přijímal deputace, petice, udílel privilegia. Jejich seznam byl vyvěšen v hale: paní svlékací inženýrka dostala právo už se nikdy neoblékat.

Přišel jsem se sem podívat jen na chvíli, po půlnoci. Poměrně klidno, s tancem. Když jsem přišel, paní inženýrka, už oblečená, se zase svlékla. Bylo to jaksi dojemné i komické: prsa, stehna, klín – nikdo si toho nevšímal. Ta společnost ji zná a bere takovou. Muž, jenž s ní právě tančil, držel si ji až trochu demonstrativně od těla: aby jí neporouchal róbu.

Čekala se, podle různých znaků, tuhá zima, a zatím je dneska devět stupňů nad nulou. Jeden den topíme, druhý den to vydrží, kamna zhasla včera večer. Je dopoledne, v tomto pokoji máme jedenadvacet stupňů. Chlapec před kamny říká sám „pálí". Dále říká „ahoj". Tu má na své řádění prostor, ve Lhotce by se odrážel hlavou od rohu k rohu. Když se divoce rozletí, trnu, dokáže-li se před zdí otočit. Karlovy Vary s ním nepadají ještě letos v úvahu. Pavla to uznává nerada. A nechat ho několik dní komusi zdá se nám surové. Nemusí to být.

/ 30. LEDNA 1989 / Můj chlapec mi až dodnes říkal „mamííí": když jsem se objevil ve dveřích, když chtěl ke mně, když chtěl za krk, aby se podíval z okna na Vltavu. Dnes mi začal říkat „ta-tí". To předešlé slovo byl spontánní zvuk potřeby, spíš citoslovce, toto nové je už oslovení. Má přesnou, krásnou pevnou hlavu, vlásky jemné, barvy hnědé až do zrzava. Dívám se na jeho starší fotografie – a je si podivuhodně věrný v podobě. To Lucka se v prvním roce měnila.

Napadalo mi, že je tak prudký a silný, protože byl dlouho zdržován od svého narození, vyletěl do života s nadrženým nábojem: odkdy? Od narození Luccina, či od mého setkání s Pavlou? Chtěl být na světě, čekal, a mohlo být hrozné, že by se byl nenarodil, že by mu to nikdo byl nedaroval. Bojím se, zda můj cit k němu není až nemužný. Uvědomil jsem si to dnes, byli jsme někde na návštěvě, já ho držel na klíně a líbal mu hlavičku: směšný, sentimentální staroch? Ale hned jsem si vzpomněl, jak velice měl můj tatínek rád mne. Byl ke mně vášnivě něžný dokonce v mých deseti až patnácti letech. Jak mě tiskl, když přijel odněkud z práce! Když jsem odcházel z domu do světa, líbal mě na ústa. Takto něžný byl i k mým menším bratrům. Není láska otce k synovi vlastně sebeláskou? Zvláštní jev: totožnost otce a syna.

Myslím na chlapce pořád, pod vším, nač myslím. Když tam nejsem, zdá se mi být v nebezpečí. Když přijdu a najdu ho v pořádku, považuju to skoro za šťastnou náhodu. Je to jistě chorobné; ale je opravdu? Pavla žehlí, zazvoní telefon, jde k němu: chlapec v té chvilce může žehličku stáhnout na sebe. To se však nestane, protože běží k telefonu s ní. „Prosímtě!" říkám potom a ukazuju na žehličku a chlapce. „No co," ohradí se dotčeně, „však šel za mnou." Ale jednou nemusí běžet s ní. Potom ještě dodá: „Vždyť seš tu také ty." Mohl bych říct, že kdybych tu nebyl, bude to stejné, a ona mi řekne: „Máš tu být!" – „Jsou tátové, co nejsou doma, protože třeba slouží na lokomotivě." – „Ale ty přece nesloužíš na lokomotivě."

/ 7. ÚNORA 1989 / Při demonstraci v lednu Vincka zavřeli a je pořád tam. Pavla na té demonstraci také byla a Lucka si v té hodině zlomila na žofínských prolézačkách nohu. Já byl ve Zlíně. Pavla Vinckovi píše dvakrát týdně dopis a já vždycky kousek připisuju. Lucka leží s nohou v sádře a je hodná. Chodím s chlapcem ven, obyčejně na Žofín, kde si Lucka tu nohu zlomila. Chlapec chodí po písku, sbírá zajímavé kaménky a nosí mi je. Některé strká do pusy. Umí se už vypravovat: totiž umí bez řevu počkat, až je oblečen a až se obleču já. „Pápá," křičí potom dolů třemi poschodími. Teplota je pořád nad nulou, mráz už doufám nebude. Na sněh nejsem zvědavý. Šest kbelíků koksu ze sklepa nosit obden – dobré na srdce! Pavla se o mne bojí, jde mi naproti. Napsal jsem do Lidovek článek „Komunismus je bití". Čekám, kdy mě zbijí.

Lehl jsem si na zem: chlapec na mne s křikem vletěl a hned nade mnou vítězí. Když šel dnes večer spat, držel jsem ho u otevřeného okna na ruce a dívali jsme se ven. Zpíval jsem mu „Na horách studénky...", ale jeho zajímalo zavírání okna. „Zas jeden den máš za sebou," pravil jsem mu a zhrozil jsem se až k této úvaze: nač ten chlapeček čeká? Žije den po dni, roste, a co bude? Je naprosto spokojený se životem, má ze všeho radost. Říká „pa-pa", to chce pána, figurku na mém stole. „Na, na..." a natahuje ruku na něco, co chce. Udivuje mě hloubka osudu, který ho čeká: jaký? A bude naň připraven a vpraven do něho tak, jak se to podaří mně. Pavla? Dělá všecko pečlivě, nedá se tomu nic vytknout, ale všecko je to na první rovině vědomí, na níž jsem býval já se svými třemi chlapci staršími. Mívám, a to už moc roků, někdy před usnutím v noci nebo ráno při probuzení pocit, že bych se už probudit ani nemusel; co mne se týká. Protože bylo toho už dost. Ale teď mnou projede hrůza z odpovědnosti, že bych už nemohl vyprovodit chlapce dost hluboko do života, abych se o jeho další směr nemusel bát. Je to já.

/ 8. ÚNORA 1989 / Vracím se ke včerejšku: není to vlastně nic tak ctihodného, ta láska rodičovská k dětem, když je to jenom rozšířené sobectví. Doufám však, že v té větě nemám úplně pravdu: i když je to jen sobectví, člověk přece chce mít o sobě to nejlepší mínění, i co se týče vztahu k okolí; a tak by se přece jen rozmnožovalo lepší lidstvo? Dobrými rodinami.

Je zas večer. Po večeři. Lucka leží v posteli. Leží tam celý den a vlastně prosí o trochu pozornosti. Je přitom trpělivá, ale tím němým prošením i protivná. Protivná jak špatné svědomí; moje. Kreslí, hraje elektronickou hru, čte… Dopoledne jsem s chlapcem byl na navigaci u kačen a labutí, máma nakupovala. Pak jsem šel po svých vyřizovačkách, vrátil se a Pavla oznámila, že se netočí pračka. Řemen klouzal, jel jsem koupit nový, což nepomohlo, je prasklá řemenice: práce pro odborníka. Mezitím nošení chlapce po bytě, chvilku houpání a točení dolů hlavou, chvilku válení na zemi: lehnu si na zem a on s řevem jde na mne vítězit. To měli rádi i moji prvnější chlapečkové. Je večer, Pavla mu chystá spaní a on, chodě po bytě, unaveným hlasem, plačtivým bez pláče, volá: bá, bá, bá, mamííí. Hned chytá mne, hned Pavlu, všichni máme práci a všichni ho vlídně, ale neodvratně odstrkáváme. Najednou si uvědomuju, že obsahem jeho dosavadního života je prosba. Je to, jako když malá voda spěchá k velké, duše k celkovému duchu. Část těla cítí se jen v celku s tělem živá.

A to je ten šťastný případ: děcko, které je celý den doma s rodiči, co od něho neutíkají a nesnaží se ho někam odložit.

/ 21. ÚNORA 1989 / Je večer. Pavla píše, zabývá se odloženým románem o člověku jménem Josef, který dopsala přede dvěma roky. Zatím se jí narodil opravdový Josef. Lucka si čte, ale chtěla, abych ji do „bibliky" napřed uvedl. „Biblika" – tak říká knížce vykládající bibli pro děti. Adresát Pavliných dopisů dostal dneska u soudu devět měsíců.

Byli jsme dopoledne s chlapcem nakupovat ve Vršovicích. Poprvé tam chodil na ulici po chodníku, dosud chodil jen v parku. Byl z toho rozčilený a divoký. V pekařství, plném vůně, se mi házel divoce na ruce, mlaskal a volal „mamííí, mamíí, na-na!" a vztahoval ruku po koláči. Venku Pavla ukázala na nějaké dráty: „dáty" opakoval po ní. – Píšu jak blbec! Nevím, jak při líčení stejného zachytit individuální vývoj.

Pavla zas píše dopis do vězení a ptá se Lucky, jak by sestavila pro našeho kamaráda ve vězení balík: dala by mu do něho chleba s hořčicí, tři piva, čtvery cigarety, sirky, otvírák a skleničku. Myslím, že bych už konečně měl být zavřený raději já. A můžu si to kdykoli zařídit. Přemýšlel jsem o tom. Přemýšlím o nejtěžší možné urážce vlády, jakou může jazyk stvořit. Cítím se zas na rozcestí. Připomíná mi to dobu, kdy jsem uvažoval o svých slovech a chystal si je, aniž jsem ještě tušil, že budu mít příležitost nezastavitelně je vyslovit: v červnu 1967.

/ 25. ÚNORA 1989 / Tak ten dětský život nevědomky utíká k čemusi, o čem neví. Až za mnoho roků začne si sám dávat nějaký smysl, a podle čeho? Asi podle toho, v čem byl, co vnímal, čeho nabral. A připadá mi, zřejmě opravdu stárnu a vážím jeho čas podle váhy svého, že mám vinu, když ho některý den nechám bez prožitku, bez nového vjemu nebo opakování krásného. Když mou vinou nepokročí ke svému smyslu ani o milimetr. Nač žils ten den, chlapče? Jenom abys byl o den starší?

Včera měl den na dojmy vzorný. Vezl jsem ho na vozíku na Žofín. Tam to už poznává, začne se vyzmítávat z pytle ven. Vytáhl jsem ho, postavil na zem, a ani jsem nestačil otočit vozík, rozletěl se rovnou do kaluže – a bác, vystříkla voda, zvedl jsem ho, kolena od bláta, dlaňka černá. Jsem rád, že jsem už lepší než kdysi: nepočítám tu mrzutost a špínu. Ukázal jsem mu jeho černou dlaňku: a-a! A jeho špinavé koleno a tu kaluž: a-a! Kapesníkem jsem mu očistil čelo, šli jsme dál. Jenže on se nechtěl hnout, zapřel se velikánskou silou, nahnutě hleděl na kaluž, která se chvěla větrem: „A-a, a-á!" Nechal jsem ho vydívat se. Nad každou další kaluží jsme tak postáli: „A-a!" Když jsme se blížili k prolézačkám, kde si Lucka zlomila nohu, rozběhl se přede mnou a vřítil se mezi děcka, samá větší, která tam skákala, točila se, houpala, sjížděla po klouzačce. Tam se svalil, vstal, svalil...

Neupoutá ho klidná hra děcek s lopatičkami a bábovičkami ani autíčky. Chce terén. Vylézal a slézal, všecko prolézal. Jeden tatínek s právě tak velikým chlapcem mohl sedět a dívat se, co jeho chlapeček dělá, já musel chodit vedle něho a dávat mu záchranu jak v tělocviku. Při čemž mě nevidí a nevnímá. Vyleze sám na parkovou lavici, jde po ní – a mám ho na konci opravdu nechat spadnout, aby se dověděl, co je to konec lavice? Vběhne z hrací plochy do mizerného trávníku plného psích hovínek, zastaví se už sám, otočí se ke mně a řekne: „Ne!" Potvrdím, že ne, udělá ještě dva kroky vpřed a vrátí se. Jaké příšerné tělesné výkony musí dělat! Ale najednou se otočí zpátky ke mně, přiletí a vtiskne mi hlavu mezi kolena. Musela jím projet prudká něžnost. Ostatní děti jsou na něho hodné, pokud si ho ovšem můžou při svém řádění všimnout, a shovívavě mu uhýbají nebo mu pomáhají. Děvčátka mu ustupují, dávají mu přednost, když jim leze do hry, a jsou to děvčátka, která buď mají a znají menší mimino, nebo by takové chtěla. Jedna starší už maminka, nebo mladší babička, házela si tam s děckem míčem, ten se zakutálel k mému chlapci, vzal ho do ruky, a od té chvíle děvčátko víc bavilo podávat a přikopávat míč jemu. Ano, za chvíli, zas tak najednou: přiběhl k děvčátku, objal je okolo boků a přitiskl si k němu hlavu. – Je to surově krásné.

Předevčírem jsme byli cosi vyřizovat a nakupovat, čekal jsem s chlapcem na Pavlu v parčíku na Míráku. Chodil okolo a v podkřovním zmatku shnilé trávy, větviček a odpadků nacházel neporušené lístky javoru a donášel mi je. Jak to přijde, že čtrnáctiměsíční děcko už v chaosu pozná krásnou věc, přesného tvaru, účelné konstrukce?

Jí špatně, ale zřejmě dost. Špatně – to jest nevydrží klidně sedět, chce pořád něco, co vidí u jiných, ale z toho, co u nich vidí, mu neomylně a vždycky chutná pivo. Hlt nebo dva dostane. Chodí s jabkem po bytě a celé ho zhryže; vsedě by ho odhodil. Dám mu něco do ručičky – „dones to mámě“ – donese. Nese Lucce jabko, jenže nedokáže ho pustit, i když v druhé ruce má svoje. Musí si to pořádně rozmyslit, pak jí jedno dá. Největší jeho radost je pracovat se mnou. Podrží mi tužku a opovážil jsem se dát mu podržet rámovou pilu. Nejlákavější nástroj – skládací dvoumetr: tak krátká věc a dá se tak prodloužit! Pořád ještě si neumí sám na místě s něčím hrát, pořád se vtírá do činnosti jiných. Nevnímá panáčky. Knížky bere jako skládací dvoumetr. Obrázky ho nezajímají, něco mu o nich povídat nemá smysl. Zdá se, že obrázky věcí nemají pro něho ještě význam zobrazené věci. Několikrát za den si vzpomene, co jsme dlouho neprobírali, a řekne si o to: fotografie na polici, porcelánový pán na mém stole, hodinky, loutka mnicha. A dlouho vydrží sedět mi za krkem: chodíme a já zpívám. Dnes večer jsme se dlouho dívali otevřeným oknem na bouřlivý pruh světlé oblohy na černém západu, lesk vody, míhání světel na mostě.

Odnesl jsem Lucku na okno, ať také vidí, ale bála se tam sedět. Je už pět týdnů na posteli! Tak trpělivé děcko jsem si ani neuměl představit. Dnes jsem se jí zeptal, co dělá, když jen hledí. „Představuju si pohádku.“ – „Tak ji napiš.“ – „Mě baví jenom vymýšlet si ji.“ O berlích chodí k jídlu a do koupelny. Když s ní musíme na kontrolu do nemocnice, nebo když jsme asi dvakrát někam jeli autem, nesu ji na zádech. Tento dům je bez výtahu.

Několik dní uvažuju, jestli se mám dát zavřít a za co. Ale jak je na to člověk vždycky nepřipravený: mám prořezávat stromy, důkladně vytřídit a sklidit písemnosti, domluvit přísun nějakých peněz… Jednou jsem si plánoval, že si napíšu dopředu několik, vlastně velice mnoho fejetonů, jež by vycházely každý měsíc mého věznění pořád dál. Ta rozkoš pomsty! Ale pak se situace trochu uvolnila, můj nápad nepokročil. A teď nejsem vůbec nachystaný.

/ 8. BŘEZNA 1989 / Jaksi se mi to nezdá tak důležité ani zajímavé: událost roku 1985. Jenom vzpomenu-li na ni, chytá mě žárlivost ústící do nechuti k těm věcem vůbec. Přípravně odhaduju, zda bych už byl schopen ostře se odtrhnout, vnutit si chladný klid, sebeúctu a díky za čas a sílu k práci.

Čas a sílu k práci: to mě bodá nejvíc, že se pořád neponořuju do vášnivého psaní. Kamarád J. Gr. mi navrhuje vydat „Chléb“ v Německu, najde-li příznivou nabídku. Pokouší mě to – kvůli penězům. Z čeho doplatíme přestavbu tohoto bytu? A nikoho v tomto bytě neznekliďňuje, že jde měsíc za měsícem, a já „nejsem spisovatelem“. To mě dnes tak dopálilo, že jsem odpoledne odsud utekl. I s chlapcem, který byl unavený, měl spát, nemohl však usnout, chtěl jít ven, ale jít s nevyspaným do ulice je ošemetné. Pavla se ho pokoušela po obědě uspat, vzdala to, hodila ho mně – a mne chytl vztek: na život, na mé nepsaní i na chlapce. To neviňátko zvedalo hlavu ke mně, chytalo mě za kolena a řvalo. Co řvalo: ty moje spáso, ty můj tatínku, pověz mi, co mně je, já to nemůžu poznat! Ale hrát si se mnou nechtěl. Když jsem ho zvedl, chtěl na zem, šel ke dveřím, za nimiž ležela zničená Pavla, a řval.

Venku pršelo. Oblékl jsem ho, vrazil do krosny a vyšel na ulici. Deštník. Tramvaj dlouho nejela, jenom auta prosmraďovala kolem a stříkala. Cítil jsem ošklivost k tomuto místu a zlost na Pavlu, že se sem *musela* stěhovat. Hradčany jsou nám na hovno. „Prší mu na ucho,“ pravila stará paní. Já jsem dozadu neviděl. Jeli jsme k nám. Uvidíme, překvapíme, zarazíme Marii. Ta ale nebyla doma. Svlékl jsem ho. Chlapec procházel bytem, cizím, opatrně se blížil k rostlinám a knihám. Nechal jsem ho třísknout párkrát do piána. Našel jsem v lednici pribináček, snědl ho se strašným hladem. Přebalil jsem ho. (Plenu vzal jsem s sebou.) Myslel jsem si k němu: Víš, původně já jsem tady já. Ale udělám, co budeš potřebovat. Ale abys věděl: sem za mnou budeš moct chodit, potom...? Oblékání, šírování do krosny, hrozná dřina. „Pápá“ – a my chodili jen po ulici, stáli v tramvaji. Je to hnusné. Řekl jsem si, proč mu nekupujeme zásadně minerálku na pití? Dostává, zdá se mi, málo zeleniny. Tu já nerad, ale s ním bych ji snad i jedl. „Měl zeleninu?“ – „Měl pomeranč.“ – „To není zelenina.“ Dnes k večeři chleba s máslem a sardinkami, správně, jenže to vyplivl. Frfňal jídlo po stole, pleskl jsem ho po ruce. Hněvivě řval, zhlížel na mne zlostně, odplatně a správně: s čímž souhlasím. Nezpůsobím, aby se mě bál, budeme se rvát.

Dneska tatínek nebyl hodný. Bude muset dávat lepší pozor, aby se řídil chlapcovým vývojem. Chlapec je krásný, pevný a samozřejmě svobodný. Prosí.

/ 9. BŘEZNA 1989 / Lucka si stěžovala, že s ní si nikdy nehraju. Vystřihuje si, kreslí, píše, lepí, čte. Hledí zamyšleně... Udělala si ze špejlí a plátna indiánský stan. Žádala mě, abych si také udělal stan, budeme dva indiáni. Udělal jsem si stan. Postavy: vystřihla z papíru, nalepil jsem je na špejl, ten zastrčil do knoflíku. A měl jsem toho akorát, ona však chtěla ještě tu hru. Raději jsem šel s chlapcem ven. Nestačím. A přitom dělám s nimi víc, než jsem dělával s kluky. Teď večer: „Čti mi bibliku!" Z vydání dějepravy pro děti jsem jí četl kapitoly předcházející Poslední večeři. Čteme to už několikátý rok dokola. Ačkoli příběhy zná, zajímají ji pořád. O některých uvažuje nahlas. Na konci každého příběhu je ve dvou třech větách jako morální závěr skutečná věta z bible. Dosud jsem jí je nečetl, protože jim neporozumí. Teď je chce slyšet a nevadí jí, že nerozumí. Zvuk neznámých slov, nápověď – stejně ji to zajímá.

/ 12. BŘEZNA 1989 / Je neděle večer. Magdaléna se dívá v televizi na Carmen. Pavla v kuchyni píše zas dopis našemu vězni. Myslím, že ho miluje. Zastírá to přede mnou tím, že píše přívětivě o mně. Psala teď různým lidem několik dopisů a vždycky v nich pravila něco lichotivého o mně, což je naprosto nový jev. Před nějakou dobou mě její dopisy urážely, jak se beze mne obešly: všecko, co líčila a u čeho jsem byl i fungoval, se odehrávalo v jejích psaních beze mne. Nechápal jsem to. Když píše, tvář jí září. Pak mi dopis vždycky dá přečíst.

Včera jsme byli všichni, kromě zase Magdalény, ve mlýně u Josefa. Čekal nás, měl pro nás oběd. Seděli jsme v boudě rozhodčích s výhledem na jízdárnu se cvičnými překážkami, barevnými. Lucka se sádrovou nohou nataženou před sebe. Chlapec užasle klopýtal po travnaté jízdárně plné koňských vrypů a Josefova boxerka Betyna do něho žduchala, svalovala ho a olizovala. On ji jen chvílemi mrzutě odstrkával, jináč bez nějakého vzrušení. Pavla hned: „Budeme mít psa!“ A pohádali jsme se. Ptal jsem se, kdo mu bude utírat tlapy po návratu zvenku. Kdo ještě v deset večer, jako například teď, s ním půjde ven? Nemáme toho dost? Ale byl to pěkný den, cestou zpátky jsme o sporu už nevěděli: jsme už tak moudří? Ale ve mně zůstal ohryzek problému trčet až do rána: nedělám svou práci, nechávám se odvádět a zaměstnávat. Když jsem pravil, že nebudu myslet ještě na psa či na to, zda ony si na něho dost myslí, řekla: „To bys viděl, jak jiní chlapi kmitají!“ Co si to dovoluješ, pomyslel jsem si, proč sis teda nenarazila tobě kmitajícího chlapa? Cítím, blíží se vrchol, a budu muset začít líp kmitat na své téma. Už ten hnusný výraz: kmitat. „To se mi snad zdá; až na půdu; já jsem z toho na větvi a v pohodě.“ Je to generačně odpudivé.

/ 30. BŘEZNA 1989 / Dostává záchvaty vzteku. Chce botu, a když mu ji nepodám, stojí na místě a řve a řve. Ale vyvíjí se mu i trpělivost. Sklízí věci na místo. Pracuje pořád. Takové děti ještě nepotřebují mít svůj kout, stůl, své místo. Pořád se cpe mezi nás: kam patří. Včera, když jsem ho umytého, nakrmeného a nachystaného ke spaní vzal na ruku, najednou se na mne dlouho a zkoumavě zahleděl, klidně, přemýšlivě. Jako by si mě uvědomil jinak než jindy: jako zvláštní bytost, ne jenom jako výbavu světa pro sebe.

Těžké je pomyšlení, že zatím všecko, co s ním dělám, zapadá do zapomenutí. Kdybych umřel, nebude si mě pamatovat. Něžně přikládá tvář k mé. Hučím mu nějakou notu do ucha, chvíli drží, pak nastaví druhé. Dělám truhlářské věci: sbírá odřezky a hraje si s nimi. Cítím se jak u svého kmocháčka stoláře: jsem ten stolář a s „klátky“ si na zemi hraju já.

/ 11. DUBNA 1989 / Pod Petřínem v Semináířské zahradě je tam mělký travnatý dolík a v něm pod stromy dosud holými vyrážejí sedmikrásky čečetky. Vžíval jsem se do chlapcova dojmu. Moje nejstarší vzpomínka o přírodě je takováto:

tráva pod stromy a v ní nasypáno žlutých kvítků. Asi pampelišky. A jindy: pod lesní cestou teče potok a jeho břehy jsou lemovány ostře zářícími blatouchy. Druhého dne jsem s ním a s Luckou jel autem do Roztok. V zámečku jsme si prohlédli výstavu fotografií o roztocké společnosti před 150 lety a později. Na dvoře jsem chlapci vysvětloval dělo: bum! Opakoval: boum! Na lavečce v parku jsme poobědvali z košíku nachystaného mámou. To půvabné místo, chráněné před hlukem, lidmi a nebezpečím... co z toho asi zůstane v malé paměti? U Lucky cosi už ano. U chlapce konkrétního nic, jedině – věřím – pocit prostoru, volnosti, barev a bezpečí. Cestou zpátky jsme se zastavili u Malátků poradit se o čemsi nad plány bytu. Přišli jsme domů a Pavla se chlubila vlastnoručně umytým velikánským oknem: „Tak. Vjela do mě chuť."

Udělal jsem schodky do postele, kterou dělat teprve plánuju. Schodky jsou na to, aby se chlapec mohl podívat oknem ven. Mají zábradlíčko a na konci opěradlo. Užívá jich zatím tak, že je tlačí po místnosti sem tam a lozí po nich hore dolu. Svět za oknem ho nepřitahuje; neví o něm?

Ale já se nemíním z chlapečka potentovat; já jenom zatím hledám způsob, jak zachytit jeho život a vyslovit můj pocit z něho. Že mi to nebylo třeba u Lucky, proč? Vím. Na Lucku už vůbec nestačím. Dnes jsem na ni byl zlý: chtěl jsem, aby něco psala z češtiny, a ona otevřela sešit tak upatlaný, že jsem s ní přestal mluvit. Po bytě skáče na jedné noze, berle odkládá. Na zlomenou nohu, odsádrovanou, zatím nesmí stoupat. Číst ji už nebaví. Nejčastěji se přišine ke mně, hledí mi přes ruce na papír, do knížky a těší se, kdy zas budu řezat. Staví si z „klátků" stavby a pomalovává je.

Pavla mi dala znovu číst svůj prý už hotový román o blbém Josefovi, jemuž *musela* být nevěrná, protože ji nechal jít na interrupci; stručný obsah. Čtu to zase s pocitem křivdy, a nemůžu vůbec nic říct už: vždyť já nevím, jakého mne vnímá, s jakým okrojením mé bytosti. Ona nežila se mnou, ale se svou urážkou ze mne. Potvrzuje se, že literatura dnes ráda těží ze zlého. Dobro netáhne, nezajímá, netvoří drama. Není přece důvod, aby například Pavla psala o tom, co dělám s dětmi, co přemáhám v sobě i ve společnosti, jak sloužím – jí, dětem i jiným. Nechápe, že moje snaha svádět dohromady tyto moje malé děti s mými vnoučaty a spojovat veliké syny s touto novou rodinou je pokus o dílo větší než nějaká knížka!

/ 13. DUBNA 1989 / Chlapec tlačil svůj vozík oběma rukama a já ho přes jeho hlavu jednou rukou řídil. Najednou se od vozíku odtrhl, pod mou rukou vyběhl nabok, a hned do něho vjelo dětské kolo: malý divoký cyklista také spadl, vstal, řekl „promiňte" a odjel. Chlapec brečel jak při normálním pádu, ale hned jsem viděl, že mu na lícní kosti vyskakuje krev. Stíral jsem ji kapesníkem a pravil „to nic není". Přestal brečet, já jsem vstal a uviděl, že dlaň, kterou jsem mu hlavu podpíral, mám plnou krve. Krev živě kapala i do písku. Děti okolo začaly poplašeně mluvit, Lucka se rozbrečela. Rozhrnul jsem mu vlasy a našel trhlinu asi na půl centimetru.

Pravil jsem dětem okolo, že to není nic hrozného a že ten jezdec za to nemůže. Děti se rozcházely. Ovázal jsem chlapcovu hlavu plenou a posadil ho do vozíku. Najednou si tam sedal poslušně, byl tedy opravdu otřesený a tvář mu napuchala. Když jsem vstával z dřepu, uviděl jsem, že kromě Lucky je tu ještě jedna cerka a tečou jí slzy. Sahala soucitně na chlapce. Byla asi o dva roky větší než Lucka. Všiml jsem si už dřív, že se k Jožinovi chová mimořádně přátelsky. „Jak se jmenuješ?" – „Katka." – „S kým tu jsi?" – „S maminkou a bráškou, tamhle jsou." Menší chlapec než náš tam chodil, drže se pěkně za ruku své maminky.

Tak jsme táhli po nábřeží domů: chlapec s ovázanou hlavou, na niž si chvílemi sahal, za námi Lucka o berlích. Od svého pádu byla prvně na místě činu: na dětském hřišti na Žofíně. Vzal jsem ji s námi, protože mi bylo líto nechat ji o takovém pěkném, už letním odpoledni doma. Zatím Pavla ležela v posteli s teplotou – nějaká břišní infekce. Odpoledne jsem jí byl na středisku pro recept, potom v lékárně pro Endiaron. Po schodech dolů i nahoru jsem nesl chlapce s vozíkem. Lucka riskantně seskakovala dolů o berlích; nahoru to vypadalo bezpečněji. Také Magdaléna je už tři dni nemocná. Ale dnes už dělala oběd: hamburgery. Já jsem tuto zvláštní nemoc měl v pondělí od půl jedenácté dopoledne do deseti v noci: s horečkou přes osmatřicet, s velikým pocením, po němž jsem se druhý den cítil lehčí a mladší o pět roků. Přestala mě bolet kolena a zmizely mi jakési bulky na žebrech.

Včera jsem dostal výhružný dopis za „Komunismus je bití". Jakýsi Kruh přátel Standartenführera Havla-Vaňka mě odsoudil k jedné ráně železnou tyčí do mého židovského hřbetu. Stane se prý to kdykoli při vhodné příležitosti počínaje 20. dubnem (narozeniny Hitlerovy). – Přemýšlím, co udělat, úředně. Neúředně obstarám si delší nůž.

/ 5. KVĚTNA 1989 / Všecko kvete naráz – jabloně i šeřík, sasanky i tulipány.

„Posbírej ty věci a dej je do koše," pravím a chlapec chodí po pokoji a nosí šatstvo, které předtím z koše vytahal, zpátky. „Podrž mi to," pravím mu. Chytne lištu, kterou řežu. „Oběma rukama," pravím a on drží konec lišty oběma ručkama.

Pořád nevím, jak to psát. V dětské hlavě je celý vesmír, mám o tu hlavu strach. V saloně, jak praví Pavla, v ratejně, jak pravím já, je teď zatím verštat. Stavím postel. Bude vysoká, poleze se na ni po schůdkách, taková jako pec: útočiště v koutě, jak teplá pec na všecko. Na hraní a blbnutí, na nemoce a na čtení, na zalezení, válení, přemýšlení. Bude mít zábradlí a šuplíky. Pavla ji nazvala archou: až Vltava stoupne k našim oknům, jenom vyplujeme. Chlapec prolézá tou dřevěnou konstrukcí a já cítím jeho sílu, pohyb, radost a vjemy. Desky se mu pnou nad hlavou, okolo něho, prolézá vnitřním příčovím. Ona je to v jeho měřítku skoro stodola. Nepůjde to odtud odstěhovat, hm, měl jsem na to myslit. Voní to tu jak u mého kmocháčka stoláře. Každé nářadí, jež vezmu do ruky, musím půjčit chlapcovi. Stejně důležitá jak ta postel je její stavba, zvuky, rány, zpěv. Připadám si jak hospodář velikého dvora. Dělám to pro ty děti: pro jejich oči a uši teď, pro vzpomínky potom. Postel bude celá kolíkovaná, bez hřebíků. Ale nějakým prozatímním hřebíkem musím cosi občas uchytit: chlapec hned taky chce hřebík a kladivo. Dám mu odřezek desky, hřebík, kladivo: chytne je na konci násady, ruka se mu pod jeho tíhou ohne dolů... Ale kdo mu řekl, že si to kladivo musí chytnout blíž k hlavě, aby je unesl? Je to instinkt, dědictví, nebo už takové fyzikální vzdělání sedmnáctiměsíčního muže?

Byl jsem čtyři dni na Moravě. Když jsem se vrátil a on mě uviděl, strnul v pohybu, žasl, pak se ke mně rozletěl a vítal se se mnou několika způsoby: „tata" opakoval, kladl líčko na moji líc, hladil mě a pak mě bil dlaní a říkal „au-au".

Nevím, jak to napsat, musí se to nějak dát: příběhy nestačí. Vzpomínám, co bylo o tom už napsáno, a nevzpomínám si na nic. Banální úvahy? Pozitivistický psychologický popis založený na výzkumu dětského „materiálu" v nějakém ústavu? – Pomalu se do toho chlapce stěhuju: sílu, zdraví, názory, poměr k zeměkouli. Hledím z výšky na jeho lebku křehkou, na světlé vlasy a jsem pokorně vděčný za svou moc dát mu život a hlídat ho, aby dorostl. Když se vzteká, musím si až připomínat, že jeho vztek si zasluhuje můj nesouhlas; abych jenom nezapadl do pozorování jeho vznikající vůle a nepotentoval se snad ze samé úcty k ní. Takto nepřiměřeně moudrý, starý, porovnávám, oč jsem býval pozadu za svými dřívějšími syny, a doceňuju je.

Je to osudové, že jeho maminka by se mi musela vysmát: ona je mladá, nemohla by tak klidně žít, pracovat a rozmanitě myslit, kdyby prožívala to, co já. Ani se nehodí jí to říkat. Bude-li někdy toto psaní číst, kde budu? Jaká bude? Co se stane? Teď vedle píše povídku pro Lidové noviny. O děcka se stará, jak se starají ty lepší z matek. Koupila si látku na sukni, kterou si míní dát šít, souhlasím. Magdaléně chce dát šít kalhoty, nesouhlasím. Komu ta starost? Nesouhlasím, ale mlčím. Piš, měj úspěch, buď zdravá. Ale už skoro nejsem svůj. To nečítám druhou stránku.

/ 13. KVĚTNA 1989 / Je sobota v D. Zahrada voní, vodou a květem všeho. Chodím od ničeho k ničemu: rozčilen bezmocí, s chutí do všeho praštit. Umřel Dominik Tatarka, v pondělí má pohřeb, já naň nejedu, protože jsem udělal těžké rozhodnutí, a teď se je bojím uskutečnit: Rozhodl jsem se totiž nedat na sebe násilně sáhnout, nedat se odvádět, policejně zadržovat. Budu se bránit, fízle! – A na to by došlo, kdybych jel do Bratislavy, kde mě už jednou násilně vsadili do rychlíku a vrátili do Prahy. Budu-li se bránit, bude to konec všeho ostatního, navždy nebo nadlouho. Dohodli jsme se s Pavlou, jež ovšem toto mé rozhodnutí nezná, že pojede aspoň ona. Kdybychom jeli oba, chytli a vrátili by ji se mnou, sama snad projde, není takový případ. A nemusíme dávat nikomu na starost děcka.

Chlapec žije s nasazením života. Představil jsem si sebe v jeho postavení: všecky rohy, hrany, špice by byly ve výši mých očí. Neviděl bych na stůl, sahal bych na něj a na mne by se vylévaly, vysypávaly a kácely věci. A ještě bych měl divokou, nejistou chůzi. A o všecko bych si musel říkat lidem okolo mne, říkal bych to desetkrát, ale oni by mi většinou nerozuměli, pokud by si mě vůbec všimli. Prosil bych: pojďme ven! – Já si ho všímám, slyším ho, pořád. Pavla nad knížkou, nad papírem, nad sporákem pořád mu odpovídá aspoň, nemá-li naň v té minutě čas.

Zlobil jsem se s Luckou: udělal jsem nějaký ostrý pohyb, asi jsem hodil sešitem na stůl. Ona sebou škubla, že na ni míří pohlavek, ale já pohlavky nedávám. Chlapec také sebou trhl a jeho obličejem se mihnul strach…! Bylo to hrozné, bylo mi z toho chvilku špatně. Nesmí se mě bát, nesmí poznat strach přede mnou. Je to krásný a veselý člověk.

„Taj, taj,“ opakuje a znamená to „dej“. Musím ho zvednout, aby viděl na můj psací stolek, a tam si očima vybírá nějakou věc. Nechce panenku, nebere už tužky, vezme si krabičku nebo fotografii Lucky. Chce záhadné věci, s nimiž se dá dělat něco víc než obracet je v ruce. Například řezátko na doutníky (památka na mého vychovatele), fotografická spoušť. Začíná dávat pozor, když se mu vykládají obrázky v knížce. „Ap, ap!“ znamená hop, mně za krk. Chodíme, zpívám, on mě drží malunkými pěstmi za vlasy jak koně. Když jdeme kolem zrcadla, podívám se, jak se tváří: hrdý klidný úsměv; ne úsměv, ale nastrojení tváře k němu. „Ap, ap,“ to chce zas dolů. „Bou, bou,“ chce bouch, kladivo, k tomu dostane plechovku s hřebíky, vezme kousek desky a zkouší zarazit hřebík. V salóně! Kam se já s ním nehodím, protože my jsme brali ducha ve verštatě. Včera jsme si hráli na schovávanou: pokrok. Dosud, když mě našel, chtěl mě držet; teď mě vybízí k pokračování.

Jak krásně umí jít po Národní třídě a po Můstku! Drží se mě za ruku, nohama pod sebou odsouvá ulici, okolní vysoký svět se před ním rozvírá a za ním zavírá. Bere na sebe vlastně Prahu. Ale já jsem právě nešťastný z toho, že nemá zahradu, louku a les. Vzduch je většinou špatný, na Engelsově nábřeží č. 70.

/ 16. KVĚTNA 1989 / Odjela ještě v noci s kamarádkou do Bratislavy na pohřeb. Měly se vrátit do osmi večer. Bylo osm, ona nikde. Samozřejmě jsem se bál, co se stalo, volal jsem k jedněm přátelům a strefil jsem se: byla ještě tam. „No, vo co de!" řekla zle. „Měly jste být už tady," řekl jsem. „Tady je kar. Víš, co to je? Umřel velkej spisovatel, jestli je ti známo..." Zavěsil jsem. Ne, tady žít nebudu! Nechci ani čekat.

Přijely ve čtyři ráno, stál jsem u okna. „No co!" pozdravila rozkročeně. „Snad mi máš co říct," pravil jsem. „Žes nebyl na pohřbu a žes mi nepřivez tu řeč." – „Neslíbil jsem ti ji, řekl jsem jenom, že když ji napíšu, přijedu přesto." – „Ptali se, proč nepřijels. Řekla jsem, že se bojíš."

Odešel jsem ještě v noci pryč, už nikdy nepřijdu. Napsal jsem do Bratislavy dopis, v němž jsem vysvětlil, co měla vysvětlit ona. Na pohřeb nepřijel nikdo známý z Prahy ani z Brna: estébé je varovala. Pohřeb potom proběhl bez zásahu. Bylo tam asi sto lidí.

Hned ráno, ještě než jsem šel k výslechu, donesl jsem jí do schránky dopis: protestní. Po výslechu šel jsem domů spat. Probudila mě telefonem, abych přišel. Přijdu za dětmi, řekl jsem. Magdalénu s Luckou a s chlapcem jsem převzal před domem a šel s nimi na Střelecký ostrov. Nemohl jsem však myslet na nic jiného než na tu věc. Nemůžu ji přejít jakoby nic, bude se to horšit. „Počet společných nocí ani dětí" nebude nikdy mluvit pro mne; viz str. 150. Přivedl jsem děti a loučil se. Podivila se tomu. Řekl jsem jí, že mám ošklivý pocit. Nechápala nic, podle ní se nic nestalo. Jednala podle své potřeby. A to znamená, že se to bude jenom horšit. „Jedině uznávám, že jsem ti měla zatelefonovat."

Odešel jsem a dělal doma fotky z loňska: Lucka, Xenka... čertovina, humor. „Vždycky, v podobné situaci, pominulas mě bezohledně." Jsou v ní jakoby dva lidé: drahý a hrozně nebezpečný. Byla jí plná vana.

/21. KVĚTNA 1989/ Včera jsme se na Vyšehradě rozloučili s Dominikem: podle scénáře, který načrtl sám. Milan Jungmann přečetl úryvek z Písaček, kde Dominik praví, jak se s ním mají rozloučit pražští přátelé. V březovém hájku jsme zazpívali „Kto za pravdu horí", předtím jsem přečetl svou úvahu o jeho „karpatském pastierství" a o jeho československství. Byl tam Václav Havel s Olgou, Jan Lopatka se ženou, Přemysl Rut, Jana Červenková, a hlavní vdova ovšem – Eva Štolbová s dcerou a synovcem... Další vdovou byla Pavla, také v černém, jež večer potom pravila, že teprv teď to považuje za urovnané a vyřízené. Zprávu o této události napsala s Evou a hned ji odtelefonovaly do Svobodné Evropy. – Oblázek! Hlavní na obřadu bylo hodit do Vltavy oblázek, který jsme všichni poplivali.

Všecko je věc souvislostí, situace a momentálního posouzení: podle obou Štolbic byla Pavla v Bratislavě skvělá. Cestou zpátky v autě zpívala. Náš spor jsme mezitím dali do pořádku, tělesně. Protože ve sporu se žít nedá. Ale nevěřím. Nebude. Nemá.

Byli jsme se koupat ve lhoteckém rybníku. Chlapec nechtěl z vody. Akorát se moc divil, když ohnul hlavu a zalykal se vodou. Večer u stolu se ladil už ke spaní, v puse dudlík. Pavla jedla sýr, chtěl ho od ní, ale vadil mu ten dudlík. Vytáhl ho z pusy, podíval se na sýr, na dudlík, řekl „dlík" a sýr Pavle vrátil.

Pavla chodí pozdě spat, píše pořád povídku. Když skončila, vlezla do postele a začala si, už jsem spal. Mé zvíře přijalo hru a bylo silné, ale mě nazlobilo: byl jsem znechucený svou úlohou tady, nepokračováním hlavní své věci. Pocítil jsem nad sebou až ošklivost. Chlapec, ačkoli spal, několikrát řekl místo Pavly „au". Ráno nás budívá hlavou do žeber, voláním, štípanci.

/6. ČERVNA 1989/ Je pro tu chvíli snadnější vyměnit děcku plenu, než ho držet na hrnečku a mluvit na ně. Chlapec sedět na hrnci nechce, mám s ním o tom jednání. Pavla se do toho vloží větou, že než nás poslouchat, raději to vypere. „To chceš čekat, až se mu v sedmi letech přestane líbit v podělaných gatích?" ptám se. „No jo, vychovatel!" posmívá se. A už toho mám dost, za vychovatele tu nebudu. Šel jsem s chlapcem ven: když jsme se vraceli, nechtěl do schodů pěšky, ač jindy chodí, tak jsem pustil jeho ruku, nechal ho stát a šel nahoru sám. Řev na celý dům. Pavla letěla dolů pro něj. „Může se zabít," pravila. „Tak ať," řekl jsem.

V sobotu jsme byli u Josefa. Nebyl však doma, odjel s koňmi kamsi na závody. Udělali jsme si na hrázi ohník a pekli si vuřty. Potom jsme šli travnatým úvozem nahoru k Dlouhé Lhotě. Terén pohádkově sladký, krásná tichá pestrá tráva, kontryhel, pryšec, mařinka, ovsík... Chlapec šel jak zrozený člověk prvně obcházející darovanou zemi, šel napřed, otáčel se, vracel, padal do trávy. Protože jsem byl v něm, cítil jsem, co cítí. Prošli jsme vesnicí, vpravo vlevo psi, slepice, stromy, květy. Došli jsme za ves na kopeček, osamělá chatrč s rozbitou brankou, za ní králikárna, v ní králíci hýbali nozdrami. Dávali jsme jim trávu. Povídali jsme si s Pavlou, mít tuto chatrč, či aspoň to místo, co bychom si tu postavili. S výhledem k jižnímu obzoru do daleka. Vraceli jsme se kamenitou cestou, on chtěl ty kameny zvedat, nešly ovšem z cesty vyrvat. V hospodě jsme si dali limonádu a pivo. Chtěl to pivo. Řval. Došli jsme zpátky do mlýna, Josef tam pořád nebyl, šli jsme do osady Mlýny, úzkou silničkou. Všude kolem kvetla lupina: otrhával její květenství. Proč ho právě baví trhat listy, trávu, květy? Dotyk života se životem? Zázrak? Nevědomá surovost dravce k potravě. Poznávání svého zařazení na žebříčku živé hmoty. Prožitek škubání rukama. Malý odpor obětí. Jejich absolutní převaha. Všude je tráva, listí, květy! Voda, potok: chtěl do něho, nesměl, řval.

Když jsme spolu nazí, sahá mi na ptáčka, štípe mě a směje se. Odkud zná srandovní hodnocení té věci? Poznává je nezávisle, sám od sebe, podle tvaru? Nikdo mu o tom nikdy nic neřekl.

/ 29. ČERVNA 1989 / Okno otevřené na Vltavu, teplý večerní vítr, slunko zašlo. Chlapec spí. Byli jsme odpoledne v Technickém muzeu, kde je výstava „objektů a konstrukcí" přímo vřazená mezi lokomotivy, auta, letadla... Divoce, jásavě tam chodil, na všecko chtěl lézt.

Musí děcko na ulici jíst? Ne, protože potravy pro své smysly má dost. Balíček sušenek v ruce, běží od sloupu k sloupu. Vyjdeme na ochoz, vyhlídka do uliček Malé Strany: chlapec ukazuje na věžní hodiny balíčkem sušenek. Je to nevkusné i nepořádné, stydím se. Beru mu ho z ruky: řev. A spor: „Ty musíš všude vychovávat, viď!" Vychovávat na jedné situaci malého a velikého haranta mě už dlouho bavit nebude. Mlčím, jdeme, a najednou se do mé dlaně vtulí ruka velikého haranta. Pohled na jeho oči může mě rozbrečet. Co s tím, a co se sebou? Píšu to aspoň, ale je to spravedlivé? Musím psát.

Včera jsem přišel, a nepořádek v ratejně mě tak rozzuřil, že jsem všecko, co se válelo na zemi, začal házet do kbelíku a ten postavil za dveře. Různé krámy, šatstvo i knihy povytahované z načatých škatul jsem zastrkával zpátky, škatule zavazoval a rovnal je ke zdi víc na hromadu. Když něco potřebuješ, otevři si krabici a pak ji zase zavři. Krabice jsou očíslované a na seznamech je uvedený jejich obsah; udělala to Pavla. Jak dlouho budeme takto žít, záleží na našem koordinátorovi, jenž nám za patnáct tisíc má harmonizovat přísun materiálu a řemeslníků. Elektrikáři: předělat 120 V na 220. Hromady omítky, klubka drátů. Po nich instalatéři, zedníci, truhláři... Mění se půdorys bytu. Kuchyň přeložit. Oddělením části ratejny s malým oknem získá Magdaléna vlastní pokojík: velice se těší! Žijeme tedy přes půl roku v krámech, čeká se na konečný stav krásna a pořádku... Proč? Pravím, že i v jeskyni může kroví být na jedné hromadě, kamení na druhé. Chlapec, když jsem i jeho botičky, z nichž vyrostl, házel do kbelíku, začal poděšeně plakat. To mě zasáhlo hluboko: já jeho všecky odřené botičky ukládám do zvláštní krabice pod svým stolkem, chci je mít, a až se odstěhuju, vezmu si je s sebou. (Je myslitelné, že bych já patřil naproti Hradčanám?)

Chlapcův duch se už zmocňuje jeho těla: pohybuje se luxusně, pózuje na žebříku, mluví ve skutečných slovech. Šli jsme po schodech ven a on začal volat „au". „Kde je au?" zeptal jsem se. „Tam," ukázal na zeď, v níž elektrikáři vysekali velkou díru. Dům duní jejich ranami.

Bývá vážný, skoro smutný: když se zastaví v divokém pohybu a na něco se zadívá. Jde od něho ke mně proud smrtelné totožnosti, je mi z ní úzko. Mám pořád o něho strach. A teď, už zítra, jedeme do Zlína, kde chlapce a Lucku necháme kmotře Ľubici. Bude je mít dva týdny v chalupě kdesi nad Kvasicemi v kopcích. Pavla, Ľubica a Lucka mluví o tom plánu klidně, já mlčím. Zní to rozumně, ale vlastně se velice divím, že ho můžou tak oddělovat od kořene existence. Byl jsem o něco starší než on, když maminka musela na operaci žlučníku, vrátila se za čtrnáct dní jenom, a já ji prý nepoznal.

/ 4. ČERVENCE 1989 / Při cestě na Moravu byl kupodivu dost hodný. Zastavili jsme třikrát a nechali ho projít se. Karolín je malá osada u Kvasic nad Tlumačovem. Ľubica s manželem lékařem tam mají rolnické podélné stavení s podjezdem, vzadu je dvorek a zahrada se starými ovocnými stromy, většinou k vykácení, za zahradou je svah do nížiny k Prostějovu. Jsem rád, že děcka změní vzduch: naším domem táhnou mračna prachu od sbíječek a vrtaček. Chlapcova kmotra Ľubica – proč toto pro naše děcka dělá, nevím. Doufám, že i ze své citové potřeby. Má dvě dospělé dcery, chlapce v rukou neměla; bere ho do nich velice něžně. Mluví slovensky. Tuším, že za tento vztah budu odpovídat.

Chlapec se tam udomácnil rychle. Chodil z chalupy ven a zas nazpátky. Zdálo se mi, či spíš představoval jsem si, že se rozpomíná na svůj pravý původ: takovýto rolnický. Motýlovi říká „pipi", jako všemu ptactvu. Má nové holínky do trávy, rosy a deště: spal s nimi.

Děcko je zvláštní druh bytosti: není to jen „střední rod" člověka. Mít děcko je to poslední, čím se člověk ještě drží v přírodě, v jejím zákoně.

S Luckou jsem potom prožil tři dni ve Strážnici. Po večerním koncertě jsme obcházeli muziky pod stromy, pak jsme šli do městečka, kde za vraty hrály muziky, na dvou jsme se přiživili. Šli jsme spat ve čtyři ráno. Lucka zničená, ospalá, šťastná – byla se mnou dospělá, a dokonce za mne odpovědná: co kdybych se opil? Nevím, co jí z toho zbude v duši. Poznala, že jsou lidi, pro něž ten zpěv, co zpíváváme spolu pražskou výjimkou, je přirozený. Jsi z Moravy! pravím jí.

Měl jsem tam anonymní malou premiéru: Šuláková zpívala v Pavlištíkově pořadu jednu mou sloku písně „Na horách studénky...".

/ 15. ČERVENCE 1989 / Děcka jsou na Moravě už dva týdny. Zdál se mi o chlapcovi sen. Nikdy dřív se mi o malých dětech nezdávalo. Byl jsem s ním v jakémsi údolí, kopce okolo byly porostlé listnatým lesem, na podzim, listí opadávalo, skoro opadalo, žluté došeda. Byla tam také namodralá barva. Svítilo slunko, ale nad údolím ležela mlha, takže ten jas i všecky barvy byly přestřeny tou něžnou mlhou. Kolem dokola nebylo vidět nic než obrysy okolních kopců. Tak toto byla jedinečná příležitost, abych chlapci, jehož jsem držel na ruce, ukázal kolem dokola a řekl mu: „To jsou hory! To jsou hory!" Nemohl si je s ničím splést, protože tam nic jiného nebylo. Byl jsem z toho nejen spokojený jako se splněným úkolem, ale i velice šťastný: že mám tak výjimečně zřetelnou a neomylnou možnost dát mu vzdělání, co jsou hory. Nic jiného se nestalo, nikdo jiný tam nebyl, ani jsme neudělali žádným směrem pohyb. Dodatečně mi to připadá jako věštecká nebo zasvěcující událost: tatínek mi kdysi ukázal hory, já to dávám dál. Nemohlo se to stát jinde než v horách, ale kdy my se dostaneme do hor? Tak úplně obklíčeně? Tatínek mi ty hory ovšem neodevzdával slovem, nýbrž tím, že jsme tam šli, chodívali.

Jinak zpráva o chlapcovi říká, že si na Ľubicina manžela Františka zvykl a říká mu „tati". On to Pavle říkal skoro s omluvou a ona mně skoro s obavou, že se mě to dotkne! Naopak, je to dobré!

/ 20. ČERVENCE 1989 / Už druhý den tu rámusí zedníci: sbíječkou prorážejí skrz kamnový prostor průchod do příštího Magdalénina pokoje. Topení plynem bude „etážové". Kamna historická rozebrali a já je odložil stranou, abych z nich později možná sestavil sochu. Bude to komtur. Všecky práce si platíme, aby kategorie bytu a nájemné zůstaly stejné.

Zítra si máme jet pro děti, a tu se skoro nic nehnulo dopředu. O chlapci se mi zas něco zdálo. Děti mají boží odevzdanost do cizí vůle, skoro jak věci! Kdyby nás teď chlapec ztratil a dostal náhradní rodiče, dověděl by se o nás později z doslechu. A z fotografií, které jsem teď pořádal. V porovnání se svobodou tam venku tu bude zas chudák.

Zvláštní, nová něžnost.

Předvolali mě a dostal jsem „výstrahu SNB". Dával mi ji jakýsi podplukovník Gregor, který skoro nevěděl, s kým má tu čest a oč tu jde. To věděla baba, co byla s ním a psala protokol. Výstrahu mám za protispolečenskou činnost poškozující socialismus. Měl jsem právo se k tomu vyjádřit: vyjádřil jsem se tak, že předmětem řízení je konkrétní fejeton „Komunismus je bití" a že trvám na tom, aby to tak bylo uvedeno. Zapisovačka to tak zapsala. Jim se to zdálo jedno, mně ovšem ne: „Komunismus je bití" už určitě nenapíšu, čímž výstraha dojde účelu; nemůžou ji vztáhnout na cokoli budoucího! Činnost poškozující socialismus vidím já v tom, jak policie účinkovala v lednu na Václavském náměstí, řekl jsem. – Zapisující baba se celou dobu jízlivě usmívala a dělala na podplukovníka grimasy tohoto obsahu: „Vidíte ho, tu ho máte, já vám to říkala..." Když jsem jí diktoval své ohražení, řekla podplukovníkovi o mně s posměchem: „Pán formuluje!" Řekl jsem: „A paní to píše." Ta žena na mě byla tak vzteklá, protože mi před časem poslala předvolání, na něž já se nedostavil a poslal je městské prokuratuře se stížností, že není náležitě vypraveno. Nebylo tam ani moje jméno, chyběla informace, u koho se můžu omluvit, a byly tam dvě slovní chyby, na něž jsem upozornil: odmluva místo omluva a závazný místo závažný. Teď se mi mstila.

Došlo „Čtení na léto". Pavla v něm má dobrou básničku „Poslední výzva" (1987). – Je to poslední výzva neznámému, aby si ji konečně našel, prohlásil se, dal jí znamení. „Čas hledání mi přičmoudl jak staré maso v ohni, tak sebou přece pohni..."

/ 23. ČERVENCE 1989 / Účinkem té básničky jsem až překvapen. Opanovává mě smířlivá lhostejnost, touha prostě po klidu. A nechuť. Žádná chuť na milostnosti. Něco pravdivého! A poměry jsou mé nechuti příznivě nakloněny: každý den únava z práce, Pavla na schůzi Hosu, návštěvy, shrabování omítky a vynášení odpadků. Nic. Začala se už ptát. Nemluvím, nevysvětluju. Je to zas dávno: četl jsem tu básničku přeci, když ji napsala, a ocenil ji na stejno jak teď, ale sebe asi na víc. Teď jí v duchu říkám: máme touhy, ale žijeme jenom možnostmi, to je přece normální. Ona možnosti vybrat si z mužů využila věru dost. V duchu jí říkám: Kdo to přečte, podiví se, proč se mnou žiješ. Nebo já s tebou?

Když jsme přijeli do Karolína, chlapec spal. Když se obudil a Ľubica ho přivedla, uviděl nás u stolu a zůstal na nás hledět. Po dlouhé minutě šel pomalu ke mně. Vzal jsem ho za ruku, hleděl na mne oddáleně. Pavlu odstrkával. Ona nechala lítost bokem, rozuměla tomu správně. Chlapec trošku vyrostl. Jeho řeč se nijak zřetelně nevyvinula, rozumí však víc a vyjadřuje se určitěji. Když jsem si ho vysadil na krk, tiskl mě jaksi obezřetněji. Postavil jsem ho na zem. Řekl: „Tam!" A šel z chalupy na dvorek, na zahradu, pod starými stromy ke plotu a k brance, odsunul jsem ji, vedl mě dál pod stromy, do vysoké trávy, pořád dolů, květy bylin a trav přesahovaly jeho hlavu, šel jsem to jakoby já, jak si to pamatuju, chodníčkem pořád tenčím, stromy přestávaly, okolo byla vysoká tráva, květy pryskyřníku, rmenu, kakostu, zvonku, jako by byl pánem tohoto území, šel pořád rozhodnutě dál a jenom se otáčel, zda jdu za ním. Došli jsme na konec humna, dál bylo prázdné pole, velikánský, dolů se prohýbající lán pšenice sklizené a odvezené, a volný pohled do kraje na východě: tam přes dolinu s řekou Moravou, městečkem Kvasicemi, na druhé straně se pod letními bílými tlustými mračny zvedaly protější svahy – Hostýnské vrchy. Chlapec mi ukázal hory. Zastavil se, chytl mě kolem kolenou a pravil: „Dolů," což znamená nahoru, vzal jsem ho na ramena a šli jsme po strništi dál. Všichni ostatní šli pár kroků za námi. – Tak tys mi, synku, chtěl ukázat své území.

Jak to své území asi vnímá? On přece nechápe smysl těch obzorových čar, neměří svážnost pole, nezná vzdálenosti. Snad měří délku svého pohybu, tu ohromnou plochu zelené louky, stín pod stromy, obklíčení květy, jež mu sahají nad hlavu. Myslím, že spíš nevědomky, neúmyslně, pod citovým tlakem prostě jen chtěl vypovědět svou největší událost, největší dojem. Ani možná nevěděl, že půjdeme z chalupy přes sad na humno, a jenom poslouchal svůj zápis v duši, opakoval pro mne svou cestu a svůj prožitek.

Tu v Praze jsme děti zavezli k babičce, kde zůstanou, než se tyto místnosti přebourají. Já tu budu bývat kvůli řemeslníkům. Ale Pavla, když se jí podařilo chlapce uspat, dojela sem za mnou, jelikož mám dnes narozeniny – třiašedesáté teprve. A už zas odjela.

Na černé vodě venku leží podél břehu čtyři lodě.

/ 31. ČERVENCE 1989 / Při obědě dal jsem mu kostičku trošku tvrdšího masa. Vyndal ji z pusy a řekl, že nejde jíst: „Nende!" Ve Stromovce jsme uviděli část válcovacího stroje: jeho široký přední válec. Chlapec pravil: „Kuli-kuli, nende!" Asi že se s ním nedá pohnout. Už dost zřetelná schopnost zobecnění.

Má pořád tak světlé vlasy, narezlého lesku. Veliké hnědé oči. Vážným výrazem podobá se synovi ve Francii. Chyba asi byla v tom, že s prvními svými syny jsem se tahal o ženu, protože mi ji brali.

/ 5. SRPNA 1989 / Sobota. Dělám fotky: ty poslední jsou ze slaměného stohu s Pavlou a starší s chlapcem v Karlových Varech. Tříměsíční je se mnou ve vaně: má klidný oddaný obličej... jak ho popsat? Obličej, jenž objektivně je tím, že je. Má podobu podle kostry, zděděné, je čistý, tedy prázdný vůle a zkušenosti, zvláště pak žádná grimasa, emoce, sebetvorba ani žádná póza. Ta tvář se netváří, jenom je. Na pozdějších obrázcích sedí mi za krkem, pak stojí vedle mne, je klidný, samozřejmý, pořád tak čistý, jen v existenci: ve své pravé podobě, bez tvářnosti.

Ale umí se fotografovat už! Byli jsme dneska ve Stromovce, kam s ním Pavla teď často od babičky chodí, protože to mají blízko. Vypadá ten park zničeně: jako by neměl správce ani majitele. Potok zabahněný, rybníky polovypuštěné, stromy mokrem hynou. Fotografoval jsem chlapce u kmene mocného dubu: on se už postaví na ukázané místo, cvaknu, on odchází. Já však znovu přikládám aparát k oku, on se tedy vrátí na původní místo. Hotové obrázky potom s touto činností ještě nespojuje. Dívá se však na ně rád a hledá vždycky mámu.

Je život krátký, či dlouhý? Kde je ten prchlý čas, v čí knize? Čas, kdy jsem Stromovkou chodíval každou sobotu se svými malými chlapci, když máma uklízela, vařila. Ten děj – a to je exaktní pravda – odletěl do vesmíru. Kdyby se kdesi nařídila šikovná promítací plocha, uviděli bychom ho tam. Život se asi nemá nastavovat, má být jeden, pravý. Někdo je pak okraden. Nechci.

Přes plavební kanál jsme došli k „občerstvení". Koupili jsme si opékané vuřty, pivo, limo, kávu. Plno vos. Seděli jsme u zahradního stolku ve stínu. Bylo tam skoro prázdno, a tedy idylicky. Vosy lezly do limonády. Chlapec chodil kruhem mezi stoly a vosy obletovaly jeho medový perníček, který přitom jedl. Bylo nám dobře, takže jsme na chvíli zapomněli na Čínu: je to hrůza, a naši páni jsou v tom, komunismus je bití.

Cestou zpátky chlapec usnul ve vozíku, nesl jsem ho do schodů na ruce, hlavu měl na mém rameni. Já jsem chodil už do školy, když mě tatínek musel z hory nést, protože jsme zašli moc daleko. A maminka nám dobře pravila: „Nechoďte daleko!" On neposlechl, potom mě nesl. Kdo koho tu teď nese, ponese, nošení se podává dál. Je to divné. (Jestli je pravda, že v každé knize uklouzne pisateli věta, v níž nevědomky oznámí obsah příštího spisu, tedy v dnešním zápise jsem si ji uvědomil; když dožiju.)

/ 16. SRPNA 1989 / Vidím chlapce teď málo, jen když odsud dojedu do Dejvic k babičce. On se na mne skoro lhostejně podívá a oznámí mi, co je nového: „Bo." Boty. „Kdes byl?" zeptám se. Odpoví: „Tam, kůj, éo, í." Kůň, éro, vlak. A najednou – v které vteřině? – rozdělí se mu existence na přítomnost a minulost; slovesem „byl".

Jely s ním prvně vlakem: když ho Pavla vynášela po schůdkách do vagonu, ztuhnul jí v rukou napětím. V Kralupech na koupališti spadl včera z houpačky a řval, protože už na ní nebyl. Vedle nás seděla rodina, měla plátěnou postylku na mimino plus dvě děti větší: chlapec šel k nim, pozoroval je a obcházel. Děti házely z dálky barevné obroučky do košíku, jedna spadla vedle, chlapec ji šel zvednout a podal jim ji. Podivuju se tomu, že už rozpozná lidský celek, tu rodinu mezi mnoha stěsnanými lidmi, ten řád, jehož se jen dotýká a opravuje v něm chybu: podá zaběhlé kolečko. Jejich deku v trávě obchází. Potom seděl sám v trávě, deset metrů od nás, rýpal se v zemi, pozoroval tam něco několik minut. Šel k drátěnému ohrazení, chytl se jeho ok a lomcoval s nimi. Hleděl dlouho na druhou stranu; princip a úkaz druhé strany! Představa, výzva, zákaz. Najednou vypadal jak zamyšlený samotář. A on je sám! Jen se napřahuje do okolí. Rodiče a všichni jsou mu prostředím, látkou existence, ale v tom, co žije uvnitř, je sám.

Je pokousaný od komárů a odřený. Bolest snáší po „ošetření"

klidně. Vlásky mu ještě jakoby bledly. Jeho veliká tvář působí vážně až smutně. Prudce se změní úsměvem.

Vedle se baví topenáři s instalatérem. Ten je ctižádostivý a ješitný na to, že dělá sám a rychle. Topenáři si však myslí, že nedělá dobře. Instalatér praví: „Dva nikdy neudělají dvakrát tolik co jeden, je ti to jasný?" – Jedněm i druhým, a všem, co se tu střídají, platíme ovšem vedle částky na faktuře ještě cosi extra. Už teď je to přes sto tisíc. Následovat budou truhláři, lakýrníci, koupit kuchyňskou linku, potahové látky, různá kování. Poslední lidé, kteří ještě v tomto státě dělají, jsou dělníci. Literatura je podezřelá a nadbytečná, film a televize jsou úplná blbost, většinou. Potřebná je z toho tak setina. Prostor je zahnojen plevelnou „hudbou": je to zvukový smrad.

/ 2. ZÁŘÍ 1989 / Objevil Já.
V autě cestou do Josefova mlýna stál za mnou, tiskl se mezi přední sedadla, hleděl dopředu. Díval jsem se na jeho klidnou, klidně pozornou tvář. Pomyslel jsem si: toto je „mužný klid"; jenom toto. Všecko později jsou neurotismy, grimasy, emoce, nekázeň. Ve stáji by klidně vešel mezi koňské nohy, kdybychom mu nezabránili. Divoce běhal po jízdárně. Když děvčata vyjela na šesti koních, přijela k nám a minula nás, rozběhl se za nimi a volal s pláčem: „Tam já, tam já!" Běžel, spadl do betonového koryta jedné překážky, zaduněla rána, byl jsem přesvědčen, že má hlavu rozbitou do krve: obrovská boule. Plakal, ale utišil se, když jsme mu řekli, že pojede na koni. Jezdkyně se vrátily z vyjížďky terénem, začaly kroužit po jízdárně a přeskakovaly překážky. Jedna dívka posadila chlapce do sedla, vedla koně, Josef držel chlapce za ramínko.

Když nasedáme do auta, ukazuje na přední sedadlo vedle mne: „Já, já!"

/ 12. ZÁŘÍ 1989 / Jednou bude číst o temném lese, kde nad hlavou mu vede světlá stezka, pod nohama se mu plazí kořeny, haluze ho šlehají po nohou. Průhledy šerem do světla, ticho a praskot, a dopadne-li to nejlíp, půjde tou cestou s ním – maminka a tatínek?

To jsme včera byli na Kozích hřbetech. Všechno to tam zarostlo, skalnaté Hřbety už nemají pastvinný ráz, odkud bylo přes pole vidět k obcím. Vedl jsem chlapce za ruku, srazil jsem si brýle a rozbily se mi, Magdaléna mi šla do auta pro zásobní. Byli jsme jednou, vzácně, všichni. Potom jsme se rozdělili: děvčata šla vrchem po skalách, my spodní cestou. Sešli jsme se u rybníka pod Úněticemi. Na hrázi stáli nazí mládenci, neradi se začali oblékat...

Nečekal bych, že tu v tuto dobu někdo ještě bude, chtěl jsem se také tak vykoupat, jak jsem se koupával, chodě sem... dávno! Na potoku stavěl jsem chlapcům mlýnek, Marie si na pokrývce čtla. Četli jsme, svačili, mluvili... o čem? Proč se to zapomíná! Je to surové. Býval jsem tam rád, jsem tam tenkrát pořád rád. Teď jdeme s Pavlou, a každý víme něco jiného. Stromy, krajina, skály znamenají každému z nás jiný život. Ona také tam chodila s rodiči. Bylo mi líto jí, že nemá tatínka, mne, že žiju další život. Další život nemá se žít. Ale ten chlapec Josef dělá nad vším znamení platnosti a neodvolatelnosti. Je to jeho jediný, první a poslední život.

Zašli jsme do vesnice, prohlédli si chalupy, vraceli se. Vlezl jsem si nahý do vody, byla teplá. Zpátky jsme šli strmou a hrbolatou stezkou, Pavla tlačila chlapce na vozíku: nedovolila, abych ho nesl. Šetří moje srdce, ale po té nedůležitější stránce. Lucka byla skalami nadšená. Magdaléna hodná, vlídná, pozorná. Škola začíná polehoučku, takže Lucka přinesla ze školy jedničku z češtiny.

Přišel jsem dneska, a chlapec vždycky jásá: „Ta-ta, ta-ta!" Má až neskutečně radostný obličej. Cucal bonbon, ovocné želé. Řekl jsem mu: „Dej mi!" Odpověděl: „Nedám." To slovo řekl poprvé. Vstupuje do jazyka postupně a hned napoprvé každým krokem správně. O čtvrt roku starší moje vnučka Mařenka by v této situaci řekla: „Maenka nece dát." Když mi nedal, dělal jsem, že s ním nemluvím, a na každou jeho otázku a žádost jsem řekl „nedám". Šel ke dveřím, za nimiž se zavřela Pavla, bouchal na ně a volal: „Ta-ta, ham!" Dala mu zas bonbon, letěl s ním ke mně, natáhl ruku, a když jsem si chtěl bonbon vzít, řekl: „Nedám," a vstrčil ho do pusy.

Zedníci pomalu v bytě končí, malíři dnes vymalovali dětský pokoj, Pavla umyla zem. Její křehká postava umí podat výkon. Ale k úklidu tě už nepustím. Práce a nepořádek mi moc nevadí, je dobré vidět, jak se byt pomalu dostává do hotovosti. Ale úplného dokončení se jaksi bojím. Mám pocit, že ho nebuduju už pro sebe: což mi nevadí. Vadí mi na tom truchlivý odstín sebelikvidace: nemám s čím už moc dopředu počítat, a ten čas utrácím. Lituju Pavly, jež je tím ohrožena a neví to, a lituju i sebe, že to neví a že se potom beze mne dobře obejde. Lucka je veliká, v té už jsem a zůstanu. Mám hloupý pocit, že mám předtuchu: jako bych s tím chlapcem už neměl moc dlouho být. Mezi dvěma možnostmi dávám život ovšem jemu, i za celý zbytek svého, samozřejmě. Je mi podezřelé, že o něm pořád musím psát.

/ 2 / 2. ÚNORA 1990 / V Mnichově jsme byli, Trefulka, Pavla a já, hosty spolku Adalberta Stiftera, kde jsme četli. Já jsem přečetl příspěvek psaný k té příležitosti. Úspěch. Pavla byla půvabná. Skoro polovina posluchačů byli emigranti: mezi nimi Milan Schulz, Agneša Kalinová, Ota Filip, Ludvík Veselý... Ostatní byli Sudeťáci. Vždyť to bylo v Sudetendeutschem Hausu, což mi vlastně nikdo předem neřekl, nevaroval. Atmosféra výbušně přátelská, i na ulicích a v obchodech, kde nás zaznamenali: praskl komunismus, vítejte! Večeře a sedění v hospodě toho Sudetoněmeckého domu, na stěně prosvětlená mapa země extrémně zvané Böhmen, s městy jako Böhmisch Leipa. Správce spolku, klukovitý Peter Becher, předseda (?) Hajek ze Šumavy, sochař veliké postavy i silného smíchu. Došlo na zpěv; totiž beze mne by naň nedošlo. Začínal jsem písně, jež, pokud já vím, jsou obyčejné lidové, žádné „denn wir fahren gegen Engeland", a Ota Filip lezl hanbou pod stůl. „Josefe, proboha, přestaň!" – „Proč, hrome?" – „Zavřou nás!" – „Sakra proč? Za hóridó-jasasa?" – „Protože to se zpívalo v armádě!" Pravil jsem mu: „Tak oni si posrali jednou ranou nejenom dějiny, charakter, ale i písničky?" – „Buď zticha!" prosil. Já jsem ale myslel, že v Sudetoněmeckém domě má se správně rovnou začít takto, padl přece komunismus! Sudeťáci, veselí, byli na mé straně, musel jsem též přejít na jejich.

Hotel Schlicker. Druhého dne ráno na Marienplatzu jakási demonstrace proti Německé říši. Komik sledující vybrané chodce, kteří nechápou, čemu se všichni smějí, protože nevidí za sebe. Krám Beaty

Uhse. „Josefe, proboha! Kdybys žil tady a někdo tě tam uviděl, jsi jako spisovatel vyřízený!“ Pařízkovi (divadlo), atmosféra sídliště okolo Kunigundenstrasse, kde Ota žije. Doprovod na nádraží.

Tedy jsem několik dní neviděl chlapečka, a každý den byl na něm poznat. Má dva roky a měsíc. Domluví se lidsky už líp než já německy. Nejradostnější bod světa pro mě, smutek a strach v pozadí. Dostavěl jsem velikou postel, vysokou, a k ní schodky se zábradlím. Chlapec usíná v dětském pokoji, a když my jdeme spat, převezeme ho s postylkou k nám. Hned jak se obudí, přeleze k nám. Tomu, co by mě v mládí vadilo a rušilo jako nekázeň, obdivuju se jako moudrosti přírody: mládě je u rodičů. Ostatně, maminka se nechá dělat i s chlapcem spícím na jejích prsou. Vzbudil se a řekl: „Uz nemusíte.“ Houpat ho.

Vpadl k nám prudký život – politický, literární, společenský. Zkrátka furt u nás někdo sedí. Pavla má zvyk protahovat řeči. Telefon zvoní každých deset minut, hledají mne, nebo ji. Za „revoluce“ jsem dával i pět rozhovorů s cizími novináři denně. Už jsem lidi vyhazoval. Přijde někdo a nenapadne mu, že se mají koupat děti, dělat večeře...

Šli jsme po nábřeží kolem Mánesa. Byl před ním dav sledující videoprogram za oknem. Lucka nosí na blůze trikoloru, srdíčko a v něm napsáno Havel; mají to skoro všeckyděcka u nich ve třídě. Najednou si všimla mé prázdné klopy, podívala se na mámu a zeptala se: „Proč nikdo z vás nemá trikoloru?“ Opravdu, všichni okolo ji měli. „Já ji mám,“ řekl jsem: držel jsem na rukou chlapce v bundě s modrými, bílými a červenými proužky.

/ 14. BŘEZNA 1990 / Vztekal se, rozhazoval kostky, odmítal je zvednout, lehl si na zem a kopal. Tak jsem mu nařezal na zadek. Ať pozná, že i to se může stát, i když se to už nikdy nestane. Vstal, násilím zklidnil tvář do tuha, zvedl ty věci ze země a já jsem ho vzal do náruče. On se hned utišil, ale málem bych se byl rozbrečel já. Nosil jsem ho za krkem, zpíval jsem a on se mnou. Vymyslil jsem pěsničku: Chlapec dostal na gatě a včil jezdí na tatě. – Hm, neopakoval to po mně! Na sobě měl tlusté modré punčocháče a přes ně gaťky s krátkými nohavičkami, bíle a modře hustě pruhované.

Chtěl bych s ním být pořád. Ale musím konečně prořezat stromy v D. Zatím je obdivuhodně zdravý, nějaký sopel ho nesklátí. Lucka si bez kontroly ani nevyčistí zuby. Je tu nepořádek. Ona zdvihne ze země, jen co se jí poručí, chodí jak slepá. Pavla, ta jí to neporučí, zas je to na mně! Magdaléna pomáhá, pracuje, ale nevlídně a zavile. Maska: je citlivá, snadno se rozbrečí na nějaké hrubší Pavlino slovo. Které ale vadívá i mně. V jejich sporu cítím se na Magdaléníně straně, ale kdybych to projevil, ona se otočí proti mně.

/ 9. KVĚTNA 1990 / Chlapcova hlava je další pokus vesmíru uvědomit si sebe sama.

„Más mě lád?" přišel se zeptat. „Mám," řekl jsem. „Hulá!" zaradoval se.

Byli jsme v Mánesu na výstavě tibetských předmětů. Je tam maska spojená s kostýmem: vysoká obludná postava vcelku. Díval se na ni v úžasu a strachu. A řekl: „Já nebudu zlobit." Ještě několikrát se k masce vrátil. Šel tam podruhé, s Pavlou, která také chtěla vidět ty věci. Hned ji vlekl k masce: „To je bubu," ukazoval jí. „Zlob, mámo!" – Mluvíme pěkně celou větou. Tvoříme rozkazovací způsob. Nebezpečné experimenty provádíme na jiných lidech. Pokrok, co?

Na svém stole mám kámen ve tvaru srdce, obarvený načerveno. Dala mi ho Magdaléna. Užívám ho jako těžítko. „Co to je," zeptal se. „Kámen." – „Kdes ho vzal?" – „Dala mi ho Magdaléna." – „Kde byl ten kámen?" – „Někde ho našla." Tak vede celé rozmluvy. Má dva roky a čtyři měsíce. Jde z toho až strach. Co mi poví v pěti letech? Co v patnácti, a jak se to dozvím?

/ 12. KVĚTNA 1990 / Mladá žena, studentka, mi vrátila kopii Tatarkova rukopisu, kterou na cosi potřebovala, a loučili jsme se. Chcete mou adresu? Děkuju, nebudu nic potřebovat. Ale kdyby přece, trvala na svém, napíšu vám svou adresu. No tak dobře, pomyslel jsem si a půjčil jí svůj notes. A zapomněl jsem na ni. Už není třeba něco opisovat, dá se to vytisknout. „Kdybyste potřeboval cokoli," řekla doslova. Nenapadalo mi nic, neuvědomil jsem si v té chvíli, co potřebuju.

/ 15. KVĚTNA 1990 / Jsem dvojmo. Nebo jsem spíš ve dvou tělech. Nesu těžko, když se od něho odlučuju, když ho odvážejí. Spává s námi. Usne ve svém, ale pak se probudí, zavolá a máma ho donese. Drží nás oba za ruku. V puse má dudu: dudu se ztrácejí a zčásti zas nalézají. Za postelí musí jich být nejmíň deset. Chodím s ním na pochůzky: do Lidovek a Literárek. Pavla si našla paní, která s ním dopoledne na dvě hodiny jde ven, někdy s vlastním chlapcem, o trochu starším. Dnes jsme byli v Senohrabech podívat se na chalupu, kam si ho ta paní na dva dny má odvézt. Celá zahrada je rovný travnatý prostor na hraní. Pavla musí stříhat pořad, já jedu na Moravu na předvolební schůzi Občanského fóra, ale ne za to fórum, za sebe: vidět a slyšet.

„Upoj se! Musís se takle upojit," praví chlapec a já si stoupám za něho, za to malé tělíčko, a on jede, já za ním: děláme ík, vlak. Ze stavebnice Lego staví fantastické domy. Ovšem všecko jen roztahuje, sklidit není ochoten nic. Je vzdorovitý: místo oběda chce čokoládu, Pavla mu ji dává, a já zakročím. Scéna. Večer, chlapec se má koupat, nechce, a ona ho nejistě a nerozhodně vleče, náchylná k tomu vynechat mytí. On řve, válí se na zemi vedle vany, ona ho nedokáže ani postavit na nohy a svléct ho, tahá se s ním, jako by oba měli stejnou sílu a váhu. Jdu, nařežu mu, okamžitě se utiší, umyju ho, vezmu na ruku, přimkne se ke mně a dává mi pusinky. „Ty jsi můj tatínek," praví po tom nářezu a řevu. Je mi zle od srdce: zase jsem ho bil, a přitom dostal za mámu. Lucka to všecko pozoruje zděšeně. A když to tak dobře skončí, sedne si při televizi na gauč těsně ke mně a praví: „Já jsem ráda, že mám tak hodného tatínka."

„Já ci jít ven. Já nebudu být s mámou," praví chlapec. Podivuhodný případ gramatický: jedno slovo ve dvou funkcích – jako pomocné sloveso vedle významového. Ta věta byla samostatně sestrojena, to není převzatý obrat. Nevím, nečetl jsem o tom nic: učí se děcko mluvit jenom přebíráním hotových vazeb, či si buduje teoretické vzorce?

/ 30. KVĚTNA 1990 / Napadá mi, že ten Tatarka byl spíš záminkou k seznámení. Kdybyste něco potřeboval, dejte vědět, pravila tehdy, ale já jsem nepotřeboval nic. Či nevěděl jsem, co potřebuju. Zapomněl jsem na ni tedy. Schůzku, ke které mě písemně pozvala, nedokázal jsem odmítnout, když jsem nevěděl, oč jde. Bývám pořád ještě někdy hloupý. Pravil jsem jí: „Neptám se vás na nic, povězte mi to, co povědět potřebujete." Řekla, že se po pěti letech rozhodla ukončit vztah k jednomu muži. Teď cítí prázdno. Zas uslyším, že není mužů? Byl bych špatným léčitelem, vždyť jsem starší než ten, s kterým se rozloučila. „Vy asi o mně nic nevíte," varoval jsem ji. „Vím o vás několik let a vím toho dost," odpověděla. A protože z dalšího jejího mlčení jsem se jasně a výslovně nedověděl, proč mě sem na náměstí pozvala, zaplatil jsem kávu a vstali jsme. Koupil jsem kytici květin. „Držte ji takto a jděte," požádal jsem ji. Můj úmysl, který možná nepoznala, byl tento: žena krásná jak ona, tak ztepilá a pyšná, s kyticí takto na prsou, nemůže projít ze Staroměstského náměstí na Václavské, aniž. Ta nedojde! – Uf! (Je to k breku.)

„Ty taky brečíš?" zeptal jsem se chlapce, jenž mi z druhé strany skleněných dveří chtěl otevřít, ale nezmohl kliku. „Uz neblecím a tys blecel? Tatínku?" Došel jsem ke své velposteli, lehl si naznak a chlapec na mne.

/ 9. ČERVNA 1990 / Před několika dny byl chlapec trochu nemocný, ale nevěděl o tom a my jsme mu to ani neřekli. Zda měl teplotu, nevíme, on je neměřitelný, protože nezastavitelný v pohybu. Měl jenom ten pohyb pomalejší, hlas slabší a každou chvilku se k někomu přichyloval. Nechával a dával se hladit, opíral se a pořád chodil s dudlíkem v puse. Potom zvracel, statečně a klidně: „Já kaslu," vysvětloval. Pavla myslela, že to dostal z cukru: v obchodech není cukr, osladila mu strouhanou mrkev cukrem na zavařování s přídavkem kyseliny citronové. Divil jsem se tomu, no ale… „Myslela jsem, když se to dává do zavařenin, že na tom nemůže být nic špatného." Ale potom zvracela i Lucka, ta nešla dva dni do školy. Magdaléna měla teplotu, nešla do školy. Já jsem odjel do Zlína, a když jsem se vrátil, ležela Pavla s horečkou 39,5. Její matka šla na pohotovost, donesla jí penicilin a dávala jí zábaly. Magdaléna, o den zdravější, se starala o domácnost. Já jsem chodil s chlapcem ven a po svých vyřizovačkách. A musel jsem cosi napsat a odevzdat do novin.

Dnes, den po volbách, sledujeme všichni výsledky. Byl jsem s Luckou a s chlapcem ve městě. Prošli jsme Národní, Příkopy a Můstek, viděli několik muzik. Chlapce jsem měl na vozíku. Hleděli jsme na muzikanty, kteří z blbosti měli na hlavách hasičské helmy. Poslal jsem ho hodit jim do kufru pětikorunu. Jeho každý vidí, pozoruje a osloví. Cestou zpátky jsem se s kýmsi zastavil, chlapce to za chvíli omrzelo, řekl, abychom už šli, a když jsem hned nešel, napomenul mě slovy: „Más doma delat kolektůly!" Ano. Ani jsem netušil, že to slovo zachytil. Mám tu korektury dvou knih, nevím, kterou dřív. On se mi pořád vtírá pod ruku, vyleze mi na klín, dívá se a hlavně mě láká: „Pod, budeme delat íka. Musís se takle upojit." Upojím se za něho a jezdíme. Je to důležité nejmíň jako korektury. Jde o celou budoucnost.

Prožil dneska strašnou chvíli. Hráli si s Luckou na krále a princeznu, on se zamotal do povlaku na pokrývku, nemohl se vymotat, začal se točit, bít kolem sebe a zděšeně vzdychat. Taková hrůza!

Protože mi v autě mizela chladicí kapalina, půjčil jsem je synovi Janovi, aby s ním jel do D. a vypozoroval příčinu. Druhý den přišel a chlapec mu silným pevným hlasem pravil: „Más náhodou to auto, más to auto náhodou?" Zkoušel si slovo „náhodou".

Venku jsem Janovi pravil: „Kdybych umřel, vem si toho chlapce. Bylo by škoda, aby vyrůstal mezi těmito ženami. Je pro ně zbytečně dobrý. Často se spletu a oslovuju ho tvým jménem, tak to vidíš! Vynahrazuju na něm, co jsem pro svou nedokonalost možná zmeškal na tobě. Jsem k němu rád velkorysý, shovívavý a trpělivý, jak jsem k vám neuměl být. I když, jináč, myslím si, že jsem se k vám choval, jak jsem nejlíp uměl. Ale neuměl jsem to ještě. Mrzí mě to."

Odpověděl: „E, to je dobré!" A po několika krocích: „Vezmu, potom. Ale žij."

/ 20. ČERVNA 1990 / Když jsme letos brzo na jaře byli s Pavlou v Itálii, zazdálo se jí, že by se snad mohla naučit italsky. Jazyky jí nejdou. A učí se: má v kuchyni na stěně, v koupelně na zrcadle, nad svým pracovním stolem lístky se slovíčky a frázemi. Teď uvařila oběd a svolává nás radostně k jídlu:

„Mandžáre, tutti!“ Chci dopsat větu, neběžím subito, poslala za mnou posla. „Manzálek!“ praví mi chlapec něžným hláskem. „Papat manzálek!“

/ 24. ČERVENCE 1990 / Pod okny krouží lodě, vypadá to teď v noci na černé vodě velkolepě: jedna odplouvá, dvě se obloukem blíží k můstku. Hrají tam hudby. Z jedné se vyvalil chumel opilých asi Němců, řvou hrubými hlasy. Slunko je dávno za obzorem a ještě pořád je na té straně nebe světlejší. Prohlížím poslední fotografie této naší rodiny: chovám je ve skrýši zřízené v této bedně na knihy a nářadí, ukryté před prohlídkou, pořád očekávanou, loni. Dívaje se na ně, ani bych neřekl, že někdy byl mezi námi nějaký nečas. Protože ty obrázky jsou samozřejmě z lepších chvil.

Práce v bytě nám znemožňují někam na delší dobu odjet. S Luckou jsem byl ve Strážnici. Chlapec u kmotry Ľubici. Pavla odevzdává scénář televizní hry podle jedné své povídky.

Blíží se moje správné rozhodnutí. Nemůžu se řídit svou stížností. Také bych se mohl vymlouvat, že co dělám, *musím* dělat. Nemusím. Loučím se každým vítáním. Poznávám pěkně trpce odpírání sladka. Jsi blázen? Jsi. Žene mě to silně ke stroji, chci jí napsat, ale nechci jí psát. Bojím se už oslovení, nechci prozradit její jméno.

A když jsem včera v samotě natočil čistý list, zjistil jsem, že nedokážu jednat přímo s ní, psát jí do očí, co si o ní myslím a o sobě. A tu mi napadlo oslovit ji přes prostředníka, jehož oba známe.

Tak tedy:

Možná si vzpomeneš, milý Dominiku, jak jsi ležel poslední ráz v nemocnici a přicházely se s tebou ženy loučit, jedna přišla vítat se. Neznámá mladá žena sedla si na kraj tvé postele a nic nemluvila, jen hleděla. Když ji uviděls, zavřels oči, a kdyžs je otevřel, pořád tam byla, proto sis ji uvěřil. Žena světlé tváře v obrubě černých vlasů, tvář přísných rysů, jež se v té chvíli rozpouštěly do milostné čistoty, čistoty připravené obětovat se tvé milosti. Ale bylo už neskoro, už jsi ji jen viděl. Ona nemluvila, jak ani mně nemluví, a ty – co povědět a proč? Když jsi ji lehkým tělem už nemohl zatěžkat! Tak jsi jen, pravila mi, těžkou rukou vzal pramen jejích vlasů a už trošku nešikovně, avšak ze všech sil něžně zatáhals ji dvakrát. Přišla jsem za tebou, mlčela. Budu s tebou. Ale to tys věděl, to bylo samozřejmé. A ona by s tebou byla byla třebas hned na té posteli, kdybys to jenom byl naznačil. Ale můžu-li jí věřit, a věřím jí to sotva, tys už nepoložil ruku ani na její kolénko a nepohladils ji výš po stehně, nevhladil ses už na dva tři kostnaté prsty do její pusiny. A tak jsi ty, karpatský pastýř, poprvé selhal ve své hlavní pastýřské úloze, protože ses neslehl s ženou, která proto přišla i se svým rozkošárem, poslechnuvši tvého jména a poezie a své ctižádosti být jednou z tvých naj. Potom, řekla mi Naja, jsi vyslovil mé jméno. Proč, byl bych se rád té ženy zeptal, ale nezeptal jsem se, když ona se mnou nemluvila, a podnes nemluví; chodí vedle mne nemluvně?

Byli jsme spolu dvakrát na výletě za městem, kdy ona ani neodpovídala na moje otázky, kam jdeme a proč, kam chce a co. Louka byla vlhká, a když jsem se konečně zeptal přímo, co ode mne chce, neodpověděla. Je mi právě dnes čtyřiašedesát roků. Žen poznal jsem míň než ty, ovšem já si jich většinou úmyslně nevšímal, byl jsem přísných mravů, dlouho. I teď, vlastně. Proto žádám od sebe řádnou výmluvu, aspoň, a jenom těžko dostávám se k prostým díkům. Mám z nich, žen, hlavně strach. A protože nedokážu nic nechat volně odejít, jsem obtížný s tím, a směšný. Hledám obsah a význam. Proč se mnou chcete být, když nemluvíte? Ale Naja o ničem není ochotna, nebo snad schopna mluvit, rozmlouvat, sdělovat své názory, pocity a dojmy. To je, Dominiku, těžká situace pro muže, který nebude a nechce dělat ženě zábavu, atrakci ani poučného mudrce. A přitom důvěrná sdělení tělesná se množila, ta žena, tvá milovnice, snad uznala, že nemůže úplně důsledně odhánět mou ruku, má ústa: od svých prsů a od klínu černého jak její hlava. A pořád žádný názor a přání; což mně, Dominiku, nevadilo, když už tuším, co ode mne chce. Jenže my karpatští pastýři, co si vážíme své hodnosti u žen, my čekáme prohlášení takové, proč jsme vyzdviženi k zahrnutí do jejího břicha. Protože nám se nerado bere na vědomí, že jsme tam místo kohokoliv jiného a že jsme jen hra měsíce. Z tvých všech zpráv vím, že tys také taková prohlášení jedinečného důvodu od žen vždy dostával a pak jsi je zapisoval, jak ony ti říkaly, že jsi jejich naj. Ty lži.

Ona se mnou nemluví ani o své práci, ani o mé, nevím dodnes, v čem jsme shodní, krom shody toho, v čem jsme opační. Ale je mi už o čtyřicet roků víc, než když jsem prvně vyrazil se svou pastýřskou holí do roklin pod Kobylou, tak se někdy divím, a vidím se shora s úsměvem. Potom jsou noci: dostat do její ždímavé jemnice pičipáč skrz těžký vír chlupů je věc skoro nemožná, když ona se svou panenskou rukou nedokáže ještě dotknout tzv. mužského pohlavního údu. Řekl jsem si naposledy: To je naposled! Protože bylo to na děcko. Tebe o děcku v ženě nečetl jsem. Její krásné stony obeplouvaly mou hlavu, nevšímajíce si jí. Chytal jsem se jich, hledal mezi nimi něco pro sebe, ale musel jsem rád s krásným smutkem poznávat, že jsem tu jenom křesadlem, které vzněcuje její rozkoš, rozkoš z těla vlastního, svého, jejího, za níž si jde podle libovůle, a koho má ráda? Má se ráda tak, že se pro sebe obětuje muži. Měla se mnou dost trpělivosti, ale pasivní. Dominiku, musel bys k ní moc mluvit, ale nemusels bys, když mluvíš tak volně dobrovolně rád. Já ne! Je jako choulostivá odrůda jablek: ráno plná modřin od kotníků po boky a uvnitř stehen. Považoval jsem se za docela něžného muže dosud, ona však pravila, že zvyklá je na něžnější. Ovšemže jsem hned pomyslel na tebe, a podivil jsem se hře osudu: jak se stalo, že jsem na ní já? Má tělo velice pěkné: pevné, dlouhé, dřík zúžený nad boky džbánkovými… ba je to spíš jemná tažená váza. A třebaže linie má jemné a lehké, do očí váží dobrým tělesem. Těžké nádherné pecny zadku, těmi řekla mi víc než hlavou, lépe řečeno zadkem a břichem uváděla na pravou míru své nepravdivé zprávy odjinud. Při křesnutí má okamžitý zápal a rychlý chod: potom jede, točí se a kroutí, přimyká a přilíná, její duše má pevné pružné stěny, hmatavé. Hlava o sobě snad neví, padá kamsi, šlehá vlasy, a když mi takto láskou blčela, láskou k sobě, k níž já byl pozván a pozvání mě potěšilo způsobem, který ona pochopí za dvacet roků, když takto jsem ji žil, v úctě a obdivu a možná trochu i v lásce, ona promluvila: v omámeném svíjení najednou řekla, vydechla: „Dominiku!" Přešel, přejel, přebrousil jsem to a přetřel, pochopil a uznal smířlivě, smutně radostně, a ona o tom pak opravdu ani nevěděla. Ale já jsem poznal, že tobě to zapřít nesmím. Každý z nás někomu něčím je, a často něčím jiným, než ví.

Tento šestý ráz jako bych došel konečně slova a svého určení:

Skláněla se nade mnou v šeru prsy, rameny a obličejem, hladila mě a líbala. Stala se z ní milenka. Když jsem nabyl trochu síly, abych se proti ní posadil a díval se na ni, nabyla trochu rozumu a řekla: Nechci se zamilovat.

23. 7. 1990 *(Z „Listů Dominikovi“)*

/ 25. ČERVENCE 1990 / Došel mi dopis: „*Miluju tě už. Je to snadné. Schází mi jen Tvá radost. Přinejhorším chtěla bych Tě i za tátu, pomyslela jsem si. A rozbolel mě z toho žaludek, úlekem.*“
A máš to! – Kdo?

/ 12. SRPNA 1990 / Ten chlapec, ten chlapec! Kouše mámu a bije ji, dívá se, co na to ona a co já, usmívá se, tlumí vášeň. Nedělej to! A naschvál to udělá. Je velice zamilovaný do maminky, jak do vzduchu na dýchání. Neslýchaně zoufale naříká, když ona se ztratí jenom na chvíli, do obchodu. Vidím, že je to duše holá, jenom tence tělem povlečená.

Zítra si ho chce vzít paní Helenka do Senohrab, ke svým dětem. Už tam dvakrát byl. Bylo mu tam dobře, ale jak vášnivě se vzepjal ke mně, když jsem pro něho přijel. Kde je máma? Tys ji nepřivezl? Ale já ho nenechám zítra odvézt. Je pondělí, v úterý s ním pojedu do Josefova mlýna: vedu tam totiž francouzského syna se ženou a dětmi. Tak bude Pavla mít den volno. Další volno ji čeká, když ho cestou ze mlýna nechám na tři dny u paní Helenky. Je mu dva a půl roku. Připadám si jak zločinec.

Byli jsme na Konopišti, přespali v motelu: byla to luxusní blbost, ale Pavlínka s Jitkou si myslí, že si ji zasloužily: přijali jim scénář televizní hry. Večeřeli jsme ve „Stodole“, což je takový moderní humbuk s otevřeným ohněm a drahými masitými jídly. K našemu stolu přišli muzikanti – housle a harmonika. Začali hrát chlapcovi do tváře. Užasl, roztáhl tvář do úsměvu, vyslechl dvě písně a řekl jim: „Dete hlát zas jinam.“ Ale po chvíli si pro ně došel. Potom jim odevzdal dvacetikorunu a poslal je znovu pryč.

Celý den pracuje, skáče, lítá, „jedná“. Dráždí mě jeho vzdorovitost, ale stačím si uvědomit, co to je. Pořád spává s námi. Musí nás mít oba: mne na doplněk k mámě. Usíná v dětském pokoji ve své posteli a v noci, někdy dřív, jindy až k ránu, se vzbudí a volá mámu. Jdeme pro něho. Je ovšem možný jiný způsob, který platí za správný: utišit ho, pohladit a nechat tam. To by udělala Pavla, správně. Ale dohodli jsme se, že to necháme vývoji: bude se budit čím dál později, až jednou zaspí do rána. Odstaví se od nás sám. Když volá, unavená Pavla ho někdy neslyší, jdu pro něho a on mě nechce. Odvleču ho, a když v naší široké posteli přistane, vezme nás každého za ruku. Děti musejí mít dva rodiče.

Postel: hřiště, pec. Pavla ji ve své povídce popsala jako loď, archu. Četl jsem to konečně jako jisté uznání. Chlapec se onehdy zadíval na moje řezby, profilové figury, v čele a nohách postele, poznal v nich postavy a chtěl, abych mu je vyložil. „Povídej mi to!“ Povídám mu: že tam je muž a žena, každý sám, tady se už přiblížili k sobě, tady žena už čeká děťátko a tady muž vede za ruku chlapečka. Je tam ještě několik jiných figur, obdobného významu. O jednu, jako příspěvek k mé posteli, jsem poprosil Olbrama, jemuž se můj nápad líbil. Nakreslil mi a já podle kresby vyřezal postavu muže antičtější figury, než jaké umím já. Muž má decentního ptáčka, ohnutého dolů: zasadil jsem figuru obráceně a z ptáčka je decentní věšáček, na košilku třeba… Obrácené figury si každý host všimne a já mám příležitost říct: to je Olbram Zoubek.

/ 13. SRPNA 1990 / Napadlo mi: jaké asi poslání ten chlapec u mne má? Jenom to, že se musím srovnávat s otcem svých dřívějších tří synů a hledat své provinění? Vulgární názor je, že takové sebepoznání si odžíváme při vnoučatech. Není to pravda: z toho nic neplyne, všecka odpovědnost i námaha leží na mladých rodičích, dědeček svou opožděnou moudrostí může jenom otrávit mladé, aniž sáhne opravně na sebe.

Chlapec je postava štěstí: krouží po bytě na trojkolce, klidně a pozorně, do ničeho nevrážeje, dělá si zvuky, svádí nás ke hře, k účasti na svém podniku. Vypůjčuje si od mne, co z mého šuplíku se mu líbí, a vrací to. Tahá mě za ruku, abych se upojil k němu jako k lokomotivě. Nemám čas, a on poví: „Nemám te lád, di plyc.“ Když mu něco nedovolím, povím mu důvody, a když je uzná, řekne: „To je mne líto.“

Včera se zlobil, válel se v hale po zemi, protože Pavla po něm chtěla, aby jí našel rtěnku, kterou se pomazal po celém těle. Neměl nás lád, nahý se válel vztekle po zemi. Lískl jsem ho silně po zadečku. Řval, odešel jsem s Pavlou do kuchyně. Brečel zlostně, potom lítostivě, potom volal: „Já sem tu sa-a-ám, podte za mnou nekdo!“ Pavlou to cukalo, musel jsem ji povzbuzovat, ať vydrží, až chlapec po dlouhé čtvrthodině zabrečel: „Já uz budu hodný...“ Oba jsme za ním letěli.

Vytýkám jí nedůslednost, povolnost, ale hlavně nedostatek předvídání: co s ním udělá, kdyby s ním zůstala sama? Odpověděla mi: „Počkej, až s ním zítra budeš celý den sám!“

Ten krásný den je pryč. Chlapec se choval výborně, to jest svobodně a rozšafně, přirozeně i mile. Všecko si dal poradit či rozmluvit a já mu ve všem, co jsem mohl, zas vyhověl. Jeli jsme s mým francouzským synem a jeho rodinou k Josefovi do mlýna, cestou jsme se zastavili na Konopišti. Zámek jsme obhlédli jen zvenčí, byli jsme u rybníka, na loďce, pak v restauraci. Moje cizokrajné vnučky chtěly jít na loďku. Od břehu veslovala snacha, ale starší holka to hned chtěla zkusit, a musela to mít. Otravovalo mě, jak to právě musela mít, motala se tam, loďka se houpala, aniž jsme se hnuli z místa, potom cákala vesly na všecky. Řekl jsem, že se mi to nelíbí, její maminka pokrčila francouzským ramenem, místo aby harantovi snad řekla, že se to nám nelíbí. Menší její holčička se také začala bát a můj chlapec, ač nám nerozuměl, ze situace a z pohybů loďky dostal pochyby a pohlížel pořád na mne, co já na to. „Neboj se,“ pravil jsem mu. Znechutilo mě to na hodnou chvíli, když obě holčičky, víc ta starší, se potom stejně vymýšlivě chovaly v restauraci. A můj syn se jich zastával! Tímto stylem demokracie oni vyvalí jednou do vody celou Evropu. Potom jsme jeli do mlýna. Josef nás čekal ustrojen. Mladší holčička, která doma jezdí na koni, šla na terénní projížďku s ostatními jezdkyněmi. Chlapec tam byl, mezi psy na jízdárně a s Josefem, jak doma. Tam jsem mu prvně řekl, že pojedeme k Helence a že tam bude spat. Zhroutil se. „Za mámou, pojedeme za mámou!“ volal. Pevně jsem mu opakoval, že máma si přeje, aby zůstal u tety Helenky. Trošku na to zapomněl, když jsme se potom zastavili v Bystřici na zmrzlině. V autě cestou z mlýna si začal halasně a bujaře zpívat, až se můj veliký syn s obdivem po něm ohlédl od volantu. Ještě při chůzi od auta k tomu domu šel klidně, snad myslel, že to nebude pravda. Srdečně ho všichni vítali, paní Helenka i její děti. Bylo zřejmé, že se mu tam líbí, jenom začal prosit, abych tam zůstal do večera a při usínání mu dal ruku. Když jsem řekl, že odjedu, prosil mého syna a nakonec sahal po ruce starší holčičce, s níž celý den nemohl ani promluvit. Pravil jí: „Aspon ty mi dej luku...!"

Toto se nesmí dělat, a já se zařekl. Odešli jsme. Jestli se jemu ani mně tentokrát ještě nic nestane, nikdy už nedovolím, aby zůstal mezi cizími lidmi proti své vůli. Děcko, úplný člověk a lepší než on, je pohazováno jak pytel něčeho. Úplně suverénní duše, jenže tělem si nemůže nic zařídit ani vymoct.

Je poškrabaný a otlučený, loket má velice odřený. Josef mu ho musel ošetřit. Na asfaltovém chodníku v zámeckém parku sebou několikrát plácl, až dlaňky zadrnčely a bolelo to i mne. Na čele má hrču. Mezi stehny zarudlý bodanec od vosy, plavé vlásky, veliké modré (?) oči. Pusinku má v klidu smutně vážnou.

/ 28. SRPNA 1990 / Ležel s hlavou v mámině klíně, s dudlíkem v puse a díval se na televizi, kde zpívali Offenbachovi „Bandité". Královský pokladník zrovna vyzpěvoval, že má pokladnu prázdnou, protože miliony probendil se ženskými, které má rád, protože má „srdce španělského granda". Chlapec se posadil, vyndal dudlík z pusy a zavolal naň: „Ty nemás sldce, zlodeji, táta má sldce!" Zastrčil dudlík zpátky, lehl si na mámu a díval se dál. Poznal, že je to zloděj, ač to slovo nepadlo. A proč se nad tím, v necelých třech letech, tak rozčilil?

Prožili jsme týden v Mirkově domě ve Zlíně. Jeden den oheň na zahradě, jeden den výlet na Vršatec, k prameni, jímž jsem chlapce před dvěma lety křtil: „Jmenuješ se Josef a jsi odtud." Přítel Zdeněk Kotrlý pravil, že kdybych byl přidal slova „ve jménu Boha otce", byl by to křest právoplatný. Už se stalo: jaký katolík, takový křtitel. Tři dni jsme jen leželi na zahradě, četli, stříkali se hadicí, sbírali borové šišky. Vyřídil jsem tam asi dvacet dopisů od čtenářů Literárek. Byl jsem konečně s chlapcem a byl jsem jeho. Měl velikou svobodu a radost. Obrovská zahrada, veliký dům s mnoha místnostmi. Spali jsme v tělocvičně na žíněnkách, Lucka jednu noc v indiánské síti, ale musel jsem spat na zemi při ní, bála se. Na Lucku jsem kupodivu nebyl moc hodný. Popuzovala mě leností, malou hybností, neochotou zabavit někdy na chvíli chlapce. Ptám se, proč myslím víc na posledního ze svých synů, když dceru mám jedinou. Protože je poslední? Protože je to víc moje téma? Protože jsem v něm víc?

Mám rozkoš, když ležím v noci vedle něho, on mi dýchá a občas hmátne ve spánku po mé ruce. Z druhé strany drží Pavlu. Ve sbírání šišek byl ďábelsky vytrvalý. Podlézal pod stromy, do křoví. „Pod se mnou do toho lesa," ukázal na nízce propletené větve tisu. V sobotu odpoledne jsme byli v parku na koncertě valašské cimbálové muziky. Chlapec běhal, válel se, lezl po trávě okolo, schovával se za stromy, stavěli s Luckou z dřívek chaloupky. Muzika hrála. Bylo to jak na pouti, byl jsem malý.

/ 26. ZÁŘÍ 1990 / Telefonují si dětským přístrojem. Lucka: „Kdo je tam?" Chlapec: „Tam je Lucka!" – Jak scénka z Cimrmana.

Pořád mě zaráží, jak je veselý, ale jak smutná má ústa, když nehnutě přemýšlí. Ústa krásná, přesná, dlouhá jak dospělý muž, žádná krátká dětská pusinka. A musím pomyslet na právě tak smutná ústa kdysi, jež měl můj prostřední syn. Když jednou jsem si také tak jak dnes, jen hbitějším pohybem, lehl na zem, on na mě skočil, válel se po mně, chtěl zápasit, ano, ale po chvilce jsem mu řekl: „Běž, neotravuj už." Vstal a odešel s pusou staženou lítostí. Pak přišel, podíval se na mě shora a pravil: „Vidíš, a teď se otavuješ sám." Několik takto nezapomenutelných vět, jež se mi prohazují pamětí a někdy už ani nevím, kdo z nich je vyslovil.

Rozhoduju se, že Pavle nedovolím dát ho do jeslí, to s ním ta dopoledne budu sám. Řekl jsem jí to. Ona souhlasí, žádá jenom, abychom rozhodnutí nechali na příslušnou dobu: budou-li to malé, dobře vedené jesle, kde bude rád, bude z toho mít víc než z nás. Začíná spávat bez plenek. Po vzbuzení jde hned pracovat: jezdí se všemi svými stroji – koloběžka, trojkolka, veliké dřevěné nákladní auto, na němž sedí a odstrkává se nohama. V Pavlině pracovně se naučil stát na židli u arkýřového okna, odkud dlouho pozoruje ulici, mosty a pohyb na nich. S fantastickou kulisou v pozadí, jak na prvorepublikánské známce z roku 1919.

Musel bych žít ještě deset roků, aby mu bylo třináct. Měli jsme v posteli tváře těsně proti sobě, hleděl na mě, pak pravil: „Ty ses skaledej."

Umřel Milan Šimečka. Pozítří má pohřeb. Poletíme do Bratislavy, s dalšími přáteli páně prezidentovým speciálem ze Kbel. Milanův mužský život – proč obcházet slovo milostný – byl podivuhodně přímý, jasný a prostý. Chudý? Mně někdy záviděl, často mě varoval. Když ho před několika lety pustili z basy, navštívili jsme Bratislavu. Bydleli jsme u Kusých, já ovšem mluvil v domě slovensky a Pavla raději držela pusu, a s Milanem jsme se byli koupat na tamních Zlatých pískách. Ona s ním flirtovala, on to bral plaše, mně se to líbilo, políbili se. Cesta rychlíkem zpátky byla otrávena Pavliným zas životním žalem, že je všemu konec, ona se za Milanem musí někdy ještě podívat, že to je hrdina. „Měla jsem s ním po dlouhé době zas pocit, že jsem žena." Ne, nežárlil jsem, nebral jsem to vážně, věděl jsem, že ji to brzo přejde, a stalo se tak. Věděl jsem, že je v tom víc úmyslného jedu ke mně než lásky k jinému muži. Žrala mě má blbost: proč s ní jsem, když je tak nehodná?
Napíšu raději Dominikovi.

/ 17. ŘÍJNA 1990 / Pavla je už pátý den na Mallorce, s Jitkou. Chlapec je u babičky, šel tam klidně. Já za ním chodím. Včera jsme se šli na nádraží do Bubenče dívat na vlaky, pak jsme na jeden sedli, jeli do Ouholic a zpátky. Bylo mi smutno. Bez mámy je jakoby dospělejší, ukázněnější, víc muž než harant. Partner. Před čtrnácti dny jsme měli velikou nepříjemnost: byli jsme na výletě posázavským pacifikem a na zpáteční cestě, v přeplněném vlaku, se chlapec choval manifestačně odporně. Pavla se ho snažila uklidnit tím, že mu ve všem vyhovovala. Styděl jsem se. Odešel jsem od nich a nejel s nimi ani domů. Také u stolu se chová hrozně. Ale když jsme sami dva, je normální. Chtěl vědět, kdy přijede máma. Spočítal jsem mu to na prstech. „Máma plijede na malícku," zaradoval se.

Měli jsme tu návštěvu: Wolfgang Scheur s Brigittou a Olbram. Wolfgang je ten diplomat dobrodruh, co nám pašoval všecko tam a sem. Zpívali jsme, chlapec řádil, tančil, radostně křičel. Umí extázi.

/ 30. 10. 1990 / *Dominiku,*

nikdy ses nezastavil, pamatuju-li dobře, u toho, že jsi otec: jen souložník, milenec, antický sameček, smilný pastier. Poklony ženám, jejich štěrbě. Oči cikánek a židovek, oči, jichž by sis asi nevšiml, nešlo-li by o bříško. Maminka – výjimka. Otec – kde ostal ti? Zároveň a souběžně s tím, že jsem co ty, já jsem se uvědomoval jako otec. Vysvitá ve mně názor, že s každým děckem se muž stává víc a víc otcem: pohlaví, jeho i ženino, prohlubuje se mu do svědomí a duše. Každé další děcko dělat – pořád větší slast! Slast se strachem a hrůzou dohromady, o to slastnější. Do každého děcka jsem se uložil, s každým se opravil, zpřesnil. Vadí mi a štve mě čím dál víc, že jsem je všecky neměl s tou jednou, první ženou. Dvě hnízda se obskakují těžko. Nepřijímám, zavrhuju to odlučování: ten zvrhlý zvyk naší dnešní civilizace, že muž s další ženou opouští tu první, tím se trhá a trhá svoje děti. Měl by je mít všecky pohromadě! – Ale ovšem to je příšerný mužský šovinismus, nepočítající s city a vůlí žen, ovšem patřilo by to tak muži. Jiná možnost je, že děti, jež nemá muž se svou první ženou, nemá už mít. Vůbec: proč muž jde dál, když žena už nemůže? To nemá být! Kdybych měl co mluvit do stvoření světa, udělal bych, že mužům by jako ženám vyschly žlázy, zplihla síla, scvrkl se šarm. Je to největší krutost, opouštění žen muži. Mám těžký hřích, že jsem dceru zplodil s jinou ženou, než s první svou, jež by ji ke třem synům byla přijala tak ráda. Dá-li se to omluvit, tak možná tím, že bych to s ní, ona se mnou, že bychom to byli nestihli, možná. A dcera by nebyla dnes na světě. Jednou jí to budu muset vysvětlit. Žasnu, jak je možné, že přes své špatné chování mám posledního synka tak krásného, ušlechtilého a čistého. Jednou si to vysvětlí možná i sám. Do každého jsem se vtělil, a do tohoto posledního už nejpřesněji, nemůže to být přesnější. Jsem on, jsem v něm celý a on je já. Teď už já nemusím být: cítím. Teď jsem už pro něho. Jsem pro ně všecky. Tolikrát jsem opakoval pokus o sebevyjádření, až jsem se vyjádřil úplně. Ale ničeho se nemůžu a nechci zříct, všichni jsou perfektně moji. Jen měli být z jedné ženy, pro čistotu stylu, pro řád, klid a krásu. Jednou mě jedna žena, pěkná, chytrá, citlivá a poctivá, požádala, abych jí udělal dítě, jen pro ni. Vzrušilo mě to v té chvíli a poděsilo každý den víc a víc, když jsem si na to vzpomněl. Nikdy jsme se sebe ani nedotkli, šlo o věc svrchovaně ideální, duševní; metafyzickou? Potom, co by ucítila, že je těhotná, rozloučila by se prý. Řekl jsem, že nemůžu, a kroutil jsem se studem, lítostí. Bylo velice důležité, abych chodil dál na návštěvy, na tu sklenici vína a literaturu, abych nijak nedal najevo poruchu vztahu, neporušil ho. Zůstal. Už nikdy jsme na to ani slovem nepřišli, a můžeme se vídat. Ale byla to těžká krize důstojnosti, slušnosti a přátelství. To nemělo co dělat s morálkou ani sexem. Jak bych to vyjádřil: nedokázal jsem se vzdát svého děcka? A přitom – toho semene vybryndaného bezdětně! Co ti to udělá, dáš-li jí ho? – Jsem starý, staromódní, vladařský: ta žena byla nová, svobodná, velice citlivá a rozmyslná. Osmělila se sáhnout po svém přání. Byla v právu? Já jsem selhal?

Nechci-li dělat další děcko, není to proto, že bych si komplikoval život: nakonec, stane se to, nechtě, a je to zkomplikované bez našeho přivolení. Ale nechci to děcko zradit: vydat je do prostoru, který neovládám, do času, v němž už naň nedohlédnu. Kdo by mu byl tatínkem, kdo by ho nosil za krkem a hleděl mu do očí hledaje se? Já ho totiž skoro vidím, a jak si ho představuju, nemůžu ho tak odstrčit.

(Z „Listů Dominikovi")

/ 6. LISTOPADU 1990 / Byl jsem čtyři dni v Amsterodamu. Tam slunko, tu mlha, že nebylo vidět křídlo eroplánu. A zima, lezavo. To město a tu zem rád bych poznal blíž. – Vždycky řeším otázku: s kým? Samozřejmě s mou mladou družkou, které bych rád otevřel svět a myslím, že to mám být já, kdo to udělá. A samozřejmě s mou Marií, protože když to neudělám já, zavře se jí už. Když jsem v jediném volném večeru šel městem Amsterodamem a vybral si k tomu jednu z dlouhých rovných ulic, abych nezabloudil, rozlil se ve mně pocit, který mě velice překvapil: nejlepší je být sám. Jít cizím městem světa jako teď a všecko teprve čekat. A protože ono skoro všecko už bylo, tak po té zkušenosti už skoro nic, co přijde, nebrat. Jen se k tomu přiblížit, na vzdálenost bezpečnou pro obě strany, prohlédnout, promyslit – a pryč! A tu jsem si uvědomil, že toto je můj postoj k ženě jménem Naja. Už žádnou! Jaké to bude, až vyjdu takto do světa se svou dcerou? Něžná společnice. Jenže dá se od dnešních dcer čekat, že v šestnácti až dvaceti letech půjdou se svým starým otcem? Ale chlapec! Ten na věk nebude hledět, ten si ho nevšimne. Půjdeme jak dva muži. To abych už začal, a je jasné z kterého konce: Jmenuješ se tak a tak a pocházíš odsud.

Dneska večer se koupal, pak ho Pavla přivedla za mnou a řekla mu, ať to poví mně, že já mu to vysvětlím. Rozplakal se: „Já nechci mít malého lulánka. Měl jsem veliký a mám malý!" – Vysvětlil jsem mu to.

/ 12. 11. 1990 / *Milý Dominiku,*

a také si myslím, že tys nikdy neupadl do starosti, co bude s těmi tvými ženami dál. Každá přišla a odešla, jaksi: buď kdy chtěla, nebo kdys chtěl ty. Nevšiml jsem si ani, že by ses staral, co s nimi je, když nejsou u tebe, když na nich nedržíš ruku. Co dělaly, když nebyly s tebou, jak jim bylo? Dále jsem si nevšiml, že by ses trápil, když jsi byl sám a žádná Ona nebyla u tebe. Nežárlils? Nežárlením možná platils za svobodu od starosti o ni. Uměls tak znamenitě vyslovit plnost vašeho soubytí, a nepadlo slovo o jejím osamění. Ani o tvém. – Asi to bylo tím, že to byly takové, tak vybrané ženy, tak se samy k tobě vybraly. Takové jsi přitahoval, možná. Nebo... nebo o těch jiných nemluvíš, možná o nich ani nevíš: o těch, co prostě za chvilky štěstí s tebou byly dny, měsíce, roky nešťastné. Tvoje krásné psaní je jediná životní lež. Takový, jak ty píšeš, život se ženami není. Takový muž, jakého jsi na sobě popsal, není pro ženu dobrý.

Pozoruju, jak se šinu do odpovědnosti, která bude nad moje síly i možnosti. Ta žena je v hloubce nešťastná a tento způsob lásky už není pro ni. Kde jsou ty chvilky, hodiny nebo noci, kdy vnímá to dobré, když potom přijdou dny, kdy je to pryč a v nejistotě. V lepších chvílích se jen dovídá, jaké by mohly být dny. V jedné noci dovídá se o možných nocích, jež však nepřicházejí v řadě. A také to už prostě není všecko, to objímání; to má už za sebou, to bylo nakonec vždycky podobné, s každým, to jí umí každý, od koho by chtěla, dát; vlastně půjčit! Ale kde je holý, všední, obyčejný život krásný, se všedním hovorem, všedními pohyby a doteky, ve všedním oblečení, se všedními zájmy a obstarávkami…? Ten všední život s tím mužem?

V tom stupni zralosti se ženě má už láska zhmotnit v životní způsob, denní řád, koloběh povinností a zvyků, práce a odpočinku, společenského vzruchu i mlčenlivého nedělního šedého odpoledne doma, krásného, s mužem. „Nač já jsem," řekne, řekla. „Když mě nechceš," doplnil jsem si za ni. Nač studium, nač práce… nač život?

Pomůže jí nějak, když jí dám vědět, že jí rozumím?

Rád bych věděl, jak si svou budoucnost představovala předtím. Předtím než jsem byl já.

Můžu do ní umístit svůj zájem o věci, jež studuje a chce potom dělat, který bych jinak neměl kde projevit a pěstovat. Můžu na ní vidět, jak se žije mladému člověku s problémem uplatnění, co dělá mladá žena s láskou: totiž co dělá na sobě a v sobě pro ni. Budu mít starost o její bydlení a všecko. Budu čekat, jak si zformuluje pracovní ctižádost, kým se bude chtět stát. Prý proč! Protože člověk je povinen žít svůj život, změnit ho z ničeho v něco; a pro koho? Pro svou čest, pro radost rodičů, z odpovědnosti k tomu, koho ještě do smrti může potkat, či dokonce kdo se mu může do smrti ještě narodit. Nevíme! Nevíme přece, co budeme potřebovat a čeho bychom těžce litovali, kdybychom nepočítali se situací, kdy bude třeba celý se do něčeho položit!

(Z „Listů Dominikovi")

/ 27. LISTOPADU 1990 / Napsal jsem Dominikovi, jak jsme s chlapcem šli na rande s Najou. A podstatnou úvahu o ní. Protože však se tyto zápisy mají držet své hlavní postavy, Naju s prosbou o odpuštění odstrkávám.

K Malostranské kavárně jsem se dostavil s chlapcem: jsme dva. Chlapec měl ručku v mé, nevěda ničeho; kam jdeme či proč tu stojíme a nenasedáme do žádné z tramvají. Později ti to povím, synku. Když se ona objevila a uviděla nás, zastavila se, obrátila a šla pryč. Pocítil jsem úžas a zklamání: ukázala se pravda. Dokonce triumfální úlevu jsem pocítil, že tak přímo, stručně a názorně řekl jsem jí všecko. Jak bych tuto ženu mohl žádat o pomoc životem? Pohnuli jsme se k Mostecké ulici a já trávil ten náraz. Vždyť jsem jí nic předtím nezapíral! A pravila, že všecko o mně ví. Na mostě jsem se náhodou zastavil, protože chlapec se o cosi zajímal, a tu jsem postřehl, že ona jde v dálce za námi. Šla za námi přes celé Staré Město až k tramvaji na Václavském náměstí, kde jsme nasedli. Za tu dobu se můj pohled převrátil: uviděl jsem toto setkání jejíma očima. Ta bolest pro mne byla nesnesitelná: je mi šestadvacet, a nemám muže ani děcko! Komu jsem na světě?

/ 20. LEDNA 1991 / Je neděle večer. Byly mu před silvestrem tři roky. Když se dívám shora na jeho hlavu, nemůžu s úžasem věřit tomu, co je zřejmé: že je to celý muž. „Dej mi nejakou pláci," žádá, když jsme spolu sami. Má-li práci, soustředěně dlouho pracuje. Má rozhodné a pevné pohyby. Skládá si ze židlí a krabic obchod, natahá si věcí na prodej a pak ovšem chce, aby od něho někdo něco kupoval.

Prodělává těžkou změnu: má usínat sám. Dosud ho Pavla uspávala tím, že mu vyprávěla nebo četla nebo ho aspoň držela za ruku. Ovšemže jsem byl proti tomu, ale nevěděl jsem si s tím rady. Trvá to usínání někdy moc dlouho, a když Pavla od něho dopáleně odejde, on někdy usne, většinou ne. To přijde za námi k televizi a slibuje, že se bude jen chvilku dívat a půjde sám spat. Ale nevydrží s námi klidně sedět, začne si znovu shánět auta… a pokračuje ve své práci před večeří. Dopálilo mě to, chytl jsem ho a odnesl do jeho postele, rozhodnut odejít. Ale v jeho očích, jež se slabě leskly v šeru, uviděl jsem… co to je? Smutek, žalost, žádost. „Budu ti vykládat, jak moje maminka koupila kozu a tatínek ji učil trkat." Pověděl jsem mu to a řekl mu, teď ať spí. Zaprosil takto: „Já chci, aby tvůj tatínek ucil tekat dvě kozy." Řekl jsem, že jsme měli jenom jednu, „a lehni si, nebo odejdu!". „Odejdi," řekl. „Odejdi," opakoval. „A co budeš dělat?" – „Najdu si jiné kamalády."

Ale nevím opravdu, jak ho zapisovat. Tyto vnější příhody a popisy neukazují skoro nic z toho, co je.

Pořád mám strach, že se mu něco špatného stane, a zatím se to stalo Lucince: vletěla pod auto a má zlámanou nohu, tutéž jako před dvěma roky – téhož 16. ledna!

/ 23. LEDNA 1991 / Šel jsem s chlapcem na poštu vyzvednout si honorář: bylo to 118 000 korun. Za mnou stál Cikán. Musel dlouho čekat, protože pro takový peníz šlo se do trezoru. Jináč pár lidí a ticho v hale. Chlapec uviděl přepásaný balíček peněz a zvolal: „Tolik penez nám dáváte, a za co?" Řekl jsem, že mu to vysvětlím, a vlekl jsem ho pryč. Styděl jsem se tam říct, že jsou to peníze za psaní.

Vyšli jsme na ulici a on chtěl ten balíček nést v ruce. Nedal jsem mu ho, rozplakal se. Zašli jsme do vedlejší, souběžné ulice a tam jsem mu balíček dal do ručky. Nesl ho pozdviženě, klidně a samozřejmě, krása. Nevíš, chlapče, jaký je to obrázek.

/ 25. LEDNA 1991 / Chodíme po ulici a on mě upozorňuje na různé typy aut. Dobře pozná však jen favolita a taxík. Výhodná kombinace je taxík-favolit. Přistoupil k němu a prstem ukazoval přerušovanou čáru na jeho boku: „To sou ty cály." Jdeme dál. Na všecko se mě ptá a potom mi to vysvětluje. Je to mužský hovor.

Byl jsem s ním kupovat mu nové boty. Má z nich velikou dětskou radost; velikou radost může mít každý, dětský je ten upřímný projev. Myslím, že ho chápu: bota je opravdu zajímavá a pěkná věc. Věcí je jak písku a trávy, to je pravda, ale do každé byl vtěsnán přesný účel. Hmota tím, že přijala od člověka účel a tvar, posunula se na cestu k duchu. Takto výstižně mi to chlapec vykládá, já ho slyším, ale neposlouchám ho už. To bych neudělal nic.

/ 3 / KVĚTEN–PROSINEC 1991 / Josef často rozmýšlel, jakým asi způsobem se ho Pavla zbaví. Byla možnost, a tu považoval za málo pravděpodobnou, že spolu budou žít ve zvolňujícím se tempu a s ubývající silou, kdy také ona by vychládala a jejich vztah by se vyvinul ve spolupráci rodinnou a věcnou. Mají dva společné obory: děti a literaturu. Pravděpodobnější se mu zdálo, že on najednou umře a ona ho bude oplakávat. Myslel však i na to, že ona se někde smyslově uchytí, a tedy i zamiluje, protože tak pravívala: „Všecky své muže mínila jsem jako lásku." Josef si zapamatoval i její názor, že kdo nemá doma dost, má právo dosytit se jinde. Ale jak s tím budou žít? On bude pozorovat její útěky a návraty, a volba co dál bude na něm.

Stalo se to jinak. Zahnala ho prostě, když ho přestala potřebovat, jako odhodila předešlé muže, jenže po mnohem delší době, protože jeho úkol u ní byl delší: dvě děti a pěkný byt. Počítá s tím, že bude mít i peníze, protože padly zákazy a ona umí pracovat. Došlo k tomu v květnu, když Josef v rozhovoru pro ženský časopis vyslovil svůj názor na ženy, manželství a rodinu. Mohl totéž říct opatrněji a nemusel se přiznávat, že odcházení lidí z manželství pokládá za chybu; chybu, kterou si on teď pokorně odpracovává. Myslel si, že řekl – protože měl to na mysli –, že má Pavlu rád, ale když ta slova v textu hledal, nebyla tam! Pavla, jež jeho názor znala a trpěla pod ním, nesnesla, že ho zveřejnil. Důvod to byl, k něčemu mezi mužem a uraženou ženou; Josef viděl, že za očišťující „zpověď" čeká ho jakési „pokání", ale myslel si, že chrámec čehosi, co oba uznávají, to přestojí. Spletl se.

Co a jak bylo dál, patří do jiného spisu, tento se chce držet své hlavní postavy. Chlapec v téže chvíli, kdy Pavla dala Josefovi – na ulici! – výpověď, pravil: „Víš, co se stalo?" A ukázal mu prstík: byla na něm malá odřeninka a stroupek. Josef si koupil dva veliké lepenkové kufry. Vyhlédl dobu, kdy nebude nikdo v bytě, a šel je naplnit. Ale byla to zoufalecká práce: co dřív, co odnést a co tam nechat. Také škatuli s chlapcovými vysloužilými botičkami? Vzal si především své srdeční léky a hromádku nevyřízené pošty. Pověrčivě chtěl odhadnout věc, kterou tam musí nechat: jinak by zpečetil rozchod navždy. Prošel místnostmi, v nichž byl nebývalý a neuvěřitelný pořádek, a pochopil to jako výsměšnou zprávu: nepotřebuju vychovatele! Vleka kufry po schodech dolů opravil se: abys viděl, že začínám nový život! Víckrát musel se sem vrátit a zjišťovat změny v bytě. Například zmizely fotografie, na nichž byl s Pavlou.

Postel! – Odkáže ji chlapci. Hledě na ni, uvědomil si sviňskost ženina charakterního rozhodnutí: ona si vzala právo zničit jeho spávání vedle chlapce. Chlapci vzala tu krásu držet jednou rukou mámu a druhou tátu. Lucince vzala zpěv, klidně. Ona... to je neuvěřitelné! Ona se považuje za tak cennou, že třem lidem poručí – nebudete spolu žít! Otci předepíše: budeš si děti vypůjčovat jak v televizi! Není-li toto kráva, nevím už kdo. Kufry nakládal ve strachu, že uslyší odmykání a ve dveřích se objeví ten tvor. Když si ji ve dveřích představil, zdálo se mu, že ji musí obejmout a zrušit celou tu hovadnost. Roztřásl se však hrůzou z možného odmítnutí. Pohlédl z okna na řeku, po níž právě odplouvaly dvě lodě a jedna přistávala. Však jsi to věděl, že ta tě vedle sebe zestárnout nenechá. Jak sis mohl myslit, že si tu s chlapcem zbuduješ dílnu, studovnu, pracovnu?

Držme se však hlavní postavy: rozhodl se děti si nevypůjčovat. Když ta žena udělala toto s jeho otcovstvím, znamená to, že je nikdy správně nepochopila, neví, oč jde, neváží si ho. Jestli ale naopak ví o vazbě otce a dětí a počítá s ní, tak chce otce buď donutit k nějakému vyjednávání, nebo ho chce za trest mučit, a pak je to bestie. Pryč od takové! Ji ovšem zmršil ten chlap, co ji s prvním děckem opustil. Mstí se? Ale držme se chlapce.

Josef se rozhodl nevyjednávat, netelefonovat. Napsal jí dopis, v němž vysvětloval svůj pohled, o nic však neprosil: tentokrát nepřileze. Netelefonovat – to ještě jde. Těžší je ani nečekat na telefon. Nedokázal se od aparátu vzdálit, neodvážil se odejet do D., několikrát za den se přesvědčoval, zda přístroj funguje. Držme se však chlapce. Když se Josef v noci vzbudil, zalil ho pocit strašlivého neštěstí, selhání, vykolejení existence. Noci byly zlé. Ve dne, když přehlédl svůj program, z něhož vypadla žena a děti, vnímal lepší stránku věci: měl veliké volno! A když pominul děti, připadal si rozumný a klidný. Čemu se opravdu divil: že tu ženu nepřeje si vidět. A chtělo se mu pracovat! Můžu pracovat, radoval se. Ale to, co pracoval, byly zas jenom zápisy o tom neštěstí. Musel se nutit, aby napsal něco i pro noviny. Věděl, že ona také pracuje: zpracovává svůj čin do nějakého textu, kterým překryje skutečnost: svým literárním dílem si potvrdí, že jednala správně, takže žádné pochyby ani nemají v ní z čeho vzniknout. Toto je ztraceno, skončeno, věděl Josef. Také mluvit bude jen s lidmi, kteří s ní souhlasí. Nenajde se nikdo, kdo by jí udělal tu službu, kterou jí dělával on: No, Pavlínko, a nechceš se na to podívat z jeho stránky?

Přátelé, kteří se o události dověděli, Josefa těšili: prý je to tak lepší, dalo se to čekat. Urážželo ho to. Když vyslovovali názor, že to udělala kvůli jinému mužskému, a donášeli zprávy, že už nějakého má, vyvracel jim to. Znal její čest. Rozešla se s ním ze zásadního důvodu. Měla tak hloupě stavěnou čest. Jediná kompetentní osoba, jež dlouho o té události nevěděla, byla jeho žena Marie. Jezdil za ní do D. v těch intervalech a dnech jako dřív. Ve dnech, kdy měl být s Pavlou a dětmi, seděl v pražském bytě.

Uznával si, že se trápí, a to hodně. Ale vadilo mu, že jeho utrpení není úplně čisté: přijímal totiž útěchy; a tuto myšlenku považoval za ještě špinavější. Nejpoctivěji se cítil, když mu bylo úplně zle, kdy neštěstí úplně splachovalo každou úvahu o sobě. To bylo v noci a na konci dne: zbytečného. Kdy chlapec byl o den starší, Josefův život o den kratší, a nebyli spolu. Byla tu žena Naja. Ta když se dověděla, co se stalo, beze slov o té věci, žádala se k němu. Zvala ho: na půl hodiny nebo dne, na dopoledne nebo na noc. Josefovi však výmluva, že co nedostává doma, smí si vzít jinde, málo pomáhala. Hraju už „její“ hru? – lekal se. Ztratím právo na ty děti! Proto z Naje vždycky utekl a ona se hněvala. Její hněv byl však tak, ach tak krásný, i jeho důvod, že o tom musel napsat zas Dominikovi: vděčnou stížnost. Někdy, například jednou za jitřního půlměsíce, když přebrodil s botami v ruce potok, opouštěje Najin domek dřív, než její tatínek půjde na ranní autobus, si svobodně uvědomil, že je přece volný. Ona také, a měla by vědět, co dělá. Za úplného denního světla však věděl, že ona to neví. On však to vědět už musí. Za takového světla, když se pak sešli někde v městě, čekal ji hodně jiný muž, než s jakým spala. Rozloučený muž, jehož se už nemá dočkat. A to se opakovalo. Až mu ostře řekla: „Na co čekáš? Ta se ti nikdy nevrátí!“ Tím v něm rozhodla: ta žena se míní rvát. Půjde o její život. Svůj by klidně vzdal, v noci, bezbolestně. Jenom ne u ní, proboha!

A co bylo dál, nepatří ani do „Listů Dominikovi". Měl na to spis nazvaný „Cesta na Krétu". Do něj zapsal také podivuhodnou návštěvu, jež ho zastihla zrovna zas na konci dne v rozpoložení hodně likvidačním, ale neschopného pohybu a činu. Mluvil podoben opilci, jemuž dávno přešla chuť na pití a on příšerně střízlivý uvolňuje slova omluvitelná pitím. A jak se zbavoval tíhy, pociťoval úlevu, za niž se zároveň styděl: musíš žvanit? Styděl se za svou truchlomyslnost před návštěvou, jež si v něm představovala pevnějšího muže. Musí se přece zvednout a jít. A pocítil chuť udělat to.

Mohlo by se říct, že přes autorovo zaříkávání se z děje ztratil chlapec. Ten však měl prstíky ve všem. Když Pavla kamsi odjela a dala děti ke své matce, napadlo ho vypůjčit si je. A bylo to hrozné! Nevěděl: jsem vdovec, nebo co? Jste moje siroty? Siroty po matce, či po mně? Lucka chodila jak němá. Nevěděl, má-li s ní „o tom" promluvit či ne. Byl po takovém setkání znovu zničený na původní míru. Musel však setkání opakovat: nenechám se přece v těch dětech sundat ze stěny! Ke konci léta dala Pavla děti k jedné jejich společné známé pryč z Prahy. Přijel tam za nimi a přespal tam: spal s chlapcem. Měl ho v objetí a dával si otázku: já, nebo ona? Byl rád, když si odpověděl, že pro toho chlapce důležitější je matka, teď; a později se ukáže. Druhého dne šel s dcerou k potoku a snažil se vyzvědět, styde se, co ví a jak jí to matka řekla. Rozhněvalo ho to, a nemohl nic komentovat a vyvracet. Potom vzal na procházku chlapce. Vedli se za ruce a šli polní cestou. Dva prašné pruhy v trávě. Uvědomil si, že věc, kterou musí ještě udělat, je cesta tam, odkud chlapec pochází a kde dostal jméno rodinné i křestní. Ta vyhlídka ho povzbudila, že řekl: „Jsem velice nešťastný." Chlapec se zeptal: „Ploc?" Musel mu tedy říct: „Mám tebe, Lucku, ale nemám mámu." Chlapec řekl: „Zas budes mít." Rozmýšlel se, než řekl: „Musela by přijít ona." Na to chlapec: „Ona psíde a budes u nás zase bydlet. Budes? Dys ona psíde?" Josef odpověděl: „To je samozřejmé."

Prázdniny utíkaly a Josefovi bylo divné, že nedoprovodí Lucku do školy. Půjde už do čtvrté třídy. Neprohlédne si její nové učebnice a tak dál až po odpolední zmrzlinu. S úlekem ostrým jak nůž, že nespraví-li se toto, nepovede za tři roky chlapce do první třídy. Nemohl pochopit tu míru surovosti. Jako člověk neslyší některé zvukové frekvence, jež slyší pes, ta žena nemá některé frekvence citové. Ona je vadná! Když to pochopil, přestal se jí divit a divil se, proč od ní neodešel při prvních znameních té vady. Rozpomínal se, která znamení to byla, sem to však už nepatří. Nakonec zůstal u otázky hlavní: kdo bude s chlapcem mužsky pracovat? Pokoj, který mu Pavla při stěhování do tohoto bytu určila, zařizoval velice odlišně od její představy: jako ložnici, pracovnu a dílnu. S „nábytkem", který udělal. Pily, svěráky, vrtáky, v koutě všelijaké lišty a prkna. Postel se zásuvkami na prádlo. Jak u kmotra truhláře. „Jmenuješ se tak a tak a pocházíš odtud." Pavla, městská osoba, vlastně ukázala velikou snášenlivost; dokud to potřebovala. Myslel i na Magdalénu: „Jaký model vztahu a příklad řešení konfliktů jí ukazuješ?" napsal Pavle.

Rozhodl se odjet do zahraničí na nejdelší možnou dobu. Nešlo to na déle než na tři měsíce, víc mu žádný dobrodinec nenabídl a nezaplatil. Když o tom pověděl Marii, uznala to za rozumné. Loučení s ní byl nejtěžší bod toho kroku: oni dva věděli, že ztrácejí vzácný společný čas. Všecko od jisté doby byla chyba. Kdyby ji však byl neudělal... To už jsou úvahy k chladnoucímu moři.

Osudová rána byla to pro Naju. Když přicházela do parku s úsměvem, netušila ji. Řekl jí, že odchází hlavně proto, aby se musela opravdu obrátit jiným, nadějnějším směrem. Nechal ji na lavečce a viděl ji tam s obličejem v dlaních, když za chvíli jel tramvají kolem. Ten pohled se mu potom vracel a on se ho pokusil utišit dopisem, v němž jí znovu vyložil, proč na ní nechce opakovat Pavlino neštěstí. S překvapením poznával, že skutečně odjel od ní, Pavla byla přeci vyřízená. Když se do jeho představ vecpal ženský klín, byl to Najin. Tvář však viděl vzdáleně jinou, nevinnější. S tou chtěl by mluvit. Na návštěvu pozval si Marii a syny, před nimiž cítil lítost až k zemi.

Vrátil se před Vánoci. Advent přijal za poslední mez, kdy od Pavly čekal nějaké znamení. Ona však vydržela: Vánoce, stromek, Ježíšek, koledy. To je charakter! Liboval si, čemu unikl. Nevydržel on: po Vánocích si vypůjčil své děti a jel s nimi na hory. Jsem vdovec a vy jste siroty? Za rodinu socialistickou! Bylo moc sněhu, jezdili na saních.

Mrzlo. Všecko bylo v pořádku, i jídlo, které chystal, ale on cítil, že jsou invalidní skupina. Táhl saně a přemýšlel, jaké řešení by přijal, kdyby už musel uznat, že ho Pavla za muže nechce. V úvaze však byla nějaká mezera: nešlo přece o to, že ona by ho nechtěla za muže, ona jen chtěla, aby ji její muž měl rád. To ho vracelo ke staré myšlence, že ona si nevybírala muže, které milovala, nýbrž od nichž žádala, aby oni milovali ji. Poznával, že on miluje Marii; není-li to zbytečně silný výraz. Spávat šel jak zmlácený každý den. Chlapec spával mezi ním a Luckou. Někdy než usnul, plakal a volal mámu. „Máma tu není," opakoval mu. „Ale ploc!" opakoval chlapec. „Musí psát," odpovídal mu, místo aby řekl: plotoze nechce.

Na Nový rok večer se objevila ve dveřích chalupy Pavla a řekla: „Nevyženeš mě?" Vyhnat? Proboha! Měl několik zkřížených myšlenek: jak dobře je to pro děti; jak jí muselo být těžko, že ustoupila; jak mu to nikdy neodpustí, že ustoupila; jak mu udělala nepořádek v přehledném mužském smutku. „Došla jsem k názoru, že jsem udělala chybu a že bysme to měli kvůli dětem zkusit znovu. Já jsem ti odpustila." Poslední věta byla přesná: ona žádnou vinu necítí a on by měl děkovat. Ty kufry nepovalím zpátky ani zaboha, pomyslel si. Řekl toto: „Do služby se nevrátím, Pavlo. Uvěřil jsem, že tentokrát to myslelas vážně. Musel jsem udělat kus cesty od tebe. Ale pro děti buďme spolu, jak to půjde." Řekla: „Chápu tě, vím o tvé cestě ode mě, ale můžeme žít pěkně jako přátelé, a dál se uvidí, ne?" To bylo velice rozumné, to si přece tolikrát přál!

V noci se chtěla milovat. Byla za sedm měsíců vyhládlá. Jeho kamarádi se mýlili, on jí věřil, znal její čest. Měl však při tom pocit, že je nevěrný.

/ 4 / 11. BŘEZNA 1992 / Vyzvedl jsem chlapce ze školky a šli jsme do Botanické zahrady, kam chodívá s mámou. Hned mě vedl k „vězení": zamřížované umělé jeskyni. Bylo nám zima. Obešli jsme zahradu a šli do hospůdky. „Já neco chci, ale nevím co," pravil chlapec. Dostal čaj a oplatek. Potom se mnou seděl v dílně, kde mi na počkání opravili boty. Mrzutý, protože máma nebude doma: jela k tetě na jižní Moravu. O děti se stará

Magdaléna. Přemlouval mě, abych spal s ním. Ale já v tom bytě pořád ještě nebydlím, a kdybych to udělal, ona by si mohla myslet, že jsem využil její nepřítomnosti a lstivě se tam vloudil.

Včera jsme byli v Mánesu na výstavě. Tam chodí rád. Běhá od věci k věci, ničeho se přitom nedotkne, ale hlídací paní mají poplach. Vzal mě za ruku: „Ukázu ti nejlepsí oblaz z celé výstavy. Ten bych koupil." Bylo to úplně černé plátno s bílou obloukovou čárou. „To se můze hodit," vysvětloval mi. Potom jsme šli nazdařbůh městem. Ve Vodičkově ulici se mě chlapec zlatý zeptal: „Má zlodej maminku?" Přisvědčil jsem. „Ona mu pozád ziká nekladni uz?" V parku na Karlově náměstí jsme si hráli na obchod: prodával mi listy ze stromů, platil jsem vstupenkami z Mánesa. Cestou domů mě přesvědčoval, abych spal u nich. Odpověděl jsem, že až bude máma doma.

/ 28. BŘEZNA 1992 / Vedl jsem ho ze školky. „Tati, kolo je plostzedek, motolka je plostzedek, auto je plostzedek, tlamvaj je plostzedek. A létající kobelec?" – „To je pohádkový dopravní prostředek," potvrdil jsem. „To sem si moh myslet," pravil.

V pátek jsme jeli na jižní Moravu pro mámu. Ta si zajela za sestrou do Vídně, vrátila se v sobotu ráno. A měli jsme úplně pěkné dva dny. (Oáza dnů.) Teta a její rodina s námi jednali až něžně, jak si přáli, aby rána se dobře hojila. Cestou do Prahy chlapec pravil: „Tati! Ale ted uz můzes u nás spát. Budes?" Držel nás potom každého za ruku.

/ 29. BŘEZNA 1992 / Dneska byl krásný den, s výletem na Karlštejn. Chlapec, Lucka – a Pavla se přidala až po velikém přemlouvání. Co chce, kam míří? Chlapec se na hrad dopředu vyptával: jaký je? „Je to hrad na skále, pohádkový," sliboval jsem mu. „To je tam samé kamení?" – „Je to kopec ze skály a na té je hrad." – „To znamená, ze na tom kopci je skála a na ní hlad?" „Ne, on je přímo na tom kopci, je to kamenný kopec." „Jo kamennej kopec?" divil se. „Kamennej kopec!" opakoval si.

Svítilo slunko. Obědvali jsme v nové hospůdce. Za hradní branou dva kováři razili mosazné mince – groše po padesáti korunách. Výheň, kovadlina, kladivo. Chlapci se to líbilo, dal jsem mu jednu vyrazit a zamlklé Lucce také. Celé odpoledne nosili mince v rukou a prohlíželi si je. Chlapec všecko prožíval: brány, cimbuří, střílny, hlubokou studnu.

Od hradu šli jsme lesem. Lucka se zeptala: „Můžu vám vyprávět horor?“ A začala vyprávět příběh, který si vymýšlela. Nestačila ho vymýšlet tak rychle, jak mluvila, byly to tedy nesmysly ve stylu dada. Chlapec a já jsme se smáli. Pavla šla pozadu a trhala si podléšky. Když jsme vyšli z lesní úžiny na slunné návrší, chtěla se Lucka vznášet. Vyptávala se mě, co musí umět a mít, aby mohla letět do vesmíru. „Z ceho je vesmíl?“ zeptal se chlapec, chtěje se patrně vmísiti do debaty. „No ze všeho,“ odpověděla mu Lucka. „No tak dobze, já to vlastne vím. Ale já se ptám táty: v cem je ten vesmíl?“ Lucka se smála: „V ničem. Všecko je vesmír.“ – „Ty bud tise, já se ptám táty: v cem je ten *celý* vesmíl?“ Odpověděl jsem: „Ve vesmíru.“ – „A v cem je ten *dalsí* vesmíl…“ Lucka řekla: „Jak teda chceš: v dalším vesmíru.“ – „A v cem je dalsí…“ A tak opakovali otázku i odpověď. Zápasili, kdo déle vydrží. Omrzelo mě to, proto jsem chlapci řekl: „Nemůžeš už konečně vyslovovat R?“ – „Můzu: tráva, zrádlo…“ – „Nemůžeš konečně vyslovovat Ž?“ zeptal jsem se. „Můžu, ale nechci.“

Němá Pavla se pořád za námi jen plazila, jakoby vlečená na řetěze. Včera jsme se totiž, jdouce od Olbrama, pohádali z důvodu, jenž sem nepatří. Strkala mi zas do ruky dopis na rozloučenou, odmítl jsem vzít si ho, servala si z krku řetízek ode mne a mluvila hystericky tak škaredě, že jsem se otočil a šel pryč. A tu se stalo něco, co jsem už neviděl: jak rozčileně za sebou vlekla chlapce, ten narazil hlavou o konec jakési trubky, rána a krev, musela s ním hned na chirurgii. Chlapec má pod vlasy nad levým spánkem sešitou ránu a náplast.

Ty krásné děti. Bojím se, že je konec. Kresba na rubu tohoto listu je chlapcův plán cesty k pokladu. Jsem bezmocný i před psaním. Už nikdy – zaříkám se.

Vlastně sem to, proč jsme se pohádali včera, patří: ale bylo by to nefér. Pavla totiž je opravdu nešťastná, bezmocně. Ona po svém „návratu“ na Nový rok čekala, že se vrátím do téže polohy u ní, z níž mě vyhodila. Napsal jsem jí tehdy dopis tohoto obsahu: Myslím že ses vrátila jenom z nouze. Kdybys v té době byla někoho našla, nepřišla bys. Nebyl to důsledek nějakého poznání, jenom jsi svou vzpouru už dál nevydržela. Nechceš svůj odpor obnovit? – Odpověděla mi tehdy, že mě má ráda. Potom jsem dostal infarkt. Chodila za mnou do nemocnice a já jsem ji v duchu litoval: Bylo by ode mne laskavé, kdybych ti to dilema vyřešil.

/30. BŘEZNA 1992/ Co se se mnou děje? Rozpadám se tak? Chlapec mi sedí v hlavě, ať dělám cokoli, jako nemoc. Požádal jsem jednoho ze synů, aby přijel s přívěsem: musím z bytu konečně odklidit zbylé hranoly, prkna a latě, jež už asi nepoužiju. Nechávám si tu jen menší kusy, na práci s chlapcem. Chlapec nosil dolů k autu dřevo, jež se mu sypalo z rukou. Potom se zeptal, zda může jet s námi. To mi předtím nenapadlo! „Ovšem, můžeš." Přijeli jsme do D., kde žádné z těchto mých dětí dosud nebylo: nechtěl jsem porušovat Mariino poslední výhradní území. Chlapec odnášel zas věci pod přístřešek: vážně, odpovědně a výkonně jak pracovník. Čtyři roky života – a všecko. Přirozená pracovitost. Spolupráce. Chodil po neznámém a nepřístupném pozemku a nevěděl, že má překročit rašící tulipány, protože je nezná. Bylo mi z toho děsně. Ve sklepě si potom vybral na jídlo dvě jabka. Jabka jim nosívám, Marie mi je chystá do oddělené tašky.

Pavla dneska pravila radostně: „Do srpna napíšu tu knihu," míní „Starou Belu", knihu pro děti. „A dostanu moc peněz. Bude se překládat do mnoha jazyků." Opravdu takovou knihu může napsat. Co mi o ní povídá, je velice zajímavé a dobré.

/31. BŘEZNA 1992/ Viděli jsme výstavu o Adalbertu Stifterovi – „Strašně krásný svět". Upozornil jsem chlapce, že to bude nuda: jen obrázky a písmo. Ale bylo to ještě horší: projevy. Vydrželi jsme to tři čtvrti hodiny. Chlapec si tam udělal známost: s rakouským kulturním radou panem Inzkem, Slovincem mluvícím výborně česky. Povídali si o traktorech.

Cestou domů se mě zeptal: „Ploc nemůzu bydlet s tebou?" Nevěděl jsem, co na to říct. „Pokusím se zařídit, abys někdy mohl někde bydlet se mnou. Ale ty bys brzo chtěl zas jít za mámou a Luckou." – „A más tam vůbec kos, tam kde bydlís?" zeptal se. „Koš na papíry?" – „Na papíly a na smetí." – „Mám. Vždyť jsi u mě už byl." – „Doblá. A můzou se jíst vlci?" – „Vlci se nejedí, protože maso šelem lidem nechutná: kočky, psi, vlci... Protože se sami živí masem," vysvětlil jsem mu. Uzavřel hovor takto: „Tak já vím, já vím! Jejich maso se nejí, plotoze je oslintané, má divnou stávu. Je to uz dluhé maso, ze?"

/ 21. DUBNA 1992 / Byli jsme v Josefově mlýně. Vezli jsme si karabáče, které jsem upletl, vymrskali jsme všecky tamní dívky. Josef se má špatně: o mlýn se přihlásili dědicové původního majitele a prodávají ho komusi dalšímu. Josef nevyužil zákona, aby si pojistil právo sportovní organizace na další užívání objektu, a teď nadává.

Cestou v autě vyprávěla Lucka o spolužačce, jejíž maminka je „svědkyně Jehovova", takže ví, kdy bude konec světa. Spolužačka tu zprávu přinesla do třídy. Chlapec řekl, že on ví, jak ten konec světa bude vypadat: „To jednou láno zůstane tma a zacnes ztlácet vzpomínky."
Ptám se, kdo to skrze chlapce promluvil. Asi já.

/ 15. ČERVNA 1992 / Občas, jako dnes, přijdu a najdu Pavlu v posteli, zachumlanou do přikrývky. „Jsi nemocná?" zeptal jsem se poprvé. „Mám depresi," odpověděla, a od té doby se neptám. Nevím co s tím, jenom vím, že to, co po mně chce, už nemám: smiřující vůli podřídit se. Když k ní pocítím něžnost, když ji najdu pracující, u psacího stolu nebo v kuchyni, když prostě nedemonstruje ani svou depresi, ani svou urážku, otvírá se ve mně starý chodník k ní... a tu si řeknu: Pozor, past! Vždyť tě nemá ráda. Mrzí ji, že couvla.

Když dává chlapce spat, dlouho u něho sedí; trpělivě, či z únavy? Či z demonstrace? Potom sedíme, díváme se na televizi a ona se ve smutném úsměvu zeptá: „Neotevřeme si tu láhev?" Uleví se mi: že krize tohoto dne je asi za námi. Vykouří jednu, nanejvýš dvě cigarety. Proč ke mně nikdy nenatáhne přes stolek ruku? Protože trvá na tom, abych to udělal já. To není smíření, to je souboj: chce mě dostat do bývalého podřízení.

Když jsem pryč, myslím na ni se strachem. Když ji najdu v pořádku a normální, mám chuť něco. Ale pozor! Už jsem to i udělal. Už jsem také jednou zaháněl její depresi tak, že jsem k ní vlezl do postele a vnutil se jí. Bránila se, přemohl jsem ji, až změnila názor a rozsypala se v slzách. „Víš, že bych tě mohla udat pro znásilnění?" smála se při oblékání. Řekl jsem: „Znáš můj názor. Není nad znásilnění, když se povede a ženě zalíbí." Potom mě objala, oblečená, ale hned se odtáhla: jako někdo, kdo se bojí, že zašel dál či řekl víc, než chtěl.

Mluví se o prázdninách. Lucka se těší do Strážnice. V srpnu půjde zas do soukromého dětského tábora „Košťálová" u Žďáru nad Sázavou. Pavla si někde obstarala prospekty o Itálii. Učí se italsky, jednou týdně dochází k nám učitel, odpoledne. To musím s chlapcem do města. Jdeme do redakce, na výstavu, na Žofín. V srpnu s ním pojedu sám do Brumova.

/ 1. SRPNA 1992 / Vydali jsme se konečně na zamýšlenou cestu. Lucku jsme cestou odevzdali v táboře „Zouhar-Košťálová". Máma má blažené volno. Míříme do Brumova. První zastávku máme u Sergeje v Dolním Městě u Humpolce. Sergej nás uvítal kulajdou, kterou chlapec odmítl, protože jsou v ní houby, a bublaninou, kterou má rád. Potom ho zavedl na zahrádku k mladé jabloňce, která má letos první ovoce, letní. Řekl chlapci, že si je může otrhat a vzít s sebou na cestu.

Spal jsem s ním v posteli, která je trošku krátká; nedalo se jinak, aspoň první noc. Během cesty pokusím se mu to rozmluvit: jsme přece dva muži, už! „Tak dobze. Este jenom dnes, tati." Ale já ztratím víc: intenzivní prožitek jeho malého těla, které se mi do rukou vejde tak celé jako on celý do mé hlavy.

Ráno jsme po dvou dřevěných schodech vyšli hned na zahradu, kde jsme jeden druhého hadicí osprchovali. Snídaně: na stole naskládáno všecko možné – od medu po salám. Mléko? Čaj? Káva. Potom jsme se vydali pěšky na hrad Lipnici. Sergej psal. Cesta ve vedru byla dost namáhavá, ale při řeči nám uběhla pěkně. Vyprávěl jsem chlapci o Haškovi: jak psal na pokračování román, vybral si peníze předem a odjel sem na Lipnici, kde je v hospodě propíjel. Do té hospody půjdeme i my. Měl odevzdat další pokračování románu, ale neodevzdal nic. Hledali ho, až ho dostihli tady. Co mu udělali, chtěl vědět chlapec. Nevěděl jsem to. „Že se nestydíte, člověče!" řekl jsem. „Vy lajdáku, to ste pozádnej spisovatel?" řekl chlapec. „Na tu hospůdku se uz tesíme, viď?" Nejprve jsme si v řeznictví koupili špekáčky na večer k ohni. V hospodě poručil jsem si já pivo, on limonádu a dali jsme si ochutnat. Potom jsme šli ke hradu, ale dovnitř ne. Cestou zpátky chlapec pravil: „My máme takové divné povolení. Smíme s náklaďákem jezdit na chodník." – „Kdo vy?" – „My kluci ze skolky." – „Kdo vám to divné povolení dal?" – „My máme svoje policajty, kezí hlídají lepubliku, pivoval a pana plezidenta." Když to teď píšu, zní to při jeho výslovnosti nepravděpodobně.

Bolely ho nohy, chtěl se nést, netroufl jsem si na to v tom vedru. Ukázal jsem mu, jak se níž pod námi leskne rybník, v němž se vykoupáme. Zazpíval jsem: „Tam se leskne vodička." On k tomu přidal: „Tam napojím konícka." Několikrát jsme si to opakovali. Potom on zazpíval: „Tam pojedu s koníckem," a já přidal: „Napojím ho vodičkem." Smál se tomu. V rybníku jsme se vykoupali. Domů jsme přišli na jednu hodinu, Sergej měl upečené fleky.

Po obědě jsme chvilku spali, všichni. Potom nás Sergej poslal do obchodu, ale ten byl zavřený. Cestou se mě chlapec zeptal: „Kolikátý más zivot?" Odpověděl jsem: „První a poslední." Podivil se: „Jak to? Psece byls nekdo a umzels a nalodil ses." – „To ti vyprávěla máma, že? U ní je to pravda, protože ona tomu věří." Zastavil se, ohnul se k zemi smíchem a pravil: „Jezísi! Tak jo, nebo ne!" Zeptal jsem se ho: „Ty kolikátý máš život?" – „Pevní." – „Tak vidíš. Číms byl předtím?" – „To nevím, nepamatuju si to, to sem psece nebyl já." Řekl jsem: „Tak vidíš!"

Večer jsme měli oheň v krbu. Zpívali jsme. Sergej mě požádal o některé písničky. Před spaním jsem chlapce učil modlitbu k andělu strážníčkovi. Chtěl vědět, jak ho ten anděl chrání, když není. Vysvětlil jsem mu to: „Správně. Anděl nemá tělo, proto používá tvého. To on ti v hlavě napoví: pozor, tam nelez! Bez něho by sis nebezpečí třeba nevšiml.“

Přišlo hrozně černé mračno, spadl veliký déšť, ulevilo se nám: otevřeli jsme si dveře na zahradu a dýchali jsme.

/ 2. SRPNA 1992 / Je neděle. Ráno jsme se jeli okoupat do lesního rybníka. Chlapec v plavací vestě, a udělal v ní sám několik temp. Fotografovali jsme jeden druhého. Nazpátky jsem v lese nesl chlapce za krkem. Potkali jsme několik obrovských mravenišť. Sergej zatím pracoval na svém článku, protože oběd měli jsme dělat my dva: upekl jsem kuře, uvařil brambory. Chlapec oškrabal dvě brambory. Technika nože a palce opřeného o brambor mu šla. Odpoledne čtení pohádek. Potom on šel se Sergejem pro okurky na nakládání a já jsem dělal korekturu německého překladu svého článku. Nakládání okurek: chlapec těsnal okurky do sklenic a vkládal kopr.

Po večeři, moc hojné, aby se všecko dojedlo, vzal nás Sergej na procházku k vesnici jménem Křepiny. U cesty je pamětní kříž: tady ve rvačce zabil jeden školák druhého nožem, ani nechtěl, ošklivá náhoda. Sergej nám to vyprávěl cestou tam, a když jsme šli zpátky, chtěli někteří z nás slyšet ten hrozný příběh znovu. Z cesty byl daleký panoramatický rozhled. „Tam tlůní hlad Lipnice,“ ukazoval chlapec. Nenechal nás ani chvíli klidně mluvit, zlobil otázkami ke všemu, nač jsme v řeči přišli: „Jak dostanou stlomy tu plísen? Jak chytnou zajíci nemoc? Jsou tam ty houby ted?“ Sergej mu začal opravovat výslovnost, aby aspoň pořád nemluvil. Marné.

Večer: oheň, zpěv. Poslal jsem chlapce spat – v téže místnosti. Ještě z postele nám skákal do řeči. Až usnul, ptal se mě Sergej, jak to myslí Pavla dál a jak já. Sáhl na to, čeho se sám bojím dotknout. Řekl jsem mu, že Pavlu asi zklamávám: čekala, že její návrat vezmu vděčně a budu se o ni ucházet. Sergej pravil: „Řekni, ale rychle, bez kontroly: když si ji představíš, co cítíš?“ Odpověděl jsem: „Něžnost – ale strach.“ Potom mi říkal něco, co sem nepatří, a hrozil mi prstem.

/3. SRPNA 1992 / Právě jsme zametli, uklidili ohniště a máme sbaleno. Ráno jsme se zase stříkali hadicí. Slunko svítí. Je teplo. Jedeme na Brno, nocovat míníme v Blansku.

/5. SRPNA 1992 / Našli jsme si hotel, moderní a špatný: je v něm betonové horko. Jeli jsme do města, chtěl jsem mu koupit sandálky. Slíbil jsem mu také nůž, ale v železářství měli už zavřeno. Koupili jsme si večeři: mléko, rohlíky, salám a jablka. Leželi jsme zničeně na posteli. Zvenku bylo slyšet hádavý hovor. Chlapec vyhlédl ven a pravil: „Jé, víš co tam je? Hospůdka.“ Takový otevřený altán. Šli jsme dolů a dali si tam pivo a limonádu. Potom jsme šli naproti na nádraží a dívali se na vlaky, jichž jelo za tu asi hodinu mnoho. Myslel jsem na to, že toto byla kdysi Mariina trať do světa a života. Pár kilometrů odtud je ta malá obec, kde se narodila, kde jsme měli svatbu a kam jsme jezdívali, než jí tam všichni umřeli, až na neteř. Proto tam jezdila nerada. Nebyli jsme tam nejmíň deset let a mně se po tom místě stýská místo ní. Teď tu sedím s malým chlapcem... a najednou jsem měl pocit, že jsme odjeli od ní, ona je jeho maminka, že se máme k ní vrátit, a bylo mi nepochopitelné, že oni se spolu neznají: dvě moje důležité bytosti. Od té chvíle jsem se nemohl myšlenkami od ní odtrhnout po celý další den, kdy jsme s chlapcem jeli na Macochu. Když jsme odcházeli z nádraží, udělal se konečně trochu chládek. Před spaním jsem četl chlapci „Útěk z Egypta“ z Lucčiny „bibliky“. Mezi našimi postelemi byla ulička, usínali jsme držíce se přes uličku za ruku.

Ráno jsme šli v tom hotelu ještě na snídani. Chlapec nechtěl nic než čaj a rohlík s máslem. Já jsem si dal míchaná vejce: myslel jsem, že když je uvidí, dostane na ně chuť. Byl mrzutý, až jsem se lekl, nebude-li nemocný. Měl horké čelo. Bylo to však jenom celkové přehřátí, protože hotel byl rozpálený. Na vzduchu nám hned bylo líp. Urovnali jsme si krámy v autě a jeli na Macochu. Myslel jsem na mladou ženu, která mě tudy vodila pěšky. Pohled shora plus pověst o zlé macoše chlapce zaujaly. Začalo osvěživě mžít, proto jsem navrhl zajít si do hospůdky, lákavé opodál. Odmítl to, chtěl nejdřív do jeskyní. Bylo půl deváté, my dostali vstupenku až na jedenáctou hodinu. Zatím jsme se prošli roklí. Myslel jsem na svou mladou ženu Marii. Ptal se mě, zda se mi také chce lézt po těch skalách. Řekl jsem, že už ne, ale chtívalo se mi a mé ženě to vadilo, bála se o mě a hněvala se. „Tu já neznám? Kde je?" chtěl vědět. „Já vás seznámím. Je v D." Ptal se, jak ta rokle vznikla. Vysvětlil jsem mu to. Pak začalo hustě lét, čekali jsme pod střechou u vchodu do jeskyní. Z díry vyplouvaly po vodě pramice s lidmi. Šel jsem do auta, vzal deku a dal jsem ji chlapci přes ramínka.

Konečně jsme byli na řadě. On komentoval postup chodbami: barvu a tvar kamenů. Já jsem vzpomínal na svatbu a na nevěstu. On poslouchal výklad průvodkyně a ohlížel se svědomitě po ukazovaných tvarech kamenů a krápníků. „Teď nás čekají sto čtyři infarktové schody," pravila průvodkyně. „Co to zíká? Schody psece nemůzou dostat infalkt." Řekl jsem: „Ale my!" Míjeli jsme krápník, na který si návštěvníci smějí sáhnout, a co si při tom přejí, to se jim za rok vyplní, a děvčatům za devět měsíců; pravila mladá průvodkyně. „Ploc," ptal se mě chlapec. „Co proč?" – „Ploc nám za jeden a holkám za devět?" – „Tamto byl jeden rok, toto je devět měsíců, tedy dřív," pokoušel jsem se mu to vyložit a on při tom držel ruku na krápníku, až jsem mu ji musel odlepit: řada za námi čekala. „Co sis přál?" zeptal jsem se ho. „To ti poseptám az venku." Já jsem si přál, aby Pavla zůstala zdravá a nic se jí ani dětem zlého nestalo. Došli jsme k místu, kde se nasedlo na pramici. Plavba chlapce vzrušila: žasl nad barvou skal a vody. Průvodce vykládal: „Pod námi je třicet metrů vody: patnáct vpravo, patnáct vlevo." – „To je ale hm," pravil chlapec. Když jsme dopluli, venku lilo. „Co sis přál?" zeptal jsem se. Pošeptal mi: „Abych měl auto."

Snědli jsme párek v rohlíku a jeli ke Zlínu. Cestu jsem vybral tak, abychom jeli přes Karolín, kde chlapec byl dvakrát s Ľubicou. Našli jsme ten dům, a on ho nepoznal. Ani si nepamatoval, že tu byl. Poděsilo mě to. Chalupa byla zamčená a zdála se mi zpustlejší. Na kraji Zlína jsme se zastavili v domě, kde Ľubica bydlí. Ale bydlí tam? Doma nebyl nikdo. Její osud je mi výčitkou za něco, zač nemůžu. Po převratu musela odejít ze školy, kde učila: studenti se postavili proti ní. Nechtěl jsem se jí ptát proč. Naštvalo mě to. Byla s námi, byla čestná a svědomitá. Chlapec si na nic nepamatuje. Ale snad se to v něm usazuje do podvědomí: bude celý život hledat ten čarovný stav duše splynulé s tělem. Napsali jsme Ľubici pohlednici.

/6. SRPNA 1992/ Jsme v Ostravě, v rozhlasové ubytovně. Zítra máme vysílat.

Byla to dneska zas cesta! Vedro: nádherné, ale i nebezpečné. Vyjeli jsme ze Zlína, kde jsme nemínili nocovat, ale vyšlo to tak. Zastavil jsem se u „Marianny“ jenom na kousek chládku a trochu šťávy. Ona však byla ještě v práci a její maminka, když nás takové ucestované viděla, rozhodným hlasem nám nabídla zůstat u nich. Marianna, když přišla z práce, se jaksi až nepochopitelně zaradovala a hned pozvala na večer několik dalších našich přátel; a oni přišli! Nepochopitelné je mi to proto, že mě nedomluvená návštěva většinou naštve, protože mi vždycky něco překazí. Já se musím chvíli vzpamatovávat, než se třeba potěším; podle toho, kdo přišel. Jsou v Praze možná tři nebo čtyři lidé, jimž dám přednost před čímkoli, z čeho mě vytrhnou. Proto než k někomu vlezu, řeknu si, jak by bylo mně, kdyby on lezl ke mně. O tom máme často řeč s Pavlou: najednou jí napadne, abychom k někomu šli. Namítnu jí, ať si to představí naopak, jenže jí to ani naopak nevadí. Povídali jsme si do deseti hodin, chlapec byl u toho. Potom na mě šlo už veliké spaní. Dostali jsme babiččin pokoj se dvěma postelemi do rohu, hlavami k sobě. Chlapec se zaradoval: „Ktelou mi nabídnes?“

Ráno hned volal Karel Pavlištík a zval nás do svého muzea. Prohlédli jsme si sbírky a z pošty jsme odeslali korekturu německého překladu. Potom jsme kupovali chlapcovi nožík. Takže jsme se vykutáleli z města k poledni: přes Vizovice, Vsetín… K Novému Jičínu. U Hodslavic rybník: zastávka! Chlapec plaval ve vestě od Sergeje, potom hledal na břehu zajímavé kaménky. U kiosku, kam jsme se šli najíst, spadl a praštil se o schod škaredě do holeně. Plakal. Pomyslel jsem si, co bych dělal, kdyby měl nějaký vážný úraz. A zase ten divný strach: proč všecko s ním tak musím popisovat? Komu: jemu, sobě?

Cestou k Ostravě usnul a spal i po celou dobu mého bloudění, než jsem našel rozhlasovou budovu. Dostali jsme tu pokoj, dali jsme si postele k sobě a šli se o patro níž ohlásit Janu Rokytovi. Pozval nás na zmrzlinu. Chlapec se k němu velice měl, mám o tom pěknou fotku.

Usínání s modlitbou, také Otčenáš. V Praze se před Pavlou stydím s ním modlit, protože ona to může brát jako pámbíčkaření. Ale já: pokaždé nad nějakou větou nebo slovem vznikne debata. „Jak posvecce méno tvé?" A nakonec nestandardní modlitba: vzpomínka na mámu, Lucku, Magdalénu.
(A jako na každé mé cestě kamkoli: strach o Marii. Ta vedra!)

/ 9. SRPNA 1992 / Ležím na intenzivce v nemocnici ve Frýdku-Místku. Krevní tlak 190 / 115. Je neděle. Toho rána před natáčením jsme spali pěkně do sedmi hodin. Sprchovali jsme se, chlapec na dlaždicích uklouzl a hlavou těsně minul hranu schodku. Hladce vstal jak nahá ryba a řekl: „To nic, ten andelícek mne zachlánil, ze?" Ten zachránil i mě, pomyslel jsem si: jak bych si před Pavlou zodpověděl neštěstí?

V jedenáct hodin si nás Eva L. odvedla do studia. Mýlila se, když myslela, že chlapec na mě může počkat někde vedle. Nechtěl zůstat ani v režii, odkud na mě mohl vidět přes sklo. Tak se mu přizpůsobila: rozhodla se představit mě posluchačům jeho prostřednictvím. Dávala mu o mně otázky a posluchači měli uhádnout, kdo jsem: Co dělá táta? Jak je veliký? Kolik máš bratrů a sester? Chlapec odpověděl, že píšu fejetony a knížky, jsem veliký asi takto a sourozence vyjmenoval od Lucky až po Martina, „ale ten má este zas dvě holky ve Flancii". A už tu byl telefon od posluchačky, která hádala, že jsem Petr Prouza. Chlapec řekl, že to je špatně, druhá posluchačka vyslovila moje jméno a další zábavu nám zkazil chlapec, protože zvolal: „Ona to uhodla!" Potom jsem dostal pár otázek já: o vesmíru. A přečetl jsem svůj starý fejeton „Mé fyziky".

Po vysílání jsme všichni šli na oběd ke Džbánu, i s Janem Rokytou: ten v létě jako v zimě v šedém obleku. Při jídle jsem chvilku uvažoval, mám-li právě získaný honorářík přiřknout na tento oběd či na benzin dál k Brumovu. Potom jsme jeli k Evě, která počkala na své rodiče, naložili její dvě děti a jeli jsme všichni do Ostravice. Blížili jsme se k Beskydám a já jsem ukazoval chlapci, jak hory stojící před námi se začínají sunout kolem nás. Ze známosti, Eviny, dostali jsme v obsazeném hotelu třípokojový ředitelský byt. Eva s dětmi v jednom pokoji, já s chlapcem v druhém. Vedro! Bazén, v němž jsme si s chlapcem hned zaplavali. Když jsme se vraceli do hotelu, chlapec, divoký a radostný, točil se, skákal, a sklouzl na škváře, strašně si rozedřel koleno, černá krev a špína tekla mu po noze. Plakal a křičel: „Já sem vůl! Já sem pseci takovej vu-ůl!" Okolo nás se sbíhali lidé, kdosi přivedl nějakou dívku, která začala chlapci koleno čistit, vymývat, spíš vydírat škváru z masa. Držel jsem mu nohama nohy, rukama ruce a hlavu. Dostal jsem strach: infekce! horečka! Můžeme jet dál? Můžu vůbec já s tím chlapcem být sám?

Večeři snědl. Nohu držel natuho vedle stolu. Zřetelné vrypy v koleně byly zamaskovány jakýmsi práškem. „Budes mi povídat? Nebo se na mne zlobís, tati?" Řekl jsem mu, že se nezlobím, ale mám opravdu starost, jak bude zítra s tou nohou chodit a jestli se nemáme vrátit do Prahy. „Ne! Tati, ne! Já chci, abysme spolu měli tu cestu!" – „Ale když ty, sakra, děláš pořád jak malé děcko a já tě potřebuju už většího." – „Uvidís, tati!" Spal tvrdě, ráno byl invalida, ale s Eviným větším chlapcem Jankem začal brzo stavět z hlíny a kamení jakési stavby. Eva měla s druhým, menším chlapečkem tolik pořád práce, že se při něm ani nenajedla, ani na chvíli ho nemohla odložit. Po obědě jsem chlapce opatřil do slunka kapesníkem na hlavu, on si s Eviným Jankem šel ven zas hrát. Já se rozhodl odpočnout si. Lehl jsem si, skoro usnul, ale mořila mě jedna myšlenka: sebral jsem všecku vůli, vstal a šel těm klukům poručit, aby si své stavby dělali někde ve stínu. Můj chlapec už skákal a z kolena, které zapomenutím ohýbal jak zdravé, mu vysakovala krev. Eva dala malé děcko do kočárku a šli jsme si lehnout na pokrývku do stínu stromů. Oba chlapci trhali listy různých keřů a skládali je jako bankovky. Když slunko kleslo níž, šli jsme všichni i s kočárkem k řece Ostravici: je prudká, kamenitá a dost čistá. Oba chlapci se brodili ve vodě, stavěli z kamenů hráz a můj si přitom dokonce uchoval poraněné koleno suché. Když jsme odcházeli, můj chlapec si nesl veliký plochý kámen, který z jedné strany byl vlnitě hladký a z druhé střepinově lomený: na lomu se leskly krystalky mědi, zinku a čehosi, co uměl pojmenovat Rokyta, když za námi večer přijel na kole. Ten kámen jsem potom uložil do auta a nevím, co s ním je.

Na večer s Evou a Rokytou jsem se těšil; chlapec zřejmě přestál úraz i otřes dobře. Napijeme se vína. Když Jan přijel, seděli jsme v třetím pokoji a povídali si. Jan měl stopky s tachometrem na kolo: chtěl vědět, kolik ujel a za jak dlouho. Bylo toho třicet kilometrů. Nevím, kdo vymyslel, abychom soutěžili v zadržování dechu. Po třech zkouškách vyhrála Eva časem 1,45 minuty, já jsem měl napřed 47 vteřin, pak 1,1 minuty, třetí pokus jsem vzdal. Byl jsem překvapený svou špatnou výdrží, jindy bývám lepší, cvičívám si dech kvůli zpěvu. Jan odjel, my jsme s Evou ještě chvíli seděli, a tu jsem pocítil mdlobu srdce: poznal jsem to chvění. Zároveň jsem se zpotil. Slabý, chvějivý tep: 180. Vzal jsem si všecky své pilule, a když to nepomáhalo, požádal Evu, aby šla k telefonu.

Nejhorší bylo pomyšlení: Co ten chlapec! Já ho tedy nedovezu? Co jeho život, budoucnost, paměť, celistvost!

*

Zašněrován v drátech a hadičkách měl jsem peklo: z nedokončených věcí, nevytříděných papírů, jež jsem chtěl zničit, ale odkládal to. Ze špatného vztahu k poslední Pavle, který jsem měl přemáhat a napravovat. Z nerozloučení s Marií. Z načatých myšlenek.

*

Píšu tužkou vleže, a jak jsem ručnímu psaní odvykl, píšu skoro nečitelně. Nejvíc na světě se mi stýská po chlapcovi. Už asi jede mým autem domů, k mámě. Přijel si pro něj můj prostřední veliký syn.

*

Vyhrožují mi tu, že mě tak hned nepustí, i když tep a tlak jsou už v pořádku. Ještě se čeká na rozbor krve. Chlapce miluju, protože jsem to já a předávám se mu. Marii proto, že byla moje první žena a je dobrá. Ta cesta byla krásná – s chlapcem do Blanska, k Macoše a k Punkvě. Bylo to však i utrpení ze vzpomínek na ni v mládí. Jak jsme tehdy všecko museli procházet pěšky, co dneska tak snadno se přejede autem. Je to i hanba. Ona byla krásná žena.

/ 10. SRPNA 1992 / Krevní testy jsou negativní. Zítra asi pojedu domů, sežene-li pan primář Pajgar nějaké firemní auto, které pravidelně jezdívá do Prahy. Byl to záchvat arytmie. Chlapec včera dojel domů dobře, dnes dopoledne jsem s ním mluvil telefonem. I s Pavlou, která byla milá a oznámila mi, že dokončila scénář filmu o Janu Masarykovi.

V pátek odpoledne, když jsme leželi v chládku pod stromy, pravila Eva, že bych měl chlapcovi ostříhat trochu vlasy nebo, jestli chci, udělá mu to ona. Ostříhal jsem ho. Chlapci si hráli s listy stromů a keřů jako s bankovkami: zajímavé! Potom jsme šli k řece, a když jsme se vraceli, při pohledu na ostříhaný bledý chlapcův krk bylo mi líto těch vlasů. Šel jsem je najít, ležely v trávě ještě vcelku.

*

Při jízdě autem za mnou většinou mlčel, a když jsem se ho zeptal, nač myslí, odpověděl: „Na nic. Já se jen dívám." Změnil jsem tedy otázku: „Co máš právě teď v hlavě?" – „Nic, já se jen dívám."

Roste a mění rysy: dostává kostnatější obličejík. Byly to dlouhé hodiny jízdy. Usínal stočený na zadním sedadle. Jel jsem s myšlenkou na jeho křehký život. Má dar: život. Já mám nejstarší vzpomínky na své rodiče od čtyř či pěti let, kdy jsme ještě bývali pod hradem „Na Žabinci". Musím tam přece jen chlapce dovézt. Ale chalupu, kde jsem byl malý jak on, už mu neukážu. Tu loni zbořili pivovarníci.

V čem to je?

Má hnědé oči, otlučené nohy, odřená kolena, jemné dlaně. Vidí a poznává věci a plynule, bez přestávky mi je v chůzi vysvětluje. Všude nachází zajímavé kameny. Nebojí se vos. Ve vodě Ostravice obracel kameny a hledal zvláštní tvary a barvy. Evin chlapec, o rok starší, řeku a její vodu i kameny už znal, bavilo ho víc stavět hráze a průtoky.

*

Jsem tu poslední večer. A když je mi tak dobře, v klidu a tichu, nechápu svůj hrozný stav, kdy jsem se musel moc přemáhat, abych neserval ze sebe drátky a hadičky. Měl jsem z toho takový strach, že jsem se přiznal sestře: „Mám děsné puzení všecko to servat, asi to nevydržím."

Šla pro lékaře a cosi mi dali. Ta hrůza pocházela jistě z toho, že jsem tu přivázaný, když všecko, co mám dělat a zač odpovídám, je jinde. Těžká je i myšlenka, co si asi myslí o mně Marie, když neví, co si o ní myslím já.

Můžu potom jedině dělat, čeho je třeba.

Vím, že přijde doba, kdy chlapec bude uhýbat před mými doteky, protože se bude stydět. Nenechá se pohladit. Bude zapírat svou něžnost. Já jsem to také mamince dělával, když mě chtěla hladit po vlasech. Tak mi dala pohlavek: „Běž!"

/ 14. SRPNA 1992 / Opatrně zkouším za ranní rosy svou kondici: udělám kosou tři čtyři záběry a čekám: co? Nic. Je to nepochopitelné: jak jsem zdravý, když mi nic není! „Mám jet do Itálie, pane primáři, co si o tom myslíte?" – „To je vyloučeno." Věděl jsem to. Ale Itálie je zaplacená, u moře naproti Benátkám, přes záliv. Pojede tedy Pavla s dětmi sama. Loni mi takto dopadla cesta na Krétu. (Vizme nevydatelný rukopis „Cesta na Krétu" – Uschovat? Zničit? Zatím je v zalepené obálce označené přáním, že se má odevzdat šestnáctileté Lucince.)

Když jsem ležel s hadičkou v žíle a s takovou tou mrzáckou hrazdou nad hlavou, jíž jsem si umínil ani se nedotknout, říkal jsem si s jakýmsi gustem, že peklo a nebe existují: když člověk umře vyrovnán a vypořádán, s pocitem nebe, bere si je s sebou, má ho. Jináč peklo.

Doma jsem opravdu sáhl do papírů, leccos vybral a tu to budu pálit. Ale jak, aby nikdo neměl příležitost zeptat se mě, co to pálím?

Každý, komu jsem řekl o své nemoci, „se nediví, že se mi to stalo". Musela prý to být veliká zátěž, ta cesta s chlapcem. Nechce se mi to uznat. Byla-li, tedy nevědomá. Vědomě byla to rozkoš. Jeli jsme jako dva muži a nevím, kdo ke komu musel být shovívavější. Marie mě lituje slovy, jež však platí jako nadávání. Vyprávěl jsem jí, jak chlapec nepoznal místo, kde byl dva roky po sobě s Ľubicou. Ona na to řekla: „Je to hrozné. Já si z maminky pamatuju jenom její botky. A to mi bylo sedm roků, když umřela." Neříká úplnou pravdu: protože celý její život je hledání a opakování maminky. Touha po takovém domově, jaký měla s ní. Ten a takový dala našim synům. Potom měla krom otce jenom babičku, o níž si nejvíc pamatuje, jak ji vždycky litovala, sirotka.

Ale nejenom tento zápis mám psát. Také jeden dopis, v němž bych měl vyslovit výstrahu a varování před sebou. Nebo spíš vyvázat se z odpovědnosti? „Jak Tě potrefí životní setkání se mnou, o tom si také dávno vedu myšlenky," napsal jsem. Ale potom se mi to zdálo moc sobecké a tvrdé, ukončil jsem tedy dopis větou: „Na Tvůj příchod nehledím už tak moc se strachem."

V tomto horkém počasí dělat oheň je provokační a nevkusné; i když vyloučím nebezpečí.

/ 27. SRPNA 1992 / Jsou v Itálii. Už volala odtamtud. Nemůžu poznat, zda mi vadí, že tam nejsem. Jmenuje se to Cavallino. Podivné volno, prázdné. Deprese? Tak něco dělej. Chlapec odjel klidně. Magdaléna málem přišla k autobusu pozdě, a nic jí to nedělalo: ani jí nenapadlo, že by se měla omluvit. Zač, když autobus už vrčel, ale ještě neodjel? „Za to napínání mých nervů," řekl jsem velice zlostně. Je to prostě jiná rasa, k níž se nehodím.

Jednou jsem přišel a Pavla ležela v posteli. Okolo všude rozházené věci. Polekal jsem se: „Je ti něco?" Pohněvaný pláč: „Mám depresi..." Několik různých pocitů se mi rychle vystřídalo, než jeden převážil: „Tak ji nechovej v posteli a běž něco dělat!" Zvedla se a jak šílená běžela do kuchyně a ven na balkon. – Tak ještě toto mi bude vyvádět? Ale šel jsem za ní. Otočila se a pomalu, jako blbcovi, mi pověděla: „De-pre-se! To-ty-neznáš, viď, to ty nikdy nemůžeš mít!" Odpověděl jsem: „Ne, to já nemůžu mít. Ale moje maminka to měla a ta s tím šla vždycky okopávat zemáky. To-ty-neznáš, viď?" – Mám z toho hrůzu. Mám o ni strach, ale sakra já se už nepodřídím! Já ti „kmitat" nebudu.

Deprese přicházela na jeviště, když bylo na řadě, abych jel do D., a vůbec když jsem musel odejít. Je to žena nadaná k radosti, vydrží i nepohodu, ale bytost je to úzká. Pro hloupost se uraženě rozešla se svou režisérkou, místo aby jí vynadala a *tvořila* to přátelství znovu. Co jí sedí zase v hlavě, poznal jsem, když jsem potom, po té depresi, přijel z D. a našel jsem doma ženu nepochopitelně změněnou, radostnou a šťastnou. Řekla mi: „Zjistila jsem, že by to byla děsná blbost, kdyby sis měl zas chodit děti vypůjčovat a vracel mi je ve dveřích." Její radost z našeho setkání ani nepostřehla, s jakým děsem se ve mně potkává. Objal jsem ji a pravil do ucha: „Pavlínko, Pavlínko, o tom, jak se máme, rozhoduješ ty. Vždyť já jsem pořád stejně dobrý." Vymkla se a tanečním gestem ukázala okolo sebe: „Podívej se, jak jsme krásně uklidily!" A chlapec se nám oběma pletl radostně mezi nohy. Zvedl jsem ho. Pavla se polekala: „Prosím tě! Nesmíš ho zvedat!" Potom dodala: „A náš chlapeček už umí r. Řekni kráva." Chlapec řekl: „Kráva. Jenze se mi to nechce pozád zikat. Půjdeme na plocházku?" – „Ano, chlapečku zlatý. Půjdeme do ledakce."

/ 21. ZÁŘÍ 1992 / O posledních končinách – tímto slovem, označujícím na Moravě konec masopustu, míním vytlačit vulgární „víkend" – jsme byli v Kytlici v severních Čechách, kde si Pavla vypůjčila od známých chalupu. Topili jsme dole ve sporáku a nahoře ve velikých železných kamnech. Na travnatém slunném svahu nad chalupou jsme se rozhlíželi po japonsky vypadající krajině malých sopek. Děcka válely sudy, plížily se vysokou suchou travou. Indiánské léto, jak moje. Přivezli jsme si pečené kuře. Pavla vařila skromně, neměli jsme peníze. S chlapcem jsme z celého okolí stáhli suché haluze, pořezali je a on ukládal polénka do koše. Byli jsme i na houbách. V sobotu jsme si udělali dost dlouhý výlet – protože jsme šli špatnou cestou – do Prysku, kde kdysi Pavla spadla z vysoké skály a mohla se zabít. Chtěla tu skálu děckám ukázat. Magdaléna ovšem zase nebyla s námi, nebude na obrázkách, o což ovšem už sama ani nestojí. Má dávno známost s chlapcem, hodným a mírným. V Prysku jsme navštívili Standu Milotu, který nás pohostil a potom zavezl nazpátky. Vlasta Chramostová byla v Praze.

Pavla spekulovala o koupi takové chalupy někde tady: bez představy, kde vezmeme peníze. Tuzemská vydání jejích knížek se loudají, výtěžek se rozplývá v měsíční útratě. Myslím, že toto ji kruší velice, ale mluvit moc o penězích – nad to je povznešená. Takže když jsem se zeptal, a zač bysme tu chalupu koupili, jenom udiveně zavrtěla hlavou: jednou jí přece ten „balík" musí spadnout. Já do ničeho peníze už nedám. Já se musím starat do větší vzdálenosti: kupuju akcie Lidových novin.

Chlapec bude pedant: musel si na výlet vzít tu minci z Karlštejna, a tak jsme ji pořád někde hledali. Musel ji mít zvláště i na houbách. Nebo chodí a jezdí všude s jedním, přesně určitým autíčkem. Přendává si je z kalhot do pyžamka, ráno vstane od snídaně a letí si je nachystat do kalhot do školky. Když jsme jeli do Prysku, bylo teplo, v autě vedro, a chlapec si vzpomněl na Itálii. Pravil: „Tam také bylo takové vedlo, vid, mámo. A nebylo tam zádné koupaliste ani bazén, neměli jsme se kde koupat. Skoda, ze tam nebylo moze!" Tak pravil chlapík, který tu Itálii prožil na vlnách, nesen dvojitým gumovým kruhem a od moře si přinesl pokladnici škebliček. Dva dny u chalupy prožil v práci: stavěl, nosil, vozil... Nezná lepší hry než opravdovou práci. Když mě do ní zatahuje, musím si vždycky cosi připomenout: dětská přání jsou tak prostá a tak lehce splnitelná! Bývám na to unavený, pohodlný a ruší mě to v myšlenkách. Ale oč těžší jsou přání žen! Bez chalupy nebude štěstí v chalupě.

Lne teď víc k mámě. Když se v noci vzbudí, přijde a lehne si mezi nás. Chytne ji za ruku, mou už tolik nehledá. Mně hlásí práce, které mám udělat: nasadit spadlý řetěz kola, což umím, spravit prasklou duši, což neumím, protože ani nemám čím. Pamatuje si všecky moje sliby a připomíná mi je, dokud je nesplním. Když se mu nějak znelíbím, říká, že se mnou nebude mluvit a nemá mě rád. Dobrá je jedna instituce, kterou ctí: „Ještě jednou a naposledy." Když něco pořád chce a já už ne, řekne: „Tak este jednou a naposledy." To platí. Když odněkud přijedu, čeká dárek: nejlepší je nějaká opravdová věc jako baterka, svinovací metr... Zklamal mě, že byl zklamaný sombrerem, jež jsem mu na jaře přivezl z Barcelony. Vracel mi ho zpátky, s těmi barevnými šňůrami, a pravil: „Na, a můzes jít k divadlu." Když se ho zeptám, co bych mu měl přinést, řekne například: „Něco nebezpecného." Ptám se proč. „Nás zajímají jenom nebezpecné věci." – „Koho nás?" – „Nás kamalády ze skolky!" Ze Scheinfeldu, kde jsme s Pavlou oba byli, jsme mu přivezli revolver na kapsle. Chtěl si ho vzít do školky, a také si ho vzal. Divil jsem se tomu, ale ukázalo se, že to tak dělají všecky děti: přinesou, ukážou, předvedou, učitelka jim to uloží, při odchodu vrátí. Tak chtěl, abych mu přivezl takový samopal, co mají nekezí kamaládi. Řekl jsem, že válečné hračky neuznávám. Pavla se podivila: „A co ten revolver?" Vysvětlil jsem jim oběma morální rozdíl mezi kovbojským revolverem a gangsterským samopalem. Chlapec to pochopil.

/ 26. ZÁŘÍ 1992 / Vrátil jsem se z kvartální schůzky. Konala se v Sergejově chalupě a Pavla na ní nebyla: nešla z důvodu svědčícího o její nesmiřitelnosti. Když jsem odjížděl, dala mi další dopis obsahující zklamání ze života se mnou: ani dva dny nemůžu být tížeprostý? Na dopis není dobré odpovědi. Psala o tom, co cítila, když jsme byli ve Vinohradském divadle na premiéře „Gazdiny roby". Představení bylo silné a já už po deseti minutách věděl, co ona z něho vyvodí. Když jsme se o přestávce s kýmsi pozdravovali, představila se takto: „Já jsem roba."

Ani se mi tam nechce zítra jít. Blížím se k tomu domu a lezu po schodech ke dveřím s pocitem, s jakým jsem chodil k výslechům: co zas bude?

/ 9. ŘÍJNA 1992 / A už to tady je. Pavla se bude vdávat. Minulý pátek jsme s Luckou pěkně klidně jeli do Ostravy. Když jsem tam v létě byl s chlapcem, napadlo mi, že bych sem měl zavést i Lucku, až budu s Rokytovou muzikou zas natáčet další valašské pěsničky: muzika, pracný nácvik a krásný výsledek mohou ji povzbudit ve hře na piáno. Zazpívali jsme Rokytovi a on nás v jedné písni natočil spolu. Viděla Rokytovu přísnost na muzikanty a jejich poslušnost i trpělivost. Několikrát jsme se pokusili telefonovat mámě, nikdo nebral telefon. Když jsme se vrátili, nebyla doma. Chlapec byl u babičky. Magdaléna nevěděla nic. Pavla přijela odpoledne a řekla: „Byla jsem u jednoho spolužáka z gymplu, znáš ho. Je to vztah a budeme se brát." Jmenovala ho. Žije u Plzně. Rozvedený, dvě děti. Asi dvakrát u nás kdysi byl, mluvili jsme spolu. Velký, silný, inteligentní technický typ.

Nevím, jak se to opravdu stalo, Pavla řekla zhruba toto: když jsme s Luckou odjeli, měla prý depresi, on náhodou volal a ptal se jí, jak se má, řekla mu to a on jí navrhl, aby za ním přijela. Přijela, a bylo to. Její standardní střelba z opakovačky nízko zavěšené, i s tím životním hned závěrem. Pravila mi přece předtím, že ona každého svého muže mínila jako lásku, a protože ani tuto novou nemíní vést jako nevěru, má její jednání všecky cti krom jedné, nejdůležitější.

„Co míníš s dětmi?" zeptal jsem se. „Ty si vezmu s sebou, až se odstěhuju." – „A co já – a ony?" – „To už je tvůj problém. Můžeš za nimi jezdit. Měls jednat jinak." Řekl jsem: „Nepočítej s tím, že z tohoto bytu odejdu. Jednou jsem už byl pryč, povolalas mě zpátky. Nejsem kufr. Budu sem chodit jak doposud a spávat na této své posteli. Ty spi vedle."

Šla spat vedle.

/ 16. ŘÍJNA 1992 / Nevím, jak mi je. Myslím, že líp než jí. Chvílemi se mi to zdá nemožné. Jenže ji znám: scénář je roztočen! Jenom nehrát jí podle něj! Odteďka začne měnit i znění naší minulosti. V noci byla pryč, jela včera za ním. Zítra je sobota a máme s dětmi kamsi jet; podle staršího plánu.

Hleděl jsem z okna na přístaviště parníků. Vzpomněl jsem si na jednu naši plavbu s malou Luckou. Byla to dlouhá cesta, až na Slapy, a slepá. Ale měli jsme se rádi. Tam kdesi jsme si koupili jablka a já Lucku přesvědčoval, že ohryzky se mají jíst: obsahují prý látku, jež „nabourává cholesterol". Dlouho potom, kdykoli kousla do jablka, poznamenávala: „Nechám si nabourat chorestol." Lucka mluvila brzo správně. Sedělo se nám všem dobře v kajutě u rohového stolku. Venku bylo pršlavo. Občas jsme si na něco zašli do bufetu. Byla to milá plavba vězením. Pavla si vzpomněla na naši starou sázku. Vsadili jsme se kdysi o kožich: ona říkala, že do dvou let se hranice otevřou a my spolu pojedeme do Londýna. Já jsem sázel naopak. „Dlužíš mi kožich," připomenu jí. Já jsem jí ho potom, náhradou za Londýn, koupil, kožíšek: moc jí slušel a kamsi mi psala, jak se lidé za ní otáčejí.

Cestou zpátky při té plavbě Lucka už unavená přešla ze své lavice ke mně a vtiskla se mi mezi kolena. Zmáčkl jsem ji a ona řekla: „Co mě tiskáš!" Odpověděl jsem: „Co sem lezeš!" Ona na to hláskem změněným: „Co mě tiskááář!" Já změněným hlasem: „Co sem lezéééš!“ Ona zas: „Co-mě-tis-káš!“ A já na to: „Co-sem-le-zeš!“ A tak dlouho dokola, až to Pavla nevydržela a šla sobě i mně pro další grog.

Teď mě čeká horší věc: říct Marii a chlapcům, že Pavla se bude vdávat.

/ 7. LISTOPADU 1992 / Spal jsem s chlapcem na naší posteli, Pavla vedle. On neví nic, a co ví Lucka, nevím já. Když chlapec včera usnul a Pavla viděla, že tu míním zůstat, řekla: „Ty tu míníš být přes noc?“ Odpověděl jsem: „Ovšem. Já jsem to tu zařídil, tuto postel jsem si udělal a mám tu děti.“ Začala křičet: „Ty hajzle! Nechám tě vyhodit!“ a zvedla telefon. Řekl jsem: „Udělej to. Ať se úplně poznáš.“ Oblékla se a šla ven. Kdy se vrátila, nevím, spal jsem. Spal jsem? Měl bych být rozdrcený neštěstím, ale jsem jak za neštěstím, v divné necitelnosti.

Ráno odjela za svým snoubencem. Neustlala po sobě ani. Pošlu jí telegram: Neustlalas. To mě pobavilo. Nevím adresu. Musím však také odjet: do jižních Čech na stifterovské setkání, na něž jsme podle staršího plánu měli jet spolu. Chlapec se rozplakal: „Ploc musíte odjet oba!“ – „Já jsem, chlapečku můj, nevěděl, že máma odjede.“

Ona se už musí vdát. Snesl jsem tu, myslím, dost důvodů, proč to udělá. Nemohla-li nic změnit v sobě ani ve mně, je toto jediná věc, kterou může udělat, aby měla pocit, že o sobě ještě rozhoduje. To by ale měl ten muž vědět! Jeho problém. Když mě tak vyhazovala, pravil jsem jí: „Ale já jsem, Pavlo, tak dobrý, jak jsem byl, když mě potřebovalas. To ty se velice kazíš.“

Mrzuté, špatné, neodvratné: aby se mnou mohla tak škaredě jednat, musí si mě přestrojit za lotra, jenž si to zasluhuje. Napsal jsem snoubenci dopis. Pozorně: abych se nedotkl ničeho sporného, co mu ona jistě vylíčila po svém, ať. Popsal jsem jenom, v čem vidím příčinu našeho rozchodu: Pavla nemohla dál žít podle podmínek, jež kdysi přijala doufajíc, že mě dovede k jejich změně. Já zas, jak se pořád víc otvírají rozdíly v našem pohledu na moc věcí, mám čím dál míň důvodů přizpůsobit se jí. Rozhodla-li se teď pro něj, musím si přát, aby jí to vyšlo dobře, protože nezdar by zas dala za vinu mně a trest by mě neminul. Psal jsem ten dopis skoro týden, než se mi podařilo odfiltrovat z něho výčitky, obhajoby i náznak názoru, že Pavla k němu nejde z lásky k němu, nýbrž z nelásky ke mně. Že po neúspěchu u mne rozhodla se naporučit dalšímu muži, aby ji miloval, jak potřebuje ona, a ne jak cítí on.

Bylo mi zapotřebí psát takový dopis? Nebylo: ale ten muž si jistě bude dávat otázku, co si o tom myslím, a já mu chtěl dát vědět, že proti němu nemám nic. Také jsem ho chtěl smířlivě oslovit pro další jednání třeba o dětech. Vlastně jsem to zapotřebí měl. – Odpověděl mi slušným tónem, že má Pavlu rád a doufá… Myslím, že je to dobrý člověk; už proto, že jeho děti zůstaly po rozvodu u něho.

/ 9. BŘEZNA 1993 / Včera jsem si chlapce vzal ze školky a šli jsme. Kamsi. Jsme už asi příznačnou dvojicí: jak obcházíme Národní, Spálenou, Myslíkovou… Domluvil jsem se s Marií, že ho někdy přivedu sem. Koupil jsem mu novou soupravu stavebnice Lego, aby tu měl co dělat. Krom toho pod gaučem v kuchyni je škatule hraček a jejich trosek po klukách. Hrávají si s nimi všecka vnoučata. Byl tu i s Luckou, která mi přehrála, co cvičí v hudebce, ale bylo to špatné. „Hraješ, Lucko, doma?“ – „No jo…“ Nebaví ji to, nemá denní povzbuzení, citové, nepříkazné. „Zpíváš si, Lucinko?“ jsem se jí nezeptal.

Teď jsem ty děcka neviděl přes týden: byly s Pavlou o pololetních prázdninách na vypůjčené chatě. Na nic se jich nikdy neptám. Na nábřeží skoro nechodím, nanejvýš vzít si tam nějakou svou věc. Chlapec pravil: „Já bych s tebou chtel nekolik nocí spát.“ – „Já s tebou také.“ – „Tak ploc to neudeláme?“ – „Máma to nechce, musel bych se o tom s ní domluvit.“ – „Tak já ti to domluvím.“ Uvažuju o tom, že až bude tepleji, vezmu ho s sebou na pár dní do D., kde mám stejně moc práce. Než se tam usídlí Marie. Řekl jsem jí o tom, souhlasila.

Já to ti s mámou domluvím, pravil chlapec. – Co si o tom asi bude později myslet: koho si zařadí výš, níž? Zkus to, chlapče, domluvit, protože mně se už při představě jednání s ní dělá zle. Zeptal jsem se ho, ve zlém tušení, kde spává: ve své posteli, či s mámou? Odpověděl: „Ve své posteli, a kdyz se plobudím, jdu za mámou a…,“ vyslovil jeho jméno. Hnusí se mi to: proč moje mládě má spávat s cizím samcem, když já tu jsem? Je to proti přírodě i proti jemné kultuře. Kdybych jí to řekl, co asi odpoví: samec jako samec? To možná zrovna ne, ale: Měls tu každou noc být, ty přece nejezdíš na lokomotivě!

/ 10. BŘEZNA 1993 / Marie, když dala děckám svačinu, mluvila s nimi a studovala je. Lucka byla stažená dovnitř. Cítí, že musí chránit svou věrnost – ale komu, čemu? „Bude to mít těžké," pravila Marie potom. Chlapec vykládal: že se budou stěhovat, ale že se nebudou stěhovat, že mají psa, ale není jejich, že mu máma dala slepeckou minci, italskou... Že on nemusí este splávne mluvit, plotoze este nepůjde do skoly, ale moh by. A jak starý položil hlavu do ruky opřené o stůl a řekl: „Ach jo!" – „Co je," ptala se ho Marie. „Ale nic. To se týká táty a ten by na to moh psijít sám." – „Nač," chtěl jsem vědět. „Já ti to teda poseptám," řekl a vedl mě do předsíně: „Já bysem chtel ten slozitej celvenej nůz s mnoha zelízkama, co más na stole." Řekl jsem: „To je památka na jednoho kamaráda ze Švýcarska. Jednou ho možná dostaneš." Nůž Leuthold. Marie řekla: „Takové je to tajemství?" Chlapec: „Ale uz ne, uz sem mu to zek. Ze chci ten nůz." – „No," řekla, „myslím, že ho jednou dostaneš." – „Tak jo, a můzes mi, plosím, dát este tu doblou stávu? – Dekuju!"

Když jsem děti odvedl domů, pravil jsem Pavle: „Nepřeju si, abys na mé a chlapcově posteli spávala s ním. Spěte v salóně." Zachechtala se: „No dovol! Přece postel jako postel!"

/ 15. BŘEZNA 1993 / Jde to vůbec – psát jenom o chlapci? Je vážný. Má dospělé zájmy, omezené jenom jeho zkušeností a vědomostmi: Co se stane, když v drátech dojde elektřina. Proč má tramvaj vpředu nízko nad kolejemi tu šikmou lištu. V čem je – už zas – tento náš vesmír! Dneska jsem proň utrefil správný dárek: pouzdro s medailí k výročí pádu Bastily. Rozdávalo je francouzské velvyslanectví. Pochopil smysl té věci, když jsem mu řekl, o jakou událost šlo. Chtěl po mně podrobnější vylíčení přímo pouličních bojů. Řekl jsem mu, že to mu jistě poví máma, protože o tom hodně a ráda četla. Zeptal jsem se ho, kde má karlštejnský groš. Hrabal v kapse těsných džín a ukázal mi ho.

/ 19. BŘEZNA 1993 / Byl jsem s oběma dětmi na matějské pouti. Jak televizní tatínek už. Velice mě štval ten příšerný rachot oblbující tzv. hudby, jejíž palba se křižovala. Divím se, že se to smí. A vláda nic! Demokracie hlavně hovad. Byl s námi můj syn Jan s dcerkou Mařenkou, starou skoro stejně jako můj chlapec. Vedle ní bylo teprv řádně slyšet, jak špatně chlapec vyslovuje některé hlásky. Dal jsem si v duchu limit útraty, pro obě děcka, který jsem potom zas v duchu zvýšil, když jsem viděl ceny atrakcí. Když bylo meze dosaženo, řekl jsem dost, a chlapec to přijal. Nad vším dalším řekl jenom „skoda!“. Bylo to sto padesát korun. Na Lucce bylo znát, že většina věcí je pro ni už infantilní. Ze všeho slezla s údivem: a to je všecko? Nejvíc ji bavila střelba ze vzduchovky.

V noci jsem se budil do strachu o děti. Hrozí mi ztráta. Jak je takto můžu vést? Nemůžu na procházkách probírat Luččiny známky ze školy. Nemůžu ji sem zvát na kontrolu, jak hraje na piáno. Uklidňoval jsem se myšlenkou, že paní učitelka na mě měla půlden v týdnu, a zůstala ve mně. Jenže smysl pro to, co se mnou dělala, měl jsem už od našich!

Dále mě lekají příznaky, jež ukazují, že budu možná muset jít na úspěšnou střevní operaci.

/ 22. BŘEZNA 1993 / V sobotu jsem byl s chlapcem u Josefa, protože on i chlapec měli svátek. Počítal jsem i s Luckou, ta však odmítla jet, protože do Prahy přijel Manžel se svou dcerkou, Lucka chtěla být s ní. Nejprve se mě to dotklo, potom mi napadlo, že třeba Lucku přímo požádali, aby kvůli návštěvě zůstala doma. To moje děvčátko to bude mít těžké: podle čeho a jak se bude rozhodovat? Bude umět mít svou vůli?

Den byl slunečný, dost teplo. Chlapec si nechal vysvětlit, proč musí vzadu sedět přivázaný: ostrým zabrzděním jsem mu předvedl, jaký to má význam. Jel jsem, vždycky s ním jedu, úzkostlivě opatrně. Cestou jsme většinou mlčeli. Odpovídal, jen když jsem se ho na něco ptal. Pozoroval krajinu. „O čem přemýšlíš?“ zeptal jsem se. „Nepsemýslím *vylozene* o nicem,“ odpověděl. „Proč nepoužíváš Ž, když ho umíš?“ – „Plotoze sem línej. Já ted vetsinu věcí delám lád vleze.“ –

„To chápu, ale vypadáš hloupější, než jsi." – „To mne nevadí." – „Řekni Ž!" Nastavil pusu na Ú a řekl: „Ž!" – „Tak proč to, kruci, nepoužíváš?" – „Já si to Ž a R nechávám na skladě." – „Poslyš, a to po tobě doma nikdo nechce, abys mluvil správně?" – „Ale jo. Hlavne Magdaléna. Ta mne s tím *vylozene* otlavuje." – „Řekni otravuje." Mlčel. Zajel jsem ke krajnici a zastavil. „Řekni otravuje! Nebo s tebou ani nejedu!" Uvažoval, potom řekl: „Tak otravuje, no!" – „Mohl bys, když jedeme k Josefovi, uvést k jeho svátku do provozu aspoň to R?" – „No tak dobrrrá..."

Blížili jsme se ke Konopišti. Poznal podjezd, jímž jsme před dvěma lety jeli v bryčce k zámku. A vzpomněl si na hotel, v němž jsme jednou spali, když Pavla s režisérkou oslavovaly úspěch. Řekl jsem: „To je ten hotel kousek odtud." Chlapec řekl: „Ne, to bylo jinde, na jiné silnici. Byl to takovej hotel, co psed kazdým pokojem mohlo stát auto." – „A to je přece tady," řekl jsem. „Tak se vsadme o pět stovek, ze to není tady." Zakřičel jsem: „Řekni Ž, aspoň když se chceš s někým vsázet, hloupý ogare!" Urazil se, chvíli jsme jeli, potom řekl: „Vidím, ŽŽe se ti nechce vsadit o pět stovek, ploste." – „Řekni prostě, chlapečku, a vsadím se." – „Tak prrroste. Promin!" – „Dobrá. Kde ty bys vzal pět stovek?" – „Já psece vyhraju!" Kruci, to byla správná sázka. „Kdyz vyhraju," pokračoval, „dás mi pět stovek, a kdyz prohraju, dám ti devět korun." – „Ty máš jenom devět korun?" – „Tsi troukoruny," řekl. „Počítáš to správně, ale troukoruny nejsou!" – „Tak, no tak, zkrrrátka mám doma devět korun." – „Ale to pro mě není dobrá sázka: já pět set, ty devět." – „To je mne jasné, ale necekás psece, ze ti dám pět set. Dám ti vsecky svoje peníze a ty mne pět set." To znělo logicky, bylo to zajímavé, vsadili jsme se. Odbočku k tomu hotelu jsme dávno minuli, zastavíme se tam cestou zpátky.

Dojeli jsme do Bystřice, kde vždycky obědváme, abychom Josefa nepřepadli zrovna v poledne. On se potom vždycky zlobí a ukáže nám hrnec polévky a kastrol nějakého masa. Dali jsme si smažený řízek. Chlapec si ho nechal pokrájet, potom však snědl napřed brambory a okurku, protože to nejlepší si vždycky nechává nakonec. Stane se, že to už potom nedojí, proto jsem se ho zeptal: „Proč to neuděláš opačně?" Odpověděl: „Prrrotoze, jak te znám, brambory bys mi nedovolil nechat, ale maso dojís rád. Dojís ho?"

Josef měl prostřeno pro šest osob, protože kromě dcery Hanky a jejích dvou dětí byly tam ještě něčí děti. Ukázal nám hrnec polévky a kastrol masa. Řekl jsem, že jsme po obědě, vzali jsme si jen zákusek. Potom jsme mluvili a chlapec pravil: „Co budeme delat?" Řekl jsem: „Však děláme. Mluvíme, bavíme se." – „Nemneli byste nejakou vzájemnejsí zábavu?" Josef se zasmál a řekl: „Za chvíli půjdeme ke koním."

Šli jsme ke stájím a na jízdárnu. Josef mi líčil, jaké schválnosti mu dělají noví majitelé mlýna. Například mu zamkli stodolu s jeho slámou a nařídili mu jen určité hodiny, kdy může jít s koňmi ven. Je to nehorázné! Uvažuju za těmi lidmi zajít. Tu stáj, kde má Josef koně, zřídil před lety můj syn Jan. Josef si ovšem zavinil své potíže sám, tím že se vykašlal na jakési právní lhůty. Když o těchto poměrech mluvíme, oba víme, o čem mlčíme a že se sobě tajně i posmíváme: toto je ta svoboda, kterou jsme si my dva radikálně napravení mladí komunisté vybojovali.

Zatímco děvčata vyjela s koňmi do terénu, já s chlapcem jsem chodil kolem potoka, házeli jsme do vozu klacíky jako loďky a sledovali jejich riskantní plavbu všelijakými nástrahami. Když děvčata přijela, řekl Josef chlapci, aby si vybral, s kterou holkou chce jet. Vybral si Kateřinu, Josefovu vnučku. Seděl před ní jak v komfortním křesle, ona je vpředu jak peřinka. Josef řekl: „Dovede si vybrat! – Co ty?" obrátil se na mne. Pověděl jsem mu všecko.

Cestou zpátky do Prahy zastavili jsme se u toho motelu: byl to on, vyhrál jsem. Chlapec pravil: „Dám ti ty tsi troukoruny, az budeme doma." Doma však jsme si na to nevzpomněli, protože tam byla ta návštěva. Manžela jsme potkali už na schodech. Pozdravil a řekl: „Jdu pro cikára, hned jsem zpátky." Já jsem si jenom vzal zas nějaké své věci a šel dolů. Dveřmi do „salonu" jsem viděl, jak všichni sedí u televize: Lucka s tou dívkou, Pavla, Magdaléna, a chlapec si hned sedl k nim. Cestou dolů po schodech jsem potkal Manžela. Nesl dvě krabičky cigaret. „Na shledanou," pozdravili jsme se.

Chlapec si sedl hned k nim u televize, a nad naším dnem se zavřelo nedbání. Či dojde ještě na to, že se ho bude někdo ptát, co jsme dělali, jaké to bylo, zopakuje s ním Otčenáš a připojí nestandardní modlitbu například za tatínka?

/ 28. BŘEZNA 1993 / Šel jsem pro chlapce do školky a zavezl si ho sem. Marie nás čekala. Nabídla mu hned svačinu: koláč a šťávu. Při tom ho zas pozorovala. Nacházela na něm nejvíc znaků ze strany mé maminky. Připustila, že ovšem nezná Pavlinu stranu. V rozšafném stolním hovoru se chlapec zeptal: „Tati, půjdes na nasi svatbu?“ Odpověděl jsem: „Nepůjdu, chlapče.“ – „Proc nepůjdes?“ – „Protože by se to nehodilo.“ – „Proc,“ podivil se. „Protože máma se už dřív chtěla vdávat se mnou, a já jsem nechtěl.“ Prostě rozhovor. „A proc si to nechtel?“ – „Protože jsem už dávno ženatý s touto Marií,“ řekl jsem. „Aha,“ řekl a prohlížel si ji. Ona řekla: „Tak vy budete mít slavnost! A těšíš se?“ Odpověděl: „Ne, to nebude slavnost, to bude svatba.“ Raději byla už ticho a já také.

V tramvaji mi pořád něco vykládal, někdy jsem mu pro hluk vozu nerozuměl, seděl mi na kolenou. To mu líp rozuměli ti, co seděli před námi, a když vystupovali, vždycky se ohlédli a usmáli se na mne s pochopením. „Kdyz je válka, co je důlezitejsí: více nemocnicích, nebo více zbraních?“ – „Více zbraní,“ musel jsem říct. „Ale kdyz je více zbraních, je také víc poraneních,“ namítl. „To je pravda,“ řekl jsem, „ale nemocnicemi se válka nevyhraje,“ musel jsem říct. „To je pravda,“ řekl.

„A tati, tati!“ pravil, když jsem ho za ruku vedl po ulici. „Piráti musejí mít delsí zivot nez normální lidé, ze?“ – „Proč myslíš?“ – „Protoze oni jedou na ten tajnej ostrov, kerej je velice daleko, proto oni si musejí casto odpocívat, a kdyby pozád odpocívali, tak kdy by tam dojeli? Proto musejí zít dýl.“ To je asi pravda, myslel jsem si.

/ 9. DUBNA 1993 / Budou Velikonoce. Svátky musím čekávat se strachem. Vánoce byly něco hrozného. Není to tu zapsáno. Byl jsem od listopadu tak rozpadlý, že jsem dlouho nedokázal na téma chlapce natočit papír do stroje. Jak to psát? Co je co a nač je to?

Před Vánoci Pavla řekla, abych si prý Štědrý večer udělal s dětmi jindy, ona že si pozvala Snoubence. Vysmál jsem se tomu: „Tady se Ježíšek narodil mně, ne cizímu chlapovi!" Se synem Janem jsme jako jindy přinesli veliký smrk, pod nímž jsem potom s dětmi seděl. Matička udělala kompletní večeři a poseděla chvíli také, pak šla kamsi za svým Vykupitelem. – Jenže na toto já už nemám zdraví.

Onehdy jsem chlapce vedl domů a přijala ho Lucka, máma nebyla doma. Využil jsem toho a vešel do jejich pokoje: tatínek, jenž se nemůže podívat chlapci do hraček a knížek a mluvit s ním o nich. Dceři pod polštář: co čteš už? Nepořádek tam nebyl, ale ani řád. Chlapcovy knížky naházené do příhrad jak materiál. Moje dcera vstupuje do období plakátových hrdinů? Neodhrnul jsem pokrývku, má-li natažené prostěradlo. „Co toto tu dělá?" ukázal jsem na zem. Lucka řekla: „On za to nemůže. To dostal." Zvedl jsem samopal a zeptal se chlapce: „Dokázal bys to vyhodit do popelnice?" – „Dokázal, jenze nechci." – „Já ti to neporoučím, já tě jenom zkouším." Stáhl hubičku na pláč a pravil: „Jojo, nepoloucís, ale psejes si to! Nemluvím s tebou!" – „Nemluv. Mně to nevadí," řekl jsem. „Vadí, vadí! Ale mne ne, plotoze já mám tisíc libel jinejch kamaládů." – „Tati," ozvala se Lucka smířlivě, „ale takové věci mají všichni kluci, to je potom těžké." – „Já vím. Ale my jsme nezávislá rodina. Kde máte karlštejnské groše?" Lucka mi svůj ukázala, chlapec řekl: „Nemluvím s tebou, pseci." Šel jsem do vedlejšího pokoje: dílny, studovny, ložnice. Ze svého stolku vzal jsem si pár věcí. „Ten stůl je tvůj," řekl jsem Lucce. „Ta postel tvoje," řekl jsem chlapci. „I všecko nářadí," ukázal jsem na bednu a regál. „Já vím," řekl, „ a taky ty vetacky?" – „Ty také. Vrtačka je jedna, to druhé je cirkulárka." Vyprovázeli mě ke dveřím. Když jsem si dřepl a šněroval botu, nastrčil mi chlapec před oči pěstičku: otevřel ji a měl v ní karlštejnský groš.

/ 15. DUBNA 1993 / Přístup k dětem na Velikonoce musel jsem si na Pavle vynutit. Chtěl jsem s nimi být v jejich bytě, ona si může udělat volno, někam třeba jet. Toto jsme si předtím domluvili v telefonu, ale když jsem přišel, řekla, že už má s dětmi jiný program a ony se prý na to těší: půjdou na pomlázku k babičkám. „K jakým babičkám, mají jednu," podivil jsem se. „No, teď mají další," řekla. Řekl jsem, že já otec jsem přednější než neotcova matka, a beru si děti. „Zavolej je," poručil jsem. „Chcete jít se mnou a pojedeme někam, nebo chcete být tady?" – „Já, já chci s tebou," řekl rychle chlapec. Lucka zabrebtala, že raději zůstane v Praze.

Ale kam jet! A co tam dělat? Přivalit se do D. není možné. Nečekají nás, nejsou zvědavi, nehodí se to! Zbýval zas Josef.

„Kdybych byl policajtem," pravil chlapeček v autě, „chytal bych zlodeje tak, ze bych se psestrojil za zlodeje. Zlodej by ukradl moc kalkulacek a já bych je od neho kupoval za peníze, které by samozzejme byly falesné. Dal by mi ty kalkulacky, já bych mu dal ty peníze a on by zekl: ale ty peníze sou falesné! A já bych zekl: to vám uz můze být jedno, stejne vás zatýkám!"
Zkroušení.

/ 16. DUBNA 1993 / Pavla je s manželem v Karlových Varech. Děcka jsou u babičky, odkud Lucka vodí chlapce ráno do školky. Já si ho tam beru a jdu s ním někam. Před dvěma dny jsem požádal Lucku, aby ho vyzvedla a aby přijeli sem. Lucka si přinesla noty, aby mi něco přehrála. Ale nemá to smysl. Byla doma Marie, dala jim cosi jíst a pít. Chlapec k ní už důvěrně lezl a chtěl se s ní boxovat. Poslouchali jsme z kazety písničku, kterou jsme s Luckou natočili v Ostravě. Potom jsme si zazpívali všichni.

Když jsem je vezl domů, chlapec se ptal: „Tati, jaké auto bys doporucoval nám manzelům?" Samozřejmě jsem jim doporučil škodovku, ale chlapec byl pro bavoráka nebo mazdu.

/ 25. DUBNA 1993, D. / Včera jsme sem přijeli s Marií. Ona tím nastupuje do lepší, zdravší poloviny každého svého roku: když se sem jednou hmotně i duševně přesune, těžko a jen z nějaké nutnosti se hne do Prahy. Také pro mne je toto, tento dům a zahrada konstantou, jež mě obluzuje zdáním, že život jde dokola pořád stejně a že změny, pokud při nich nejde o ten život, nejsou tak důležité. Nám dvěma, nám se někdy zdá, že někdy jde o život. Už.

Je večer a jsem dost utahaný. Co jsem dělal, u všeho jsem myslel na chlapce, protože jsem ho tu čtyři dni měl. Pracoval se mnou a všecko ho bavilo. Když jsme sem přišli, všiml si parohů nad hlavními dveřmi: nevíme, odkud je Topičovi před osmdesáti lety vzali. Chlapec hned: „Parohy! To jste koupili?“ – „Ne, ty už tu byly.“ – „Aha, teda stselený?“ Parohy, střelené – odkud mohl vzít takové vyjádření? Už má zážitky a prameny vědomostí, o nichž nevím.

Sekal jsem haluzí, on ukládal nasekané dřevo: začal je vidlemi dávat do kolečka, odvezl je a z kolečka je překládal na rázek, ale hned přišel na to, že to je dvojí manipulace, a nosil dřevo přímo na místo. Dal vlastně přednost práci před hrou na práci. Hrabal jsem mech, on ho vozil na kompost. Sbíral shnilé plody kdoulovce do kbelíku a po chvíli vzdechl: „Ach jo! Je to skaredé!“ Řekl jsem, že však to nemusí dělat. „Chci vám udelat co nejvíc dobra,“ řekl. Rozhodl jsem se rozebrat a pořezat starý, polorozpadlý kozlík. Pustil se do toho se mnou: celým tělem a mohutnými pohyby rozděloval části kozlíku, a byly to úplně chlapsky fortelné pohyby, jenom zmenšené. Večer u stolu jsme loupali fazoli. Vyprávěl jsem mu, jak jsem loupával fazoli u stařenky, která jí však měla velice moc, celé nůše.

Hned jak přišel a všude uviděl nějaká kvítka, chtěl natrhat pro mámu. Natrhal a já mu je dal do vody, věda, že za čtyři dny mu opadají. Natrhal potom nová: podléšky, sasanky, prvosenky. Večer jsem ho umýval stojícího ve škopíku. Pozorně si složil denní oděv na židli. Topili jsme v kachlových kamnech. Spali jsme v mé posteli, ač Mariina byla volná. Spát s ním je krásné. Sahám mu na tvář a na vláčnou ručku. Před usnutím jsem mu četl Naumanovy pohádky o lokomotivách.

Stromy měly už nafouklé pupeny. Slíbil jsem mu, že ho sem zavezu, až pokvetou. A hruška už kvete, i ten krásný kdoulovec, a jsou to teprv tři dny. Při práci najednou odběhl: „Jdu se vycurat. Vycikať.“ Podivil jsem se: „Odkud to máš, to je slovensky.“ Odpověděl: „Tak to zíkala Ľubica.“ – „Jaká Ľubica?“ – „No ta, pseci, jak sem u ní byl, jak mají tu chaloupku a na dvorku houpacku.“ Podivil jsem se: „Ty si to pamatuješ?“ – „Pamatuju, prosímte. A jednou jsme okolo toho jejich domu jeli.“ – „Kdy, prosímtě!“ – „No, pseci jak sme jeli na Moravu, ale oba sme onemocneli!“

Za chvíli si začal zpívat, poslouchal jsem, bylo to cosi neuvěřitelného. „Zazpívej mi to ještě jednou," požádal jsem ho. Přesnou, čistou intonací začal zpívat: „Uz tece mozek z lebky, ochutnejte psátelé!" Řekl jsem: „Jak můžeš zpívat tak strašnou věc! Odkud to máš?" – „To zpívá Lucka." – „Dovedeš si to představit ve skutečnosti?" – „Dovedu a já za to nemůzu, to je v té písnicce o popraveném vrahovi." – „Poprava je poprava, ta je možná spravedlivá. Ale kdo mu rozsekne lebku, je ještě horší než ten vrah." Rozčileně zašermoval rukama a řekl: „Na to psece nemůzu myslet, kdyz to zpívám. Az je zatknou, ty co to delají, tak se to psestane zpívat, no!"

Za celé ty dny nepřišla mu myšlenka na nějaké hraní s něčím, když tu byla pořád lepší možnost: například brousit nůž. Jenom ke snídani vzal si někdy autíčko a při jídle s ním objížděl hrnky. Napadlo mi zeptat se ho: „Kdyby ses měl rozhodnout, s kým pojedeš: se mnou ve favoritu, nebo s manželem v bavoráku. S kým bys jel?" Takové ošklivé otázky nemají se dětem dávat. Chlapec odpověděl hned a bez rozpaků: „Tak bych samozzejme jel s tebou. Protoze já si to lepsí nechávám vždycky na konec."

Jednou večer umytý a v pyžamku klečel na posteli a přes její čelo se díval na večerníček v televizi. Když pořad skončil, řekl: „Tak, a můzes mi, prosím te, dát este stávu?" Když ji dostal, řekl: „Jsem rád, ze se můzu takto dívat a ze mi dávás stávu..." Pocítil štěstí té chvíle. Lehl si, zakutal se pod peřinu, ale v minutě se hrabal ven, nazul si pantofle a šel ke hromádce svého šatstva. „Co děláš?" podivil jsem se. Odpověděl: „Já ti psece dluzím ty tsi troukoruny, tak ti dám celou bankovku." Otevřel svou plechovou škatulku a dal mi desetikorunu.

/ KONEC / Josef se probudil do tmy. Probudil se však opravdu? Zamrkal, a tma se nezměnila, takže nevěděl, zda se dívá. Mělo být ráno, ale nebylo. Nemohl si na nic vzpomenout. Krom toho, že snad ještě existuje, nevěděl nic. Nechápal, co se stalo. Je ráno, a nepřestala být tma, a nemá žádnou vzpomínku: zacnes ztrácet vzpomínky! – Ale to je vzpomínka! Chlapec. Zkusil se pohnout: ucítil obsáhlou hlubokou bolest. Poznal, že je po operaci.

Až bude ráno, nakreslí chlapci o sobě dobrou zprávu.

LUDVÍK VACULÍK

jak se dělá chlapec

Obálka a grafická úprava Vlasta Baránková
Vydalo nakladatelství Atlantis v Brně roku 1993
jako svou 69. publikaci
Odpovědná redaktorka Jitka Uhdeová
Technická redaktorka Janina Vrátníčková
Sazbu písmem Times připravil Michal Uhde
Vytiskla tiskárna Spektrum, Vídeňská 113
Brno-Horní Heršpice
Počet stran 248
Tematická skupina 13/33
Vydání první

18-018-93